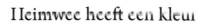

Van dezelfde auteur
De tuinman van niemandsland

Wilt u op de hoogte worden gehouden van de romans en literaire thrillers van uitgeverij Signatuur? Meldt u zich dan aan voor de literaire nieuwsbrief via onze website www.uitgeverijsignatuur.nl.

Guus Bauer

Heimwee heeft een kleur

SIGNATUUR

2011

Omslagontwerp: Wil Immink Design
Omslagbeeld: Getty Images
Foto auteur: Janus van den Eijnden
Typografie: Pre Press Media Groep, Zeist
Druk- en bindwerk: Koninklijke Wöhrmann, Zutphen

ISBN 978 90 5672 376 7
NUR 301

De auteur ontving voor dit boek een werkbeurs van het Nederlands Letterenfonds en een stipendium van PEN Vlaanderen.

Mede mogelijk gemaakt door de Openbare Bibliotheek Amsterdam, PEN schrijversflat te Antwerpen, Ambassade Hotel Amsterdam, Spring advocaten, De Veranda, Vlaams–Nederlands Huis deBuren en Antwerpen Boekenstad.

Iemand die zich in een van de personages meent te herkennen, zou weleens gelijk kunnen hebben.

Mixed Sources
Productgroep uit goed beheerde
bossen, gecontroleerde bronnen
en gerecycled materiaal.
www.fsc.org Cert no. CU-COC-802528
© 1996 Forest Stewardship Council

Dit boek is gedrukt op papier dat het keurmerk van de Forest Stewardship Council (FSC) mag dragen. Bij dit papier is het zeker dat de productie niet tot bosvernietiging heeft geleid. Een flink deel van de grondstof is afkomstig uit bossen en plantages die worden beheerd volgens de regels van FSC. Van het andere deel van de grondstof is vastgesteld dat hiervoor geen houtkap in de laatste resten waardevol bos heeft plaatsgevonden. Daarom mag dit papier het FSC Mixed Sources label dragen. Voor dit boek is het FSC-gecertificeerde Munkenprint gebruikt. Dit papier is 100% chloor- en zwavelvrij gebleekt en wordt geleverd door Arctic Paper Munkedals AB, Zweden.

Voor degene die me de tijd gunde.

Nooit argumenteren met mensen die woorden tekortkomen. Kortsluitingsgevaar.
MIROSLAV VON MIRAUS

Phantasie zu haben, ist leicht. Wie schwer aber, ihre Bilder zu gestalten.
GEORG HEYM

Een grens heeft tirannenmacht.
FRIEDRICH SCHILLER, *Wilhelm Tell*

Heimwee heeft een kleur

Stel u voor: een kaal stuk land van pakweg een halve kilometer. Zelfs het hardste gras wil er niet groeien. Toch zien we aan de rand mannen in groene pakken ernaar turen. Door verrekijkers. Zijn het vogelaars? Aan de andere kant staan vrijwel evenveel mannen. Zij zijn in het grijs. Ze hebben ook verrekijkers. Ook zij staan achter een boom. Ook hier is deze rood-wit geblokt. Houden ze elkaar in het oog? Of het vreemde geschubde gevaarte in het midden? Als u na een uur nogmaals kijkt, is er niets veranderd. Niemand wil in deze strook een eerste beweging maken.

Gevangene 1440

Roman haalde de aardappelschillen uit zijn sok en kraste een lijntje in de muur. Weer een hekje. Dat betekende dat het vrijdag was. Elke avond na de keukendienst streepte hij een etmaal af. Hij had daartoe een tand afgebroken van een vork. Gelukkig merkten ze niets. Voor het minste of geringste kreeg je hier een pak slaag. Roman stopte het restant van het pennetje in de onderkant van de stoelpoot en schoof de beschermhoes er weer overheen. Jammer dat hij zijn verhalen niet in de muur kon krassen. Op een dag zou hij hier vertrekken. Lopend of horizontaal. In het eerste geval kon hij zijn teksten niet meenemen, bij het tweede scenario natuurlijk ook niet. Bovendien werden de muren opnieuw gesausd voordat een nieuwe zijn plaats innam. Geen getuigenissen, geen bewijs.

Roman telde het aantal hekjes. Alleen doordeweeks zette hij streepjes. De zaterdag en zondag kregen van hem een kruisje. Nog twee weekenden en dan was het eerste jaar voorbij. Het atoomgetal van tin. Zijn kennis hield hem bij de les. Hij legde de aardappelschillen op zijn hand, de lichte kant naar boven, en hield ze vlak bij het peertje. De warmte van de gloeilamp zou de serpentines snel doen indrogen. In het begin had hij zichzelf moeten dwingen om de restjes niet op te eten. Nu volstond voor hem de geur. Net voordat het licht werd uitgedaan waren de schillen klaar.

Hij strekte zijn arm uit en legde de gedroogde schillen op de vensterbank. Ook in het donker kon hij de weg in zijn verblijf met gemak vinden. Dat was eenvoudig, het vertrek mat niet meer dan drie bij drie meter. Sommige mensen gaan steeds groter wonen. De volgende stap voor Roman was een kist. Zijn brits, een uitgerekte spiraal, stond onder het raam. Toen hij er de eerste keer op ging slapen zakte hij door tot op de grond. Het matras was niet dikker dan een centimeter. Het stro was door zijn voorgangers platgelegen en Roman was nog steeds aan de lijvige kant,

'Een vet kapitalistisch zwijn aan de haak.'

'We maken van die denker wel een werker.'

De uitspraken van De Chef verontrustten Roman, maar hij had het niet laten blijken. De volgende ochtend, onwennig in de nieuwe omgeving, was hij direct begonnen met buikspieroefeningen en opdrukken. Een paar maanden rantsoen deden de rest. Hij miste alleen zijn dagelijkse kroezen bier. Vrijwel elke ochtend en avond minstens één keer.

Roman schuifelde langs de toiletpot die in de hoek uit de muur stak. De trekker om te spoelen zat aan de buitenkant. Eén keer had hij zo'n onbedwingbare dorst dat hij uit het gemak dronk. Hij was er niet trots op. Maar goed dat niemand het zag. Voor je het wist had je een bijnaam die extra klappen rechtvaardigde. Roman schoof de stoel onder het raam en klom op de zitting. Nu was de vensterbank op ooghoogte. Vreemd eigenlijk dat er alleen een stoel stond en geen bureau. De nieuwe machthebbers hielden niet van schrijftafels, behalve hun eigen notenhouten exemplaren, de mausoleums van hun ideologie. Daar bedachten ze hun plannen. Voor de planeconomie. Die van de draaibank en de ploegschaar. En van het strafbankje natuurlijk.

Er viel wat licht door het venster, diffuus door het draadglas. Waarschijnlijk was het volle maan. Hoe lang had Roman al niet naar de sterren gekeken? Toch zeker twee jaar. Voordat hij op de afdeling bij De Chef terechtkwam, was hij 's nachts steevast bezig geweest in de schuur achter zijn buitenhuisje. De datsja die hij van zijn oudtante had geërfd en die dicht bij de zwaarbewaakte grens lag. Hoogstens twintig kilometer. Hemelsbreed welteverstaan. Dat wist hij nu. Was hij voor zijn vertrek maar met de wandelstok over de kronkelweg gegaan. Achterafpraat.

Hij herschikte wat van de oude schillen. Het was een groot voordeel dat de gebruikte stenen aardappelkleurig waren. Zanderig dof. Zijn systeem had al twee grondige doorzoekingen glansrijk doorstaan.

De volgende ochtend zat Roman al voordat het licht weer aanging klaar op zijn brits. Zijn biologische klok was onfeilbaar. Vijf minuten voordat de dag op gang kwam, stak hij zich in zijn plunje: een broek die hij bij de enkels dichtbond, twee jasjes en iets wat je een muts kon noemen. De bovenste jas was hem aan de poort verstrekt. De warme duffel had hij van een hulpkok gekregen in ruil voor een sierlijk geschreven brief, bloemrijke taal voor een meisje. Onwennig had Roman de vulpen vastgehouden. Hij beroerde even het papier, alsof hij een vrouw streelde. Hij wist niet welk vel hij het meest miste.

Roman had geen idee waarom ze een kwartier kregen voor het aankleden. Met vrije minuten waren ze hier niet zo scheutig. Het gaf hem in elk geval de tijd om aan zijn verhaal te werken. De buren aan beide zijden werden hardhandig wakker gemaakt. Twee nieuwkomers. Waarschijnlijk laat ingeslapen. Die waren natuurlijk nog niet gewend aan het nachtelijke kabaal. Roman sliep door alle nachtmerries heen, inclusief die van hemzelf.

'Waar kan ik mij hier wassen?' hoorde hij een stem naast hem vragen.

Het geluid van rubber tegen metaal, hout en vlees, gedempt door de dunne muur. De Chef moest in de buurt zijn.

Twee keer in de week stonden ze in de rij voor de douches. Degenen die er het langst waren drongen vooraan. Niemand die ze tegenhield. Roman was een middenmoter. Genoeg voor een snelle douche. Achter hem moesten ze zich behelpen met een dun straaltje.

Met zijn steenharde duimnagel kraste Roman de medeklinkers van het woord 'detectie' in de gedroogde aardappelschil. De verhalen leerde hij uit zijn hoofd. Hij had maar een paar steekwoorden nodig. Cijfers zaten als vanouds in zijn brein gebakken. Atoomgetallen, telefoonnummers, wiskundige berekeningen en alle belangrijke datums van de afgelopen jaren. Die verborgen agenda was er zelfs met een karwats niet uit te rammen. Tot dan toe in elk geval niet.

Het slepende geluid van de laarzen van De Chef kwam dichterbij. Roman stond op van zijn brits, stapte op de stoel en legde de aardappelschillen terug op de vensterbank. Hij stelde zich op achter de deur. In de voorgeschreven houding. Het jasje glad getrokken. Speciaal op de borst, daar waar zijn nummer zichtbaar moest zijn. Met zijn karwats tikte De Chef tegen de pijpen in de gang. Plotseling spoelde het toilet van Roman door. Het spetterde tegen de zijkant van zijn broek. Als ze dat maar niet merkten. Nergens aanleiding toe geven. Bij nieuwkomers trokken de bewakers de toiletten 's nachts bij elke ronde door. Watermarteling.

Eerder in de fabriek was Roman Doctor Robot geweest. Ook hier gedroeg hij zich voorbeeldig, leefde strikt naar het reglement. Niet dat hij een keuze had. De Chef had het speciaal op 'antirevolutionairen' als Roman voorzien.

'Vijand van de staat,' brulde De Chef op de eerste dag tegen Roman.

'Ik hou van mijn land,' had Roman tegengeworpen. Zijn kaalgeschoren hoofd zat nog onder de korsten.

'Met een vijand van de staat weet een echte vent wel raad,' vulde De Chef aan. Bij elke lettergreep liet hij zijn knuppel op de rug van Roman neerdalen. Doffe klappen. De weerklank was het gebouw al ontvlucht. Roman had het snel door. Er was in feite geen groot verschil met de wapenfabriek. Niet praten, De Chef en zijn collega's niet in de ogen kijken en elk bevel direct opvolgen. En hoe onzinnig de opdrachten ook waren – stenen via een smalle trap naar boven torsen, ze de volgende dag weer naar beneden sjouwen, gooien niet toegestaan – het was maar beter om er zelfs niet over na te denken. Het leek alsof De Chef je gedachten kon lezen.

De deur ging open, De Chef keek Roman kort aan en verdween zonder een woord weer op de gang. Roman wist dat dit het hoogst haalbare was. Meermaals was hij bij het appèl door De Chef uitgekozen. In de nieuwe republiek was het zaak om te zorgen dat je niet apart werd genomen.

Roman Novela, in het complex van De Chef bekend onder nummer 099651440, marcheerde naar buiten. Hij zorgde ervoor dat hij zijn knieën goed hoog hief. Verder dan in de voorschriften stond, maar ook weer niet helemaal tot tegen zijn borst. Hij had een veilige marge ontdekt. Naar zijn idee voor heel het leven binnen de muren. De Chef dacht dat híj dat bewerkstelligd had. Roman liet hem in de waan. Het was de smalle basis waarop hun bestand steunde. Een wankel krukje onder een man in een strop.

Eenmaal op de gang strekte Roman zijn rechterarm helemaal naar rechts uit. Met zijn vingertoppen kon hij net de schouder van zijn nieuwe buurman aanraken. De ochtendbel ging voor de tweede keer af. Roman, kortweg 1440, draaide gelijk de voorgeschreven kwartslag. De nieuweling bleef waarschijnlijk staan. Achter Romans rug laarzen in een driftig tempo, doffe klappen.

Roman hoopte dat de nieuweling niet bij hem in de buurt aan het werk werd gezet. Dan zouden ze extra controleren. In deze barakken werd je vanzelf een eenmansbrigade.

'1440, kwartslag!' schreeuwde De Chef tegen Roman. Naar voren, wist Roman. In het begin draaide hij de verkeerde kant op. Met zijn rug naar De Chef. Een onbedoelde provocatie, die desalniettemin zwaar werd bestraft. Je werd hier geacht vanaf dag één zelfs de ongeschreven regels uit het hoofd te kennen. Roman draaide rond zijn as. Voet achter het standbeen en een korte ruk aan het bovenlijf. De armen strak langs het lichaam. De duimen op de naad van de broek. Dat was lastig omdat de verstrekte kleding gestreept was. De eerste weken oefende hij dagelijks de looppas en de pirouettes. Direct nadat hij een etmaal met een lijntje of een kruisje op zijn muur aan het verleden had toegevoegd. Toch waakte hij ervoor om de kwartslagen perfect uit te voeren. Als er niets op hem aan te merken viel zou dat waarschijnlijk tot meer irritatie leiden.

'Zo, volksvijand 1440 denkt dat hij iedereen de baas is,' hoorde hij De Chef in gedachten brullen. In werkelijkheid stond het bullebakje vlak voor de nieuweling te tieren.

'Weer een volksvijand die denkt dat hij de baas is. Een handdoekje? Een zeepje? Wat rozenwater misschien? Nummer?'

Roman zag uit zijn ooghoek het speeksel rondvliegen. De jongen deed een poging om naar het op zijn jasje gestikte plaatje te kijken. De Chef deelde een oorvijg uit. Daarvoor moest hij op zijn tenen gaan staan. Het jongmens was minstens een halve meter langer. Zoals bijna iedereen ver boven De Chef uittorende, ondanks het feit dat hij laarzen aanhad met een verdacht dikke zool en zijn dienstpet, nog groter dan die van een generaal van de bezetter, bijna op zijn kruin zat. Gevuld met papier waarschijnlijk.

'Kranten, wat heb je eraan?' hoorde Roman hem in het voorbijgaan een keer zeggen.

'Ze houden je warm in de winter. Onder een trui op de motor,' had Roman zonder erbij na te denken geantwoord, als was de verzuchting voor hem bedoeld.

De Chef had niet gereageerd. Zelfs niet met zijn knuppel. Hij liep in gedachten verder door het complex.

Het jongmens staarde verdwaasd voor zich uit. Roman zag zijn spieren opbollen onder het gestreepte jasje. In de buitenwereld ging De Chef waarschijnlijk na één klap van die knaap gestrekt. Wat was de achtergrond van die dwerg? Had men hem meermaals geweigerd bij de militie?

'2880, gemakkelijk te onthouden. Tweemaal de buurman,' spuugde De Chef het jongmens in het gezicht. Hij richtte zich naar Roman en zei: 'Gefeliciteerd, je hebt er een hulpje bij. Ingerukt.'

Kennelijk was in het jaar dat Roman nu in het complex verbleef het aantal staatsvijanden verdubbeld. Een bewaker begeleidde het transport van Roman en de nieuweling. In looppas ging het de trap af en een gang door. Bij een wand met rode tegels, een mozaïek met een hamer, een sikkel en ronkende teksten, versnelde hun begeleider zijn pas. Aan de 'bevrijding door de broeders uit het oosten', hetgeen met de voorstelling werd gememoreerd, hoefde ook hij niet te worden herinnerd. Als die 'bevriende' staten niet te hulp waren geschoten, had Roman nooit het plan opgevat. Dan zat hij rond deze tijd te schrijven in zijn werkkamer op het landgoed of discussieerde hij met nieuwsgierige studenten in de collegezaal.

'Nog steeds extra keukendienst?' vroeg de bewaker.

'Hier beneden stook ik het vuur op,' zei Roman. 'En boven mag ik er dan jullie prut op zetten.'

'Dat moet wel een straf zijn met dat rantsoen van jullie.'

De bewaker pakte zijn sleutelbos en deed de deur van het stookhok open. Een ijzige windvlaag sloeg hen in het gezicht. Er zat geen glas in de bovenramen van de stookkelder.

'Ik hoop dat je dat oude ding aan de praat krijgt,' zei de wacht. 'Om vier uur kom ik jullie weer halen. De nieuwe moet van De Chef de kolen scheppen.' Hij ging naar buiten en deed de deur op slot.

'Misschien hebt u zich er al bij neergelegd, maar ik moet hier zo snel mogelijk weg.' De jongen wees op de bovenlichten. 'Geen draadglas en die staven ruk ik zo los. Ze zien er roestig uit.'

Roman trok zijn muts verder over zijn oren, als wilde hij niet horen wat de jongen allemaal uitkraamde. Natuurlijk had hij ook vaak gedacht aan uitbreken, maar kijk waar zijn eerste plan hem had gebracht.

'Pak eerst maar even de schep,' zei Roman kalm. 'Die ramen komen uit op de binnenplaats. Dat brengt je geen stap verder.'

'En vanaf hier een tunnel graven?'

Waar naartoe? Buiten de muren was ook iedereen een slaaf van het socialisme. Roman wist niet precies waar ze zaten. Hij was geblinddoekt naar het complex gebracht. Vanaf zijn datsja, die inmiddels wel in beslag zou zijn genomen of vernietigd, was het minstens twintig kilometer graven naar de vrijheid. In een rechte lijn welteverstaan. Dat wist hij zo langzamerhand wel. Hoeveel nachten was die bewuste dag niet door zijn hoofd gegaan. Was hij maar eerst met zijn wandelstok de kronkelweg afgelopen.

Roman wrikte de deur van de ketel open. Zijn vrees werd bewaarheid. Geen sprankje vuur.

'En als we de boel in de fik steken?' probeerde de jongen opnieuw. Er ontsnapte rook uit zijn mond. Alsof hij zelf in brand stond. Het moest zeker een graad of twintig vriezen.

Roman zweeg en wees naar de kolenschop en de berg antraciet in de hoek.

'Vooral niets in je broekzak stoppen.' Roman zou ervoor worden gestraft. De jongen was een ongeleid projectiel. Iemand die ze niet zo gemakkelijk zouden breken. De weerbarstigheid van de jeugd. Roman zou hem leren om zich te schikken. Om te buigen, al was het voor de schijn. De intense kou sloop Romans lichaam binnen. Hij merkte het niet, want binnen in zijn borstkas gloeide het even. Een waakvlam. Hij had een nieuwe leerling.

Terwijl de jonge spierbundel de kolen in de ketel gooide, naar het leek elke schep met meer venijn, probeerde Roman het vuur aan te krijgen. Vooral op de maandag kon het wel twee uur duren voordat de vonk oversloeg. In het weekend waren er geen knuppels in het complex. Die zaten allemaal in hun datsja, De Chef misschien wel in die van Roman. Er werd niet verwarmd en gekookt. Daarom gebruikte Roman kruisjes voor de zaterdag en zondag. Twee lange etmalen alleen maar ijsberen en wachten op de koude koolsoep en het gitzwarte brood. Liever ging hij boenen in de keuken – af en toe vond je nog een vergeten korst of een restje kool – desnoods wilde hij stenen heen en weer sjouwen op de binnenplaats.

Roman gebruikte in nafta gedrenkte splinters.

'Worden die geteld?' vroeg de jongen.

'Na afloop krijgen we visite.'

Roman hoefde zich al een week niet meer uit te kleden aan het einde van de stookdienst. Een halfuur winst. Hij wilde dat niet laten verpesten door roekeloze plannen van zijn pupil.

Roman werd om een uur of vier naar de keuken gebracht, kreeg een schort en begon met het schillen van de aardappelen voor de maaltijd van de knuppelaars. Minstens veertig kilo grote knollen. Soms al uitgelopen. Eerst schillen en dan ontpitten. Roman genoot van de plons van de gejaste piepers in de teil met water. Omdat hij zo snel en gelijkmatig werkte, mocht hij soms ook de fijne aardappelen voor de leiding schillen. Daar mochten al helemaal geen ogen meer in achterblijven. Bij de maaltijden bespraken de partijleden gewichtige partijzaken. Daar konden ze geen pottenkijkers bij gebruiken.

Roman slaagde er met de tiende splinter in om de vorst te verdrijven.

'Schuif de kolen nu maar verder,' zei hij tegen 2880. 'Beetje bij beetje.'

Het krachtmens had binnen de kortste keren de ketel gevuld. Nu was het een kwestie van temperen. Daar was Roman een meester in. Af en toe wat oprakelen. Na een kwartier kon de muts af en het eerste jasje uit. Het duurde nog zeker een paar uur voordat de oude ketel de warmte door het hele complex had gepompt. Op de dinsdag mocht Roman altijd als een van de eersten onder de douche. Op de vrijdag waren ze zijn stookverdiensten allemaal al weer vergeten. Dan was hij weer een middenmoter.

'Weet je iets van de elementen?' vroeg Roman. De jongen trok zich op aan de tralies en keek uit het kelderraam. Een binnenplaats. De bovenkant van de muren was niet te zien.

'Er is veel sneeuw gevallen. Een ijskoude wind.'

Uit het oosten. Roman dacht aan de datsja, de schuur en de tractor.

Kameraad staalwerker

Het is allemaal begonnen met de schilfer metaal die een hele tijd op het dressoir had gelegen. In de schaal met ingedroogd fruit, het werkboekje van het vorig jaar en de hazelnoten die Roman gewoontegetrouw in het najaar bij de struiken in het park raapt. Jagen en verzamelen. De laatste tijd was het meer schrapen. Hoe het plaatje bij hem thuis terecht is gekomen weet hij niet meer. Het kan zijn dat het in zijn werkschoen is blijven steken. Misschien heeft iemand het kort voor de controlepoort in zijn zak laten glijden. Op een avond keek hij in het werkboekje. Hij haalde enige troost uit het regelmatige handschrift dat hij voorheen had. Roman pakte een paar noten uit de schaal en drukte de schil met zijn duim op het tafelblad stuk. Een voordeel van zijn werk. Zijn kantoorspieren waren aangesterkt en er zat flink wat eelt op zijn handen. Alleen de speklaag op zijn buik was gebleven. Terwijl hij de kruimels opat en een slok van zijn bier nam viel zijn oog op het stuk metaal. Hij pakte het op, hield het tussen duim en wijsvinger en draaide het een aantal malen bedachtzaam rond. Naar zijn idee besloegen toen van opwinding zijn brillenglazen.

De morgen nadat de splinter Roman op een idee had gebracht was hij veel eerder dan anders opgestaan. Die dag zou hij een eerste test gaan doen. Hij schoot direct zijn overall aan en zag zelfs af van zijn ochtendbier. Van de opwinding kreeg hij de snee brood met reuzel nauwelijks weg. Met de korst tussen zijn tanden en één arm in de mouw van zijn jas rende hij met drie treden tegelijk de trap van het appartementencomplex af. Daarbij botste hij op zijn onderbuurman.

'Waar gaat dat zo snel naartoe?'

De man was nog gedeeltelijk gekleed in zijn uniform. Zijn bretels hingen tegen de zijkant van zijn dienstbroek. Het jasje had hij al uitgedaan. Zijn hemd vertoonde grote zweetplekken.

'Naar fabriek nummer vijf,' zei Roman. 'Daar waar ik op mijn plaats ben.' Volgens de kameraden, dacht hij erachteraan.

De buurman kneep zijn ogen dicht en keek tussen zijn wimpers door Roman onderzoekend aan. Normaal had doctor ingenieur Novela zich uiterst ongemakkelijk gevoeld, maar doordat kameraad buurman een van zijn politielaarzen al uit had, zijn andere voet in een pantoffel van zijn vrouw stak en hij duidelijk al iets met veel procenten had genuttigd, maakte de man eerder een ontwapenende indruk. Roman waakte ervoor om het te laten merken. De lange lat bungelde nog aan de koppelriem.

'Nachtdienst gehad? Nog veel obscure elementen in de kraag gevat?'

'Ach ...' begon de agent. 'Ja, wat zal ik zeggen ...'

Half mens, half machine van het systeem, dacht Roman. Toch had hij de geüniformeerden liever dan de stillen. Al droegen die in feite ook een dienstpak. Altijd een kostuum van slechte snit, een regenjas met hoge kraag en een gleufhoed. Met een slappe rand om spiedende ogen achter te verbergen.

'Waarschijnlijk is dat staatsgeheim,' zei Roman snel. 'Wilt u mij excuseren. De plicht roept. Iets wat u ongetwijfeld zult begrijpen.'

'Begint uw dienst nu al om vier uur in de ochtend?' zei de buurman. Hij was op de trap gaan zitten en rukte aan zijn laars.

'Ik heb ingezien dat ik in de fabriek een waardevolle bijdrage kan leveren aan het socialistische arbeidersparadijs,' zei Roman. 'Ik maak overuren.' Misschien overspeelde hij zijn hand. Zoveel enthousiasme voor de communistische heilstaat was natuurlijk overdreven. En verdacht. Maar de agent was moe na zijn nachtdienst en wilde verlost worden van zijn weerbarstige laars. Het was tijd om bij zijn vrouw in het ledikant te stijgen.

'Bewijst u vandaag de staat een eerste dienst door mij uit dat vervloekte ding te helpen.'

Ondanks het feit dat de buurman niet meer in dienst was, klonk het als een bevel. Roman ging met zijn rug naar hem toe staan, stapte over het uitgestoken been en begon aan de hak van de laars te rukken. Plotseling voelde Roman de andere voet van de buurman op zijn kont. Ook al stak die in een pantoffel, Roman werd ruw met laars en al door de voordeur naar buiten getorpedeerd.

'Met een trap na van het regime,' mompelde hij in zichzelf. Hij krabbelde overeind, greep zijn tas van de straatstenen en draaide zich om. Met een buiging zette hij de laars in de deuropening. Zijn weckfles met ingelegde bospaddenstoelen was kapot. Het rook muf, een beetje schimmelig. Alsof de straat al was teruggewonnen door de omringende bossen. Op zijn vlucht naar buiten had Roman zich vastgegrepen aan een haak die uit de muur stak. Een plakkaat stuc was meegekomen. Er waren mooie tegels zichtbaar geworden. Jugendstil. Die frivoliteit zou wel snel weer worden bedekt. Alles kreeg hier dezelfde grauwe sluier. Goedschiks of kwaadschiks. Roman zette de kraag van zijn werkjas op en dacht aan zijn mantel van fijn Egyptisch linnen. Na de eerste dag in de fabriek was hij bij het kledingmagazijn langsgegaan.

'Een prachtige stof,' zei de voormalige kleermaker, nu kameraad textielverdeler. De man had Roman mee naar achteren genomen. 'Helaas zie ik geen kans om het te repareren. Dat dessin heb ik al jaren niet meer. Zeker niet in die heldere kleur. Het zou een lapjesdeken worden.'

In de fabriek moest iemand tijdens de pauze de happen uit Romans jas hebben gesneden. Aan het eind van de dag had hij de mantel gewoon aangedaan en was langs het kantoor van de leiding naar huis gelopen. Een clownspak paste wel bij de situatie. Eén grote schertsvertoning. Hopelijk naaide ergens een handvaardige vrouw van de lappen een mooi huisjasje.

'Ik zal het in een hoes in de kelder hangen,' zei de textielverdeler. 'In afwachting van betere tijden.' Hij overhandigde Roman een grijze werkmansjas en een extra overall, antracietkleurig.

Roman wreef zich over zijn stuitje. Hij was net als de beroemde baron door de lucht gevlogen. Niet op een kanonskogel, maar op een politielaars. Hij haalde zijn bril van zijn hoofd en wreef de twee pijnlijke moeten op de brug van zijn neus. Het montuur was zwaar. Hij had er ter hoogte van de neus een paar pleisters opgedaan. Het had de val niet kunnen breken. In het linkerglas zat een barst. In de vorm van een vijfkant. Zodra de voorman bij de lopende band weer snerende opmerkingen zou maken, kon Roman hem mooi even op zijn kapotte bril wijzen. De socialistische ster.

'Zou de weledelzeergeleerde heer doctor ingenieur Roman Novela het tempo iets op kunnen voeren,' hoorde hij de lomperik al brullen. Titels waren in het land altijd al onderdeel van de naam geweest. Daar kon ook de nieuwe regering niets aan veranderen.

deren. Wat had die voorman in de eerste maanden veel commentaar gehad op de lasnaden van Roman! Toen daar uiteindelijk niets meer op aan te merken viel, ze waren ondertussen zo strak als een breinaald, werden zijn schroefgaten onder de loep genomen. Maar dat ging volledig mechanisch. En op machines kon je geen kritiek hebben. De voorman verloor de interesse. Roman was zelf een robot geworden. Er was een nieuw kapitalistisch zwijn gekomen waarop de voorman zich stortte: de gewezen directeur van de schoenenfabriek. De man was zo stom geweest om handgemaakte schoenen en een dure kamgaren jas aan te doen. Waarschijnlijk omdat de overall te klein was voor zijn corpulente verschijning. De knopen stonden op springen.

Roman sprong op het balkon van de tram. Niemand keek op of om. Een goed teken. Hij ging op in de massa. Dat maakte zijn voornemen een stuk eenvoudiger. Hij telde twaalf mannen, allen in dezelfde duffels en met een ransel met hun middagbrood. Ertegenover, als gescheiden in een kerk, zaten rond de twintig vrouwen. Ze droegen allemaal een hoofddoek. Hun jurken en jassen waren vrijwel kleurloos. Roman kende ze wel van gezicht. Ze werkten twee hallen verderop, bij de assemblage van munitie. De voorman zou zeggen: 'Ze zien eruit alsof al hun kruit al is verschoten.' Een meisje dat in een fleurig bloesje naar het werk kwam werd direct door de groep terechtgewezen. Roman ging naast een andere metaalwerker zitten. Vroeger was hij de begenadigde wiskundige weleens op de Wetenschappelijke Club tegengekomen. Steevast geanimeerde gesprekken. Nu zeiden ze zelfs geen goedendag tegen elkaar. Ze waren wijzer geworden.

Romans gedachten dwaalden af naar de eerste week dat hij werkte in de walserij voor pantserplaten en de naastgelegen gieterij voor kanonnen. Hij had zich op een maandagmorgen om zes uur moeten melden bij de bedrijfsleiding. Niet dat hij een minuut later had kunnen komen. De geheim agenten hadden hem in de stoel voor het bureau van kameraad directeur geplant. Ze waren daarna ook nog meegegaan naar zijn nieuwe werkplek. Er was geen ontkomen aan. Bij de poort naar hal nummer vijf stond een grote metaaldetector. Zodra ze er gedrieën doorheen liepen begon een sirene te loeien en gingen lampen aan en uit, communistisch rood natuurlijk. Roman en zijn begeleiders werden omsingeld door militairen, het machinegeweer in de aanslag. Een plastic tochtdeur ging open. Dat was de eerste keer dat Roman de voorman zag. Een blonde reus, die model leek gestaan te hebben voor alle arbeiders op de propagandaposters van de grote broer uit het oosten. Als kabelharde staalarbeider, wat hij natuurlijk een tijd geweest was, als sterke zoon van een kolchoz of als roemruchte strijder van het Rode Leger. Die dag ontkwam Roman aan de uitgebreide controle, omdat zelfs de voorman terugschrok van de legitimatie van de geheim agent. Die omissie maakte de partijreus de tweede werkdag meer dan goed.

De wachttijd voor de metaaldetector en de poort naar buiten werd niet uitbetaald als overwerk. De voorman had de prikklok verplaatst. Het bord met de kaarten van de werknemers stond nu vóór de plastic tochtdeur. Voordat je in de rij mocht gaan staan moest je eerst afstempelen. Het duurde soms wel een uur eer je aan de beurt was om gecontroleerd te worden. Tot zijn teleurstelling had de voorman geen extra loon uit zijn idee kunnen slepen. Zelfs geen kleine bonus. De partijleden wreven zich in de handen. Een aanzienlijke besparing. Een mooie kans ook om de arbeiders na hun dienst nog stichtelijk te onderwijzen. Er werden grote luidsprekers opgehangen in de controleruimte. Niemand die erop lette. Toch kon ook Roman na verloop van tijd de leuzen zo opdreunen. De kracht van het onderbewustzijn.

De directeur van de wapenfabriek liet de naam van de voorman vallen bij de districtsvoorzitter van de partij. De blonde reus werd uitgeroepen tot arbeider van de maand. Aan de wand prijkte zijn portret. In de eregalerij. Onwennig, een beetje loens ook, keek de man in de camera. Op zijn borst een medaille. Een lint met een rode ster eraan, fors maar overduidelijk van goedkoop materiaal.

'Nu hoort hij ook bij de conserven,' fluisterde de buurman uit de bus in het oor van Roman.

'Om die foto's zou zo een rouwrand kunnen,' lispelde Roman. Naast de drankkop van de zoveelste arbeiderspresident hingen nog elf ingeblikte geluksvogels. Allemaal stuurse koppen. Tot de strop veroordeelden vlak voor het schavot. Op enkele afdrukken zag je nog de handen die het achtergronddoek vasthielden. Alle rottigheid toegedekt met de mantel der broederliefde: de vlag van de socialistische republiek.

'De eerste wordt binnenkort weer vervangen', zei de wiskundige. 'Ik denk dat jij daar komt te hangen.'

'Als succesnummer zeker.'

'Je doet anders je bijnaam eer aan.'

Ze zwegen. Er kwam een opzichter langs, gevolgd door een militair met het machinegeweer in de aanslag. Een tiener nog, de vinger op de trekker. Je moest er toch niet aan denken wat zo'n knul kon aanrichten als hij ergens van schrok.

Zelfs de voorman had Roman al een keer aangesproken met 'Doctor Robot'. Ze moesten eens weten waarom hij zo goed zijn best had gedaan om te leren lassen. Hij was ook een meester met de klinkhamer geworden.

Op de tweede dag van zijn fabrieksleven stond Roman als eerste voor de poort. Niet omdat hij zo graag wilde beginnen, maar eenvoudig omdat hij gewend was om in de kleine uren aan zijn bureau te gaan zitten om te werken. Nu al zijn boeken, schriften en aantekeningen waren meegenomen, had hij thuis niets meer te doen. Natuurlijk zou hij een wetenschappelijk stuk kunnen schrijven, maar er was geen papier en hij had juist voldoende inkt om het verplichte werkboekje in te vullen. Bovendien werd zijn flat met grote regelmaat doorzocht. De eerste paar keer had hij het alleen aangevoeld. Misschien ook wel geroken. Het moest gezegd, ze gingen heel voorzichtig te werk. Niet zoals bij hun eerdere bezoeken toen Roman nog op het landgoed woonde. Daar hadden de stillen, proletariërs aller landen verenigt u, alles uit de kasten getrokken en laden op de marmeren vloer omgekeerd.

De voorman reageerde verbaasd toen hij het hek opendeed. Een tel later trok hij zijn gezicht weer in de plooi. Die zelfingenomen ingenieur moest niet denken dat hij zich kon opdringen. Als je niet oplette namen dat soort vetgemeste types zo weer de leiding in handen, net nu ze een arbeidersparadijs hadden geschapen. De voorman ontsloot de poort van de assemblagehal. In de ochtend was de controle niet zo streng. De arbeiders moesten snel aan het werk worden gezet en het ging er uiteindelijk niet om dat er iets naar binnen werd gesmokkeld. Het was 's morgens stervenskoud, ook al werkte er een kleine ploeg een gedeelte van de nacht door in de hal. Alles draaide op een laag pitje. Uit de meeste van de bovenraampjes staken alleen nog een paar glas-scherven. De stokers konden zonder veel omhaal naar binnen. Mensen als Roman werden grondig onderzocht. Net als voor hem de wiskundige en na hem de ex-directeur van de schoenen-fabriek. Ook op de tweede werkdag gingen alle alarmbellen af toen Roman door de detectiepoort liep.

'Hier komen. Zakken leegmaken en nog een keer proberen,' zei de voorman.

Roman stapte nogmaals door de poort. Opnieuw flitsten de lampen aan en uit en snerpte de sirene met nog meer verontwaar-diging dan de eerste keer.

De voorman sjorde aan de broek van Roman. 'Riem uit, bretels af en schoenen uit.'

Bij een derde poging stond Roman in zijn ondergoed. Hij had verder alleen zijn bril op.

'Brillenjood!' schreeuwde de voorman. 'Af dat ding!'

Jouw gok mag er anders ook zijn, dacht Roman.

'Maar het is een hoornen montuur,' zei hij. 'Zonder zie ik geen barst.' Stom natuurlijk. Nooit argumenteren met mensen die woorden tekortkomen. Kortsluitingsgevaar.

Het leverde Roman een pittige stoot op in zijn rechternier. De voorman had een hoofdgebaar gemaakt naar een van de jonge militairen. De deur van het kantoor ging open. Het alarm op de metaaldetector klonk hoogstens één of twee keer per dag. Meest-al een shagdoos of wat losgeld in de zak van een overall. In de middag paste men wel beter op. Diefstal van de staat werd streng bestraft. Door een vergeten muntje kon je helemaal uit de kleren. Als ze zin hadden werd je ook nog een paar uur ondervraagd. Gebeurde het meer dan één keer per maand dan kreeg je een geldboete of een celstraf.

De directeur kwam de trap aflopen. Kon je hier dan nooit rustig aan je planeconomie werken? Hij was net bezig met het dicteren van een belangrijk stuk aan zijn secretaresse. Ze had zeegroene ogen en rood haar. En ook de rest van de zeven schoonheden, misschien zelfs wel meer.

Roman stond inmiddels in zijn blote kont. Hij was al vier keer heen en weer gelopen door de poort. De voorman keek vertwij-feld naar de directeur. Wat moest hij met dit geval? De militairen stonden nog steeds met hun wapens in de aanslag.

'Naam?' bitste de directeur. 'Voluit graag.'

'Doctor ingenieur Roman Novela.'

'Gebruikt u soms metaalwas in uw haar?' De ogen van de directeur glommen. Hij was onder de indruk. Roman had zijn naam zonder een zweem van arrogantie genoemd. En dan had hij de belangrijkste titel nog verzwegen, die van zijn eeroude familie. Zelf had de directeur het niet verder gebracht dan de lagere technische school. De eerste helft. Ondanks zijn pak voelde hij zich naakter dan Roman. Het zat slecht. Toch viel hij niet uit zijn rol. Zijn autoriteit ontleende hij aan zijn wilde snor, model overheerser uit het oosten. Hij richtte zich tot de voorman en vroeg: 'Kleren doorzocht?'

Roman wilde het niet op de spits drijven. Bovendien kreeg hij het koud. 'Misschien weet ik de oorzaak.' Hij wees op zijn voorhoofd.

De voorman testte zijn knuppel in zijn handpalm en deed een stap naar voren. De directeur hield de voorman tegen. Wat bedoelde Novela? Refereerde hij aan zijn ijzeren wil? Je moest immers wel een doorzetter zijn als je de hoogste graad op de universiteit had gehaald.

'Ik heb een metalen plaatje in mijn hoofd. En trouwens ook een schroef in mijn enkel. En er zwerft ook nog ergens een kogel rond.'

De directeur trok een aantal maal aan zijn snor. Alle kameraden zijn gelijk. Geen uitzonderingsposities. Hoe moest hij dit nu weer oplossen?

'Doctor ingenieur Novela, u kunt zich weer aankleden,' zei de directeur, en tegen de voorman: 'Kameraad 1440 krijgt een ontheffing.' Het liefst had hij het verhaal willen horen over de metalen plaat en de schroef. En zeker dat van de dolende kogel. 'Gaat u naar uw werkplek. En dat geldt ook voor u, kameraad voorman. We hebben genoeg kostbare tijd van Vadertje Staat verspild.' Bovendien moest hij dicteren, heel veel dicteren.

De directeur was na het voorval met Roman teruggegaan naar zijn kantoor, de planeconomie en de roodharige secretaresse. Hij liet haar, gezeten op de punt van zijn staatsbureau, de gedicteerde zinnen voorlezen. 'Langzaam, denkt u aan mijn zwak gehoor.' Zonder zijn blik van haar blouse af te wenden, pakte hij een paar bankbiljetten uit de kas. Niet, zoals gewoonlijk, om bij zijn lieve-lingsrestaurant het middagmaal te kunnen begieten, maar omdat hij 'een onverwacht inzicht had gekregen'. Hij zou langsgaan bij de kameraad directeur van de vleeshouwerij.

Een week eerder had de slager tijdens het eten geklaagd over de tekorten. Merg en been. 'Kameraad wil niet weten wat ik soms op mijn hakblok krijg.'

Sinds de machtsovername was de prijs van rundvlees schrikba-rend gestegen. De directeur van de wapenfabriek drukte zo af en toe wat doosjes kleinkaliber achterover. Daarmee ging hij naar een oude schoolvriend met een eigen varkenskot. Binnenkort zou hij met grover geschut moeten aankomen. Zijn vriend nam geen genoegen meer met de kleine kogels. Hij was een echte kameraad geworden: districtsvoorzitter van de partij. Daar leerde men als vanzelf zakkenvullen.

De directeur van de wapenfabriek tikte op het raampje van het kantoor van de slager.

'Kom binnen, kameraad.' De slager deed het servet af die hij in zijn boord had gestoken. 'Bezuinigingen, mijn beste. Ik eet nu noodgedwongen op kantoor.' De man nam nog snel een slok van zijn bier en stond op. 'Straks slachten ze alleen nog voor mij en mijn gezin.' Hij stak zijn hand uit en knipoogde. 'En natuurlijk voor een paar goede kameraden. Neem plaats. Waarmee kan ik mijn wapenbroeder dienen?' Hij wees naar zijn bord. 'Het is niet veel meer dan merg en been.'

De directeur van de wapenfabriek ging zitten, boog zich naar voren en greep het rolletje met kronen uit zijn vestzak. Als er één bedrijfstak was waar zeker niet bezuinigd werd dan was het wel die van hem. Hij schraapte zijn keel en zei: 'Kameraden zoals u hebben de arbeidersrepubliek tot een succes gemaakt.' De slager, toch al niet een van de kleinsten, zwol op van trots. 'Mannen van het eer-ste uur. De pijlers van het socialisme.' De directeur van de wapen-fabriek hield nu echt zijn mond, bang dat de vetzak zou explode-ren. Hij tilde het bord van de slager op en legde er het rolletje met honderdjes onder. Ze wisten allebei dat partijleden zoals zij mede-verantwoordelijk waren voor de puinhopen in het land. Maar ie-dereen bauwde de leiding na. De luxe van een eigen mening kende men al jaren niet meer. Althans niet in het openbaar. Daar golden de ronkende leuzen op de borden langs de kant van de weg.

'Geeft u een feest, beste kameraad? Een trouwerij, een jubileum? Het is toch geen wake? Hoe is het met uw oude moeder?'
Had die kanonnengieter daar al dat geld vandaan?

'Nee, geen feest, het is voor de goede zaak. Ik hoopte dat de vleeshouwerij de wapenfabriek wilde helpen. We leiden, beste kameraad, immers allebei een staatsbedrijf.'

De slager begreep er niets van. Hoe kon hij nu bijdragen aan de verdediging van het land? Wilden ze de kapitalisten met beenderen en slachtafval bestoken? Het geld was genoeg voor een week eersteklas vlees voor alle staalarbeiders in complex vijf. Zoveel aanvoer was er alleen niet.

'Ik zou graag, alles nogmaals in het licht van de verdediging van onze natie, een van uw weegschalen willen gebruiken bij de fabriek. Zonder … daartoe allerlei ministeries te moeten inschakelen.'

Had de man daarvoor zoveel geld gebracht? Voor een paar weegschaaltjes?

'Ik bedoel wel een van die grote bij de ingang. Die waarop u de beesten weegt. Maar als u liever … het ministerie van Oorlog …'

'Neen, kameraad, alles voor de glorieuze natie.'

'Mooi, ik zend een vrachtwagen en wat arbeiders om het gevaarte op te halen.'

Wat de slager betreft kon de man voor dat geld alle apparatuur meenemen. De machines waren degelijk, maar wel verouderd. Zo nodig zou hij er zelfs zijn messen bij leveren. Hij had geen idee hoe een weegschaal, hoe groot ook, kon meehelpen met de verdediging van het land, maar het kon hem niet veel schelen. Hij zat al tijden te azen op een order van het oorlogsministerie. Dit was een eerste stap. Zodra de kameraad directeur weg was, zou hij naar zijn lievelingsrestaurant gaan en een flinke maaltijd bestellen. En een fles van de beste Moravische wijn.

'Ik neem aan dat daarmee het papierwerk is geregeld?' De directeur van de wapenfabriek wees op het rolletje dat onder het bord van de slager uitstak.

Aan het einde van de werkdag pikte de voorman Roman, de wiskundige en nog twee staalarbeiders met een academische titel uit de rij bij de prikklok. Ze waren net achteraan gesloten. Wat was de blonde reus nu weer van plan? Moest Roman zich weer helemaal uitkleden? Hij had toch verteld over de plaat in zijn hoofd en de schroef in zijn enkel? En de kogel ergens in zijn lijf? De directeur had erbij gestaan.

'Volg mij,' zei de voorman. Hij liep naar de voorkant van de rij, duwde een stoker opzij – een waagstuk, de stokers waren oersterk en stonden in aanzien, niet zelden waren het partijleden – en liet de academici voorgaan naar de metaaldetector

'Wat krijgen we nu?' zei de stoker terwijl hij zijn klauw samenbalde.

'Extra handwerk voor de denkers,' zei de voorman.

De stoker ontspande zijn mokervuist.

'Jij niet,' zei de voorman tegen Roman. 'We gaan die machine niet overbelasten en voor een grondig onderzoek hebben we geen tijd.' Mensen mocht je kennelijk wel tot het uiterste inzetten.

Ze liepen rond de fabriekshal. Achter een vervallen loods stond een laadbak. Geen gewone vrachtwagen. Daarvoor waren de achterwielen te groot. Pas toen ze er dichtbij waren, zag Roman dat het een oud rupsvoertuig was. Afgedankt door het leger en bij de wapenfabriek kennelijk als transportmiddel in gebruik. De bepantsering was van de achterkant gesloopt. Roman dacht aan het buitenhuisje dat hij had geërfd. In de schuur had hij een tractor aangetroffen. Een robuuste, van westerse makelij. Pas na een paar bezoeken aan het dorp had hij de tractor een keer durven starten. Ermee rondrijden zou te veel opzien baren. Als toen bekend was geworden dat hij een datsja had, was die meteen door de machthebbers in beslag genomen. Privébezit was niet gewenst in een arbeidersparadijs. Behalve natuurlijk als het eigendom van partijleden betrof.

'Op de laadbak,' beval de voorman. Zelf klom hij in de cabine, die ongetwijfeld verwarmd was, of anders toch zeker meer beschutting bood. Er slofte een man in een lange legerjas uit de oude loods. Zelfs op de laadbak was de lucht van goedkope wijn te ruiken. De man hees zich in de bestuurdersstoel. Na een paar pogingen sloeg de motor aan. Die had er duidelijk ook geen zin in. Waar gingen ze naartoe? Wel vaker in de geschiedenis werden mensen afgevoerd onder het mom van tewerkstelling elders.

De weg was breed en er zaten bijna geen kuilen in. Kennelijk bleven ze dus op het industrieterrein. Ook al zaten er geen bochten in, de chauffeur slaagde er toch in om zo nu en dan een stuk van de berm mee te pikken. Roman was goed in het schatten van afstanden. Toen de vrachtwagen stopte, hadden ze niet meer dan drie kilometer afgelegd. Ze waren minstens een halfuur onderweg geweest.

Een abattoir van de staat. Zouden ze als vee worden afgeslacht? Was de beestachtige behandeling niet genoeg?

'Meekomen,' zei de voorman.

In de deuropening stond een slager. Zijn schort was roestbruin doordrenkt. Hij rookte een sigaret. Zouden ze van hem straks een laatste haal krijgen?

'De weegschaal?' vroeg de slager.

'Jawel,' zei de voorman.

Werden ze voor de fatale klap nog even gewogen?

Ze liepen de hal in. De kadaverlucht sloeg hen in het gezicht. De voorman en de slager hielden stil bij het begin van iets wat leek op een transportband. Aan het plafond zaten rails. De slager zag Roman kijken.

'Daar hangen we ze aan op. Aan de andere kant komen ze er schoon aan de haak weer uit. Zo de koelcel in.'

De voorman wees op de weegschaal.

'Ieder aan een kant en in de laadbak tillen.'

Binnen een kwartier was de vrachtwagen met de weegschaal en de academische staalarbeiders terug bij fabriek nummer vijf. Alsof het rupsvoertuig de stal rook en de chauffeur het restje in de mandfles met wijn. Roman wist pas dat hij het er levend had afgebracht toen ze mochten uitstappen bij de poort van de plaatwalserij. Ze hadden net zo goed ergens in een meer gedumpt kunnen worden, vastgebonden aan de zware weegschaal. Zo'n enorm geval had Roman nog nooit gezien. Hij kon er uitgestrekt op liggen. Het contragewicht had een grotere diameter dan de kanonnen die hij in de ochtend op de lopende band voorbij had zien schieten.

'Afladen dat ding en opstellen naast de metaaldetector,' zei de voorman.

Het begon Roman te dagen. Boerenslim, die directeur. De weegschaal was niet bedoeld voor het wapentuig. Voor het geschut gold waarschijnlijk toch hoe zwaarder hoe beter. Het was om het kanonnenvlees te wegen. Een extra complicatie bij het plan van Roman.

De voorman sprong op de waag. Hij verschoof het grote gewicht totdat de wijzer op de afleesschaal stil bleef staan.

'Honderdenvier kilo spieren.' Hij klopte zichzelf op zijn schouder en priemde daarna met zijn wijsvinger in de richting van Roman.

Het lag Roman op de lippen om te zeggen dat een mens voor tachtig procent uit water bestaat. En in het geval van de voorman misschien wel uit meer. Hij had een enorm hoofd. Zou hij als kind veel gepest zijn? Ga jij even een mud aardappelen halen in je petje.

'Doctor ingenieur Novela, mag ik u uitnodigen?'

Alsof het een invitatie was die Roman had kunnen weigeren. Roman stapte op de weegschaal.

De voorman schoof met het contragewicht. Tot drie keer toe liet hij Roman op- en afstappen. Steeds kwam de naald trillend op dezelfde plaats terecht: ook precies honderdenvier kilo. Voor de zekerheid woog hij daarna ook de andere drie arbeiders. De wiskundige was een tanige man. Niet meer dan zeventig kilo. Dat nu net weer die Novela evenveel moest wegen! De voorman ging zijn hok in en pakte een leeg kasboek, een potje inkt en een kroontjespen.

Hoe graag had Roman dat schrift willen vullen, met een wetenschappelijke verhandeling of desnoods met een verhaal.

De voorman schreef de namen en stamnummers op van de academische staalarbeiders en vulde de datum en hun gewicht in. 'Doctor ingenieur Novela, honderdendrie kilo.' Vet, broze botten, kantoorspieren en antisocialistische ideeën, dacht de voorman erachteraan.

Toen Roman met de uitvoering van zijn plan begon, deed hij zijn uiterste best om het schrijfbaantje bij de weegschaal te krijgen. De oude stoker die het een paar dagen deed, was zo goed als blind, zelfs met de sterkste loep zag hij de cijfers niet meer. Na een week had de voorman in de gaten dat de stoker de arbeiders zelf hun gewicht liet opschrijven. Een gemiste kans. Natuurlijk sprak Roman de voorman niet direct aan. Hij gaf de oude stoker een fles drank opdat hij hem zou voordragen.

'Kom, stokertje,' had de voorman geantwoord. 'Je hebt te diep in het glaasje gekeken.'

De wiskundige, die op een of andere manier steeds beter met

de voorman overweg kon, had Roman genoemd als een van de beste kandidaten. 'Zijn bijnaam is niet voor niets Doctor Robot.' Tegelijkertijd stelde hij, uiterst nederig, zichzelf als mogelijke schrijver voor. 'Mag ik mijn handschrift voor mij laten spreken? Het is duidelijk en zeer regelmatig.'

De wiskundige was een verstandig man. Daarom sprak hij niet over de formule die naar hem vernoemd was. Met een beetje geluk vergat de voorman na een tijd de achtergrond van zijn werkers. Uiterlijk verschilden de academici in niets van de andere stokers, gieters en walsers. Hun handpalmen waren net zo eeltig. Ze hadden ook zwarte nagels en droegen dezelfde oude overalls. Eens in het jaar werd een nieuwe verstrekt. Al na een week bleef het kledingstuk rechtovereind staan als je eruit stapte.

Achteraf gezien was het niet ongunstig voor Romans plan dat de kantoorjongen met de handicap het baantje toegewezen kreeg. Weliswaar had zijn vader een hoge functie bij de partij en was het socialistische gedachtegoed al van jongs af aan bij hem naar binnen gelepeld, maar de knaap was leergierig. Roman onderwees hem over het periodiek systeem. Eerst was hij op de vlakte gebleven. Je wist immers nooit of iemand 'aan je gekoppeld was'. Zelfs kinderen werden als spion ingezet. Na verloop van tijd kon de jongen over de meeste scheikundige elementen wel iets vertellen.

Een aantal gevaarlijke stoffen behandelde Roman niet. Over uranium moest je hier liever niet praten. Vlakbij bevonden zich mijnen waar uraniumerts werd gewonnen. Het was een streng bewaakt project, met de grootste geheimzinnigheid omgeven. Toch wist iedereen er wel iets over te vertellen. Maar alleen binnenskamers.

De knaap werkte eerder als hulpje bij de administratie. Maar de boekhouder vroeg na een tijdje om overplaatsing. In de ruggen van de ordners zaten allemaal gaten. De jongen had de gewoonte om ze met zijn haak uit de kast te trekken. Ook in het kasboek van de weegschaal was na verloop van tijd een gat ontstaan, daar waar de knaap het vasthield als hij schreef. Aan zijn overgebleven hand miste hij de ringvinger en de pink. Over hoe dat gekomen was, wilde hij niets kwijt.

Onderweg van de tramhalte naar de fabriek schudde Roman de scherven van de kapotte weckfles uit zijn ransel. Hij vulde de leren zak met zand. Dat was makkelijker weg te werken dan de klei die hij 's nachts uit de gemeenschapstuin van zijn woonkazerne had geschept. Hij haalde de vette aarde uit zijn jaszak en strooide die uit tussen de bomen. Misschien kon er hier iets moois uit groeien. Aan de tuin op de binnenplaats deed geen van de bewoners nog iets. Tegelijk met de machtsovername was de gemeenschapszin verdwenen. Voor Roman vertegenwoordigde de tuin de staat van het land. Het grasveldje en de bloemenperken waren overwoekerd door onkruid. De klimplanten deden alleen nog struiken en bomen vermoeden.

'Met de oostenwind aangewaaid,' zei Roman wanneer hij met zijn neus tegen het raam naar de verwaarloosde tuin keek.

Roman deed zijn riem los en propte de zak met zand in zijn broek. Hij had zich thuis in de badkamer gewogen. Zevenentachtig kilo. Hij was benieuwd hoeveel gewicht hij in de fabriek op de schaal zou brengen. Het kostte hem de grootste moeite om de glimlach van zijn gezicht te krijgen. In deze tijden was een vrolijke voorbijganger verdacht.

'Wat valt daar te grinniken?' hoorde Roman al een politieman vragen. 'Bespot u onze eerste arbeiderspresident?' Je zou zien dat hij juist in lachen uitbarstte als hij langs het standbeeld van die zuipschuit liep. Ook binnenpretjes waren in de openbare ruimte niet toegestaan. Met een uitgestreken gezicht liep Roman de heuvel op naar het fabrieksterrein.

'U weet dat ik het niet mag zeggen,' zei de jongen toen Roman vroeg hoe zwaar hij deze ochtend was. Elke dag speelden ze hetzelfde spelletje.

'Wat weten we over Rubidium?' vroeg schoolmeester Roman.

'Rubidium is in 1861 ontdekt door Bunsen.'

'Waar kennen we die geleerde heer nog meer van?' Roman had zijn neus dichtgeknepen. De scheikundeleraar die hem op de middelbare school enthousiast maakte voor de exacte wetenschappen sprak met een nasale stem.

'Van de bunsenbrander,' antwoordde de knaap braafjes. Hij was blij dat Doctor Robot altijd heel vroeg kwam. Het gaf hun even de tijd. De voorman was alle hallen aan het inspecteren en kwam pas na een halfuur terug bij de weegschaal en de metaaldetector.

'Toepassingen?'

'In fotocellen ...' Er was niemand anders aanwezig, maar de knaap boog naar voren en dempte zijn stem. 'En in atoomklokken.'

'Atoomgetal?'

De jongen wist dat het Roman hier om te doen was. Op deze wijze probeerde Doctor Robot zijn gewicht te raden.

'Zevenendertig.'

'Met een krul van de meester.' Roman maakte een zwierig gebaar in de lucht, ondertussen snel rekenend. 'En dan wandelt er een jood naar binnen.'

De jongen keek met gefronst voorhoofd naar de deur. Vandaag maakte de doctor het hem wel heel moeilijk. Toen lachte hij en zei: 'Atoomnummer drieënvijftig.' Toen hij zijn hand had verloren was er na de operatie heel wat jodium aan te pas gekomen.

'Samen negentig. Thorium.'

Dat kon de jongen niet weten. Roman had de actiniden nog niet behandeld.

Zuchtend schreef de knaap het getal in het boek. Eigenlijk hoefde hij Roman helemaal niet te wegen. Er was nog geen dag geweest dat de doctor ernaast zat. De man had een hoofd voor cijfers.

'Wat mij betreft hoeft u in de ochtend niet meer op de weegschaal,' zei de jongen. 'In de middag natuurlijk wel, dan staan de voorman en de directeur erbij.'

Even overwoog Roman de optie.

'Neen, ik moet er als goede burger op staan dat ik gewogen word. In de socialistische arbeidersrepubliek maken we geen onderscheid. Het gelijkheidsbeginsel.'

Hij moest elke dag exact weten hoeveel hij woog. Anders mislukte zijn plan.

Precies om acht uur was er een eerste pauze in de wapenfabriek. Een oud-werknemer hinkte een pan met soep naar binnen. De bouillon was waterig, net als de ogen van de man. Hij had een kunstbeen. De ophanging van een ketel was ooit gebroken. Metaalmoeheid. De man stond er met zijn rug naar toe. Hij leunde op een afgekeurd kanon. Het kokende staal verraste hem van achteren, als magma bij een vulkaaneruptie. Zijn linkervoet inclusief werkschoen smolt samen met de staalmassa. Ze moesten wachten tot het geheel was afgekoeld. Toen bikten ze hem eruit. Hij had een eigen metalen voetstuk gekregen. In het ziekenhuis zaagden ze voor de zekerheid het been net onder de knie af. Roman was benieuwd wat ze met het restant hadden gedaan. Misschien was het gebruikt als basis voor een standbeeld.

'Graag nog een tweede portie,' zei Roman tegen de kroupele.

De eerste kom had hij snel met zand gevuld. Die verdween onder in het wagentje waarop de soepketel stond. De afwasser zou het verschil niet merken. Alle ingrediënten waren tot gort gekookt. Als je de soep naar binnen goot, bleef er altijd wel een laagje prut over. Er werd niet over geklaagd. Het was warm, en belangrijker nog: het was gratis.

Roman had een gat in zijn broekzak gemaakt. Elke pauze strooide hij via zijn broekspijp kleine hoeveelheden zand op de werkvloer. Een laagje zo dun dat het niemand opviel. Zijn collega's dachten dat hij een zenuwtic had. Om de paar meter schudde Roman even met zijn rechterbeen.

'Ik weet niet wat ze met het beton hebben gedaan,' zei de wiskundige, 'maar ik heb de laatste tijd een stuk meer grip. Vroeger gleed ik om de dag weleens uit over de gemorste smeerolie.'

'Het was mij nog niet opgevallen,' zei Roman.

Een binnenpretje. Hoeveel machines zou hij hier niet met al dat zand vast kunnen laten lopen? Gelukkig keek de voorman juist de andere kant op. De directeur kwam de hal inlopen. Dat kwam hoogstens één of twee keer per jaar voor.

De directeur stond midden in de hal naast de voorman. Hij keek de staalarbeiders onderzoekend aan. Na een paar uur werk, zo tegen de ochtendsoep, waren ze niet meer van elkaar te onderscheiden. Het uniform van de pijlers van de natie: van top tot teen besmeurde werkers. Hun haar grijs van het metaalstof. En zo moest het ook zijn. Alle broeders gelijk. Spieren als kabels en ogen zo volhardend als ijzer.

'Er is groot nieuws!' De directeur pauzeerde en keek in het rond. Koppen van antraciet zonder veel verwachtingen. Collectieve blafhoest. Vijftig procent van de arbeiders bestond inmiddels uit wetenschappers, journalisten, leraren, schrijvers, kunstenaars en toneelspelers. De laatste categorie deed het opvallend

goed. Roman betrapte zich erop dat hij hun gedrag soms imi-
teerde. In de één of twee keer per jaar dat de directeur niet van de
geluidsinstallatie gebruikmaakte, maar zelf naar de hal kwam,
meldde hij vol geestdrift 'groot nieuws dat hem net ter ore was
gekomen en dat hij wereldkundig kwam maken'. Was hij niet bij
het amateurtoneel geweest?

Een oude rot had verteld dat de directeur jaren terug in tranen
was komen vertellen dat zijn vader was overleden. Luid jankend
had hij zich op een wals gestort. Hij had wel eerst gekeken of de
machine buiten bedrijf was. Ontroostbaar was hij geweest. Vadertje Stalin, zijn lichtend voorbeeld, was heengegaan. Opgewon-
den geroezemoes onder de arbeiders. 'Leve de partij, leve de natie, leve het socialisme.' Op de bedroefde gezichten tranen van
blijdschap en hoop. Maar er kwam geen einde aan de tweedeling.
De nieuwe leider trok de kettingen juist wat strakker aan.

Waarschijnlijk zou de directeur net als eerder in het jaar een
verhoging van het quotum aankondigen. Daarop moesten de arbeiders dan met blijdschap reageren. Alsof de fabriek nog niet op
volle toeren draaide. Misschien ging het ook om de benoeming
van weer een nieuwe functionaris. Eens in de zoveel tijd werd er
een zoon – nooit eens een dochter – van een partijlid aan de kan-
toorstaf toegevoegd. Daar moest toch zo langzamerhand geen
plaats meer zijn. Al zag je als arbeider 'het personeel van boven'
maar zelden.

'Kameraden,' zei de directeur met gedragen stem. 'We hebben
het gelijk aan onze zijde gekregen.'

'Onze kant van die verrekte grens,' fluisterde de wiskundige in
het oor van Roman.

Van alles ging door Romans hoofd. Was Amerika door de oorlog in Vietnam financieel uitgeput geraakt? Zouden ze hun handen van Europa aftrekken en was het alleen maar een kwestie van
tijd voordat de wind uit het oosten over heel Europa zou waaien?
Elke avond stak hij de telescoopantenne van zijn transistorradio
door het enige raam van zijn flat naar buiten en stemde af op
Radio Free Europe. Soms waren er berichten van mensen uit het
westen. Voormalige landgenoten. Vaak dacht hij de stemmen te
herkennen. Die verrekte socialistische stoorzenders ook. Het was
te lang geleden. Die wereld kon hij zich niet meer helder voor de
geest halen. Dan stond hij op en koelde zijn voorhoofd aan het

vensterglas en keek uit over de verwaarloosde tuin. Zou heel de wereld overwoekerd raken?

De directeur schraapte zijn keel. 'Twee jaar geleden werd eindelijk onze Oost-Duitse broederstaat erkend door de kapitalisten uit Bonn. Nu wint het socialisme opnieuw. De Amerikaanse imperialisten hebben ingezien dat ons pact te sterk is. Er is een akkoord getekend in Helsinki. In het hoge Noorden. In Finland.'

Misschien was er nu niet meer zoveel pantsermateriaal nodig.

'Er wordt wederzijds ontwapend,' vervolgde de directeur. 'Maar daar doen wij natuurlijk niet aan mee. Vandaag werken we een uur langer. Voor de goede zaak.'

Een zwak applausje van de werklui. Het kantoorpersoneel zou vast eerder naar huis mogen. De directeur voorop. En met ruisende rok zijn roodharige secretaresse erachteraan. Van haar hadden de werklui maar één keer een glimp opgevangen. Haar schoonheid was tot mythische proporties uitgegroeid.

Het eerste echte stuk staal gaf Roman toch nog meer hoofdbrekens dan verwacht. De scherf die lange tijd in de fruitschaal had gelegen, veilig naast het ingevulde werkboekje, was immers bij toeval in het bezit van Roman gekomen. Waarschijnlijk in zijn werkschoen blijven steken. Het moest op de grond hebben gelegen. Op een ochtend was hij met een enorme kater uit bed gerold en erbovenop gaan staan. Hij had zijn grote teen eraan opengehaald. Kwaad had hij er een schop tegen gegeven. Kennelijk was het in de fruitschaal terechtgekomen. Pas toen de appel ineengeschrompeld was, kwam de scherf tevoorschijn. Daarom was het nooit ontdekt bij een huiszoeking.

Op goed geluk had hij uit de kiepbak die in de fabriek achter hem stond een stuk staal gevist. Een rechthoek van twintig bij tien centimeter. Vier vingers dik. Ter compensatie strooide Roman het laatste beetje zand tussen de brokken staal. In de ochtend zouden de restanten toch weer worden samengesmolten. Die paar zandkorrels zouden echt niet voor problemen zorgen. (In de fabriek werd de laatste tijd alles gewogen. De directeur had de smaak te pakken. Aan rolletjes met kronen geen gebrek. De slager schatte voortaan wel het gewicht van de paar beesten die nog bij het staatsabattoir werden afgeleverd. Hij maakte er toch worsten van. Die waren allemaal even groot. En als dat met het geval was, dan spoot hij er wat water bij. Dat siste later lekker in de pan.)

Roman deed de stalen plaat in zijn leren ransel, stopte het geheel in zijn broek en trok zijn riem strak aan. Had hij aan alles gedacht? De verstandhouding met de jongen bij de weegschaal was goed. Ook al stond de voorman altijd, en heel soms ook de directeur, bij de uitgang. De knaap wilde vast het ritueel in de morgen niet missen. Klakkeloos zou hij het juiste gewicht opschrijven. Het was zaak om niet te overdrijven. Beetje bij beetje. Van de metaaldetector had hij geen last. Ook al zou het ding afgaan, men wist van de plaat in zijn hoofd, van de schroef in zijn enkel en de zwervende kogel. Hij was de aanleiding geweest dat er een weegschaal was gekomen. Gelukkig wisten zijn kameraden dat niet. (Pas na de Fluwelen Revolutie werden de staalarbeiders elk jaar grondig onderzocht. De stofdeeltjes konden longziektes veroorzaken, maar dat wisten ze in het arbeidersparadijs nog niet. Of het kon de machthebbers niets schelen. Als Roman in die tijd nog in de fabriek had gewerkt, dan zou er op zijn röntgenfoto niets te zien zijn. Geen plaatje in zijn hoofd en ook geen schroef in zijn enkel. En al helemaal geen zwervende kogel. Soms leiden machines nu eenmaal een eigen leven. En robots ook.)

Gelukkig had Roman net als de anderen een poriëndiep antraciet gezicht. Arbeidersschmink. Daarom zag de voorman zijn rode gezicht niet. Al keek hij hem, naar het idee van Roman, wel langer aan dan normaal. Roman slenterde met zijn collega's mee naar het buitenhek. Hij liet zich zelfs verleiden tot een halve liter bier, staande, dat wel. Liever wilde hij thuis met zijn zelfbouwweegschaal het gewicht van het plaatje bepalen. Roman had een balans gemaakt van een stevige klerenhanger en een paar identieke bloempotten van aluminium. Je mocht er toch van uitgaan dat alles in de socialistische staat gelijkwaardig was. Als contragewichten gebruikte hij een paar pakken namaakkoffie van een half pond en een chocoladereep van vijfenzeventig gram. (Rekening houden met het papier en de folie!) Mocht het veel zwaarder zijn, dan had hij nog een netje aardappelen waarvan de winkelier hem had bezworen dat het twee kilo woog. (Drukte hij niet met zijn duim op de weegschaal?) En eventueel nog een papieren zoutvat van een ons. (Twee keer gebruikt. Kan eventueel vocht in zijn gekomen.)

De stalen vierhoek was zwaarder dan Roman dacht. (De aardappelen, het zoutvat, de namaakkoffie en een beetje van zijn duim. De reep had hij opgegeten.) Hij zou graag willen weten waaruit het materiaal precies bestond, puur uit wetenschappelijke interesse, maar niemand van de arbeiders in de fabriek was bij het hele productieproces betrokken.

Ex-hoogleraar en landgoedbezitter af

Aan het einde van het college was een man in een regenjas in de deur verschenen, zijn ogen verborgen achter de slappe rand van een gleufhoed. Doctor ingenieur Roman Novela, hoofd van de faculteit der exacte wetenschappen, was al enige tijd op zijn hoede. Duistere elementen trokken de macht naar zich toe in het land. De achtergebleven studenten met wie Roman op dat moment in discussie was, hielden prompt hun mond, pakten hun tas en verdwenen schielijk uit de zaal. De jonge generatie was ook al geïnfecteerd. De vaste kern van toehoorders wist natuurlijk ook van zijn publicaties. Naast zijn wetenschappelijke boeken, bijna té gedegen studies, schreef hij onder pseudoniem vurige krantenartikelen en essays. Pleidooien voor een dialoog. Al wist hij ook wel dat je nooit moest argumenteren met mensen die woorden tekortkomen. Kortsluitingsgevaar.

Roman werd al een tijd gevolgd door mannen met gleufhoeden en regenjassen. Op een dag had hij zich omgekeerd en de twee spionnen een lijstje gegeven waarop precies stond waar hij op die zaterdag en zondag allemaal naartoe zou gaan. 'Kunnen jullie ook eens een weekendje thuisblijven.'

Besmuikt namen ze het rapport in ontvangst. 'Kunnen we dat dan wel onder de hoed houden?'

De laatste tijd verschanste Roman zich op zijn landgoed. 'Mijnheer de baron is niet thuis, hij is nu al weken lang van huis.' De bibliotheek met banden, soms van enkele honderden jaren oud, had hij naar de kelder van een van de jagershuisjes overgebracht. Daar had hij een groot gat gegraven. Alleen de tuinman durfde hij om hulp te vragen. Die was ook al zijn opa trouw geweest.

Roman was op alles voorbereid toen de gleufhoed in de deuropening stond van de collegezaal. Hij had natuurlijk nog op de knop voor de conciërge kunnen drukken, maar het was de vraag of dat veel zou uithalen. Voordat de man uit zijn hok was gekomen en alle trappen had opgelopen, zou Roman al in de geblindeerde auto zitten. Bovendien verdacht hij de conciërge van sympathieën met de nieuwe machthebbers. Aan zijn amanuensis had Roman ook niets. Die was hardhorend, slecht ter been en het grootste gedeelte van de dag beschonken. Een begenadigd chemicus die zijn kennis aanwendde voor de eigen stook. In het kabinet rook het vrijwel constant naar destillaat. Roman liet hem begaan. Hij dronk af en toe een slokje met hem mee.

'Ik ben lang naar u op zoek geweest,' bromde de gleufhoed. Hij deed de kraag van zijn regenjas naar beneden en legde zijn hoed op een lessenaar.

'Dat brengt ongeluk,' zei Roman tot zijn eigen verbazing.

'Excuses, natuurlijk.' De man nam de hoed in zijn hand. Hij had vriendelijke ogen. Uit een aktetas nam hij een document. Waarschijnlijk een aanhoudingsbevel. Hij legde het papier op de katheder van doctor ingenieur Roman Novela en zei: 'Mag ik mij voorstellen.'

Een hoffelijke geheim agent? Ook een academicus, die tot dit werk werd gedwongen?

'Doctor Novák, aangenaam.' Hij stak een hand uit.

Als altijd had Roman weer gelijk. Zijn mensenkennis was ongeëvenaard.

'Wellicht kunt u afzien van de handboeien?'

'Handboeien? U gaat toch wel vrijwillig mee?' Doctor Novák lachte hartelijk. 'Ik ben notaris. U hebt een klein buiten geërfd. Uw tante is helaas overleden. Ik wilde u uitnodigen om het te komen bekijken.'

'Heel attent van u.'

'Er is nog wel een kleine kwestie,' zei de notaris.

Wilde de man soms geld?

'Ik neem aan dat u op de hoogte bent van de nieuwe wet op privébezit?'

'Praat u mij even bij.'

Roman kwam alleen nog van het landgoed om college te geven. Verder waagde hij zich niet op straat. En kranten las hij ook niet meer. 'Liegen alsof het gedrukt staat,' had een van zijn studenten over de schrijvende pers gezegd. Liever reisde Roman af in negentiende-eeuwse klassiekers.

'Er is een spaarboekje,' zei doctor Novák. Hij keek een paar keer om zich heen. 'Ik vrees dat ik daar niets aan kan doen. Dat staat natuurlijk geregistreerd. Maar het buiten heb ik zogezegd buiten de boeken weten te houden. Wellicht kunt u mij daar af en toe uitnodigen?'

'Waar is het gelegen?'

De notaris noemde een plaats die Roman niet kende. 'In de grensstreek. Op een dichtbeboste heuvel. Er is een klein dorp in de buurt met een huis of acht, negen, een kroeg, al mag het die naam nauwelijks hebben, en een winkel met een groot assortiment. Op de andere heuvel een ruïne van een kasteel. Ergens in het dal staan nog wat vervallen gebouwen. De voormalige school en een verlaten hotel.'

Een gebied waar je niet wordt lastiggevallen. Het leek Roman ideaal.

Zoals afgesproken meldde doctor Novák zich in alle vroegte aan de achterkant van het landgoed van Roman.

'Een oprijlaan van grind is zeer effectief,' had Roman in de collegezaal tegen de notaris gezegd. 'Zelfs een geheim agent kan je niet ongehoord besluipen.'

Dat had de notaris gemerkt. Een paar keer was hij bij het huis geweest, dat al eeuwen aan de familie Novela z Vydavatela toebehoorde. Mocht er nog een luik openstaan dan ging dat direct dicht na de eerste stap die hij achter het hek zette. Een onneembare vesting. Alleen de ophaalbrug ontbrak.

'Loop via de bossen en meld je bij het witgepleisterde huisje met het rode dak. De grenspost van mijn laatste vertrouweling, zou je kunnen zeggen. Ik zal hem waarschuwen.'

Iedereen meed de oerbossen. Zelfs de geheim agenten, toch gewend om in schemergebieden te opereren, zetten geen voet in het duister tussen de sparren en dennen. Al generaties boezemden ouders hun kinderen angst in met verhalen over wilde dieren en spoken. Laatst nog was de waard van het dorpscafé verdwenen. Hij was met een mandje paddenstoelen gaan zoeken. Waarschijnlijk was hij verdwaald en ten prooi gevallen aan wolven of beren. Roman wist bijna zeker dat hij de man had gehoord op de vrije omroep. Al was de karakteristieke bas van de uitbater door de stoorzender vervormd tot een piepstem en noemde hij een vreemde familienaam. Voor de goede verstaander was het duidelijk. Wie heette er nu 'Vrij Bier'. Dat moest betekenen dat de waard veilig in het westen was aangekomen.

Eén ding hadden de nieuwe machthebbers goed begrepen. Ze konden de Kerk verbieden en om het even welke andere concurrerende partij, maar van de bierpolitiek moesten ze afblijven. Aan de stamtafel werd menig oproer gesust.

De notaris had een zaklamp gepakt en was om een uur of vijf in de ochtend het oerbos ingegaan. Natuurlijk was ook hem als kind van alles over het boze bos verteld. Maar hij was nu een ontwikkeld man. De rede zou het van de angst winnen. Hij volgde de aanwijzingen van de landheer. Hij was blij dat hij na drie kwartier een open plek naderde, een brandgang dacht hij eerst. Aan de overkant was een huisje zichtbaar. Het was alleen niet witgepleisterd en het dak was groen. Het werd langzaam licht. Doctor Novák knipte de zaklantaarn uit en liep over het veld naar het huisje. Er was opmerkelijk weinig begroeiing. Middenin struikelde hij en viel met zijn gezicht in een enkelhoog bosje.

'Wie betreedt daar mijn niemandsland?'

De notaris hoorde het spannen van de haan van een geweer. En nog een keer: een dubbelloops.

'Doctor Novák, op uitnodiging van baron Novela.'

Een stevige grip rond zijn bovenarm. Hij werd overeind geholpen. De notaris keek in een gerimpeld gezicht. Waar haalde die ouwe al die kracht vandaan?

'Volgt u mij,' was het enige wat de grijsaard zei. Hij draaide zich om en liep in een straf tempo schuin over het veld. Pas nu zag de notaris de rood-wit geblokte grenspaal. Hij durfde het niet te vragen.

'Voor je het weet staat iedereen zo bij de meester op de stoep. Ik heb de laatste vijftig meter kaalgeslagen, er middenin stekelbosjes geplant en staaldraad gespannen.'

Dat had de notaris gemerkt. Gelukkig had hij zijn rijlaarzen aangedaan. Ter hoogte van zijn schenen zat een flinke striem op het leer. Doctor Novák plukte een paar stekels uit zijn handen. 'Ik dacht dat ik werd verwacht?'

'Dat klopt,' zei tuinman. 'Anders had u het niet na kunnen vertellen.' Hij pauzeerde even. 'Althans, voorlopig niet.'

Een toegewijde dienaar. Beter dan de meeste klerken die bij

hem op kantoor werkten. Bijna allemaal 'zoontjes van de partij'.
Hij wist zeker dat ze naast hun schrijfwerk ook zijn kasboeken
kopieerden.

Achter het huisje van de tuinman stond Roman de notaris al op
te wachten. Ook hier lag grind, niet van die grote grijze kiezels
zoals aan de voorkant, maar fijne witte steentjes.
    'Welkom, doctor Novák.' Roman stak zijn hand uit. 'Een grind-
variant uit Italië. Niet meer te krijgen uiteraard.'
    'Noemt u mij alstublieft Petr,' zei de notaris.
    'Aangenaam, Roman. Ik dacht al: een bekend gezicht, maar ik
kon het niet thuisbrengen. Petr Svetr?'
    De notaris had inderdaad op dezelfde school als Roman geze-
ten. En ja, hij was die jongen met die slobbertruien en die knie-
broek. Dat ze dezelfde universiteit hadden bezocht, de een bij het
instituut voor exacte wetenschappen en de ander bij de faculteit
voor rechtsgeleerdheid, was baron Novela kennelijk vergeten.
    'Mag ik je uitnodigen voor een goed glas in de bibliotheek?' zei
Roman.
    'Heb je nog veel boeken?'
    Roman zweeg en liep door het grind de hoek om naar een bij-
gebouw. Petr Novák volgde hem en struikelde bijna weer, ditmaal
van verbazing. In het midden van een pleintje was een plantsoen
aangelegd. De struiken waren met grote precisie gesnoeid. Een in
de vorm van een zwaan, een tweede stelde een ridder te paard
voor en in een ander zag Petr zijn grote jeugdliefde: een roodharige met mysterieuze groene ogen. En de andere zeven schoonheden, of misschien wel meer.
    'Mijn pronkstuk,' zei Roman. Hij wees op een ingewikkelde
sculptuur met een waterval en een fontein.
    Petr werd afgeleid door de grote rozenstruiken en de bloeiende
bomen die in een halve boog voor het bijgebouw stonden.
    'Er zijn er niet veel die hier zijn geweest,' zei Roman. 'En het is
van de weg en de oprijlaan niet te zien. En ook niet te bereiken.'
    Een groter contrast kon Petr zich zo snel niet voorstellen. Aan
de voorkant waren de gaten in het stucwerk met grauw beton
gevuld. Stukken van de goot lagen op de oprijlaan. Het dak zag
er verwaarloosd uit. De grote poort hing half in de hengsels en
de luiken voor de ramen waren al heel lang verveloos. Het bijge-

bouw was daarentegen opgetrokken uit een baksteen met een warme kleur. De kozijnen waren nieuw of in elk geval net geschilderd. Het glas in de ramen was helder, nog niet melkachtig van ouderdom zoals aan de voorzijde. De luiken, in de kleuren van het blazoen van de baron, stonden open.

'Ach, je moet een façade ophouden,' meende Roman. 'In dit geval: modder om het marmer mee te bedekken.'

Zodra de nieuwe wind uit het oosten waaide, stonden vertegenwoordigers van de machthebbers bij Roman op de stoep. Eerst bij het landgoed. Het hoofdhuis was toen nog in redelijke staat. Onder de indruk dromden de kameraden samen in de hal. Omdat hij er toch niet aan zou ontkomen, liet Roman hen toen het huis zien. Op de eerste verdieping zakte er eentje bijna door de vloer. Op de weg naar beneden brak een stuk van de trapleuning af. (Roman had met zaag en beitel her en der wat 'preventieve schade' aangericht.) Uiteraard liet Roman de bijgebouwen buiten de bezichtiging. Binnen een halfjaar kwamen de partijleden terug. Ditmaal zonder enige terughoudendheid. Ze woonden inmiddels zonder uitzondering allemaal veel groter. Doctor ingenieur Roman baron Novela z Vydavatela ontving ze in de bibliotheek, gekleed in jacquet, met de sjerp van de academie en alle onderscheidingen op zijn borst. Zijn toga gedrapeerd over de leren bank. De bezoekers, die zich nu eerder gedroegen als de nieuwe eigenaars, waren alleen verbaasd over de weinige boeken op de planken.

'Allemaal verkocht voor het onderhoud van het pand,' verklaarde Roman.

Als hij zo weinig om zijn boeken gaf, dan was hij wellicht toch niet zo staatsgevaarlijk. Voor de zekerheid namen ze de typemachine mee die Roman op zijn werktafel was vergeten. Een uur later kwamen de vrachtwagens om de rest van de inboedel op te halen. 'Om de waardevolle historische artefacten voor het nageslacht te bewaren worden ze elders veilig opgeborgen.' Roman zat toen al in het jagershuisje, verdiept in een negentiende-eeuwse klassieker. Onder het wakend oog van zijn geschilderde voorvaderen.

Roman zette twee glazen op tafel en nodigde de notaris uit om te gaan zitten. 'De fauteuils zijn helaas verdwenen.'

De antieke crapauds waren te zwaar geweest om te redden. Die stonden nu vast in het clubgebouw van de partij: het Huis van het Volk. Alsof daar behalve partijleden andere mensen naar binnen mochten.

Hij trok een van de weinige boeken uit de kast. 'Deze hebben ze natuurlijk niet gecontroleerd,' zei Roman met een lachje. Hij klapte de achterkant van *Het kapitaal* van Karl Marx weg en draaide een schroefdop open. 'Het enige goede dat daar gemaakt wordt: cognac uit Georgië. Uit de geboortestreek van Stalin zelf.'

Op dat moment ging het licht uit in de bibliotheek.

'Geen paniek, Petr. Het duurt precies dertig seconden.'

Een halve minuut later flikkerde het peertje aan het plafond inderdaad weer op. De kroonluchter hadden de kameraden als laatste ingepakt.

'Jaren geleden zelf gebouwd. Een prima generator, maar het duurt even voordat het ding op gang komt.'

Sinds de machtsovername gebeurden er vreemde dingen op het landgoed. Elke dag was er wel een stroomstoring. Steeds op een andere tijd. Uit de kraan kwam vaak alleen een straaltje water. Niet dat Roman het water had durven drinken. Misschien gooiden ze wel vergif in zijn leidingen. Gelukkig had hij een eigen waterput. Met een deksel en een zwaar slot. De telefoon hadden de kameraden wel laten staan. Op de vloer in de hal. Het kaarttafeltje met ingelegd blad waar het apparaat decennia op had gestaan was meegenomen voor het nageslacht.

'Beste Petr, niets via de telefoon bespreken.'

Roman gebruikte de telefoon niet meer. Aanvankelijk had hij het nog wel komisch gevonden dat hij werd afgeluisterd. Maar toen was er nog een handbediende centrale en zat het mooie roodharige meisje met wie Roman schoolging achter de schakelkast.

'Ken je die roodharige met die groene ogen nog?' vroeg Roman plotseling.

Petr verslikte zich in zijn drankje.

Op dat moment rinkelde in de verte de telefoon tegen de marmerwand. Roman zou niet opnemen. Het was duidelijk wie hem wilde spreken. Hij had niet gereageerd op de brief waarin hij door de nieuwe leiding van de universiteit voor een gesprek werd uitgenodigd. De volgende morgen zou Roman wel zien of hij zou gaan. Hij schonk Petr Novák nog een flinke borrel in en ging zijn laarzen halen.

Toen Roman terugkwam in de bibliotheek sleepte hij een grote plunjezak achter zich aan. Er staken een paar spades en een pikhouweel uit. Hij had zich gestoken in een eenvoudig boerentenue. 'Ik denk dat ik geschaduwd word. Zo val ik niet op.'

'Die zijn anders wel heel erg opgepoetst,' zei Petr Novák terwijl hij naar de rijlaarzen van Roman wees.

'Dat komt straks vanzelf wel goed. We hebben nog wat werk te doen voordat we op pad kunnen.'

Moest Petr eerst een karweitje doen? Net als vroeger, als hij zijn moeder, de kokkin van de Novela's, op het landgoed opzocht? Sprokkelen voor de houtkachel of water halen uit de put? Hij trok een bedenkelijk gezicht.

Ineens bekroop Roman een onaangename gedachte. Wie zei hem dat zijn oude klasgenoot te vertrouwen was? Na de machtsovername hadden verschillende goede vrienden de banden met Roman verbroken. Zelfs die met wie hij al sinds zijn kinderjaren optrok.

'Het heeft niets met jou te maken,' had zijn boezemvriend gezegd. 'Ik kan het mij in mijn huidige functie niet veroorloven.' In al zijn ongeloof had Roman eerst gedacht dat het een geldkwestie was. Een paar tellen later, de telefoonhoorn nog in de hand, begreep Roman dat zijn vriend bedoelde dat een hoge partijfunctionaris niet om kon gaan met een kritische wetenschapper. De twee brieven die Roman aan hem stuurde kwamen terug. Ze waren geopend en weer ruw dichtgeplakt. Waarschijnlijk eerder door de nieuwe dienst dan door zijn vriend. Er zat een poststempel op van de plaats waar de nieuwe regering een onderafdeling van het ministerie van Informatie had gevestigd. Een gebouwtje waar dames en heren de hele dag de correspondentie zaten te lezen van vermeende staatsvijanden. In het begin gebeurde dat allemaal nog stilletjes. Je had eerder een vermoeden dat een envelop geopend was. Nu kreeg Roman soms een brief waarin met veel inkt passages zwart waren gemaakt. Dat ministerie zou wel snel groeien. Gebouw na gebouw. Net zolang tot de ene helft van de natie de andere helft in de gaten hield, en vice versa.

Roman zou met Petr Svetr de gok wel durven wagen. Veel had hij toch niet meer te verliezen nu hij vrijwel zeker ook zijn aanstelling bij de universiteit kwijt was. Hij greep in de boekenkast naar een ander dik manifest. Tot verbazing van de notaris kwam het boekwerk niet uit de kast, hoe hard Roman er ook aan trok. 'Lang niet gebruikt. Het is een beetje roestig,' zei Roman. Hij draaide het boek een kwartslag naar rechts en met veel gekraak kwam een gedeelte van de kast naar voren. 'De kameraden zouden waarschijnlijk eerder naar links draaien.'

Petr Novák had geen idee waarover Roman sprak. Hij kon vanaf de keukenstoel de titel niet lezen.

Ze veegden het gruis en de spinnenwebben van hun kleding. De rijlaarzen van Roman zaten onder de blubber.

'Als kind ben ik voor het laatst zo naar buiten gegaan. Ik was het helemaal vergeten totdat ik een tijd terug bezig was de boeken te...' Roman slikte het laatste woord in. 'Uh, verkopen.' Geen onnodige informatie verstrekken. Iets wat je niet weet kun je ook niet verraden. Al zouden de geheim agenten vast verschillende methoden hebben om 'verdachte elementen' te laten bekennen. Om het even wat de ondervragers zo van pas kwam.

De wenteltrap naar beneden in de kelder lag bezaaid met brokstukken. In de onderaardse gang stond een laagje water. De lantaarns wierpen grote schaduwen op de wand. De volgevreten ratten lieten zich nauwelijks verjagen. Dit was al generaties hun terrein. Een balk protesteerde met veel gekraak toen Petr er tegenaan leunde. Was de gang wel goed gestut? Aan het einde waren ze een uur bezig om het puin weg te scheppen. Toen viel er van boven daglicht binnen.

'Een eeuwenoude vluchtweg,' zei Roman. 'Gebouwd door mijn voorvaderen toen ons land regelmatig door weer een ander volk werd overlopen.'

'Alsof die tijd over is,' siste Petr.

Ze klommen naar boven. Roman duwde bij de uitgang de struiken opzij en keek om zich heen. Niemand te zien. Wie waagde zich ook bij zo'n lelijk standbeeld? Vroeger stond hier een afdak met een beeld van Maria. Ze waren uit de overwoekerde wensput gekomen. De gang moest dus minstens vijfhonderd meter lang zijn.

Roman liep naar de achterkant van het standbeeld en graaide in een berg tuinafval.

'Help me eens even.'

'Waarmee?' vroeg Petr Svetr. Met goed fatsoen kon je in hem geen notaris meer zien. De rand van zijn hoed was afgezakt, zijn pak zat onder de scheuren en vegen en het gruis had hij over zijn gezicht gesmeerd. In een van zijn laarzen zat een gat, waarschijnlijk opengehaald aan een van de scherpe stenen in de gang.

'Hiermee,' zei Roman. Hij trok aan een metalen stang. Hij moest toch eens wat doen voor de tuinman, zijn trouwe dienaar. Zou hij hem blij kunnen maken met een mooie epische roman, goud op snee, in een fijne leren band? Een van grootvaders jachtgeweren, de olifantendoder met ingelegde kolf? Of misschien toch een paar flinke citaten uit Karl Marx?

'Wat is dit?' vroeg Petr.

'De bakfiets van mijn tuinman. Ik had gevraagd of hij het ding hier wilde parkeren.'

Het was minstens veertig kilometer naar de datsja en de notaris had op een iets comfortabeler vervoermiddel gerekend. Een limousine of desnoods een koets. Daarom was hij lopend gekomen.

'Spring erin,' zei Roman. 'Of wil jij als eerste trappen?'

Een auto passeerde hen. Een grote zwarte Tatra. Op de bumper een standaard met een vlag. De chauffeur minderde vaart, maar de partijfunctionaris achterin keek niet op van zijn papieren. Even later knikte een veldwachter op de fiets Roman en Petr zelfs vrolijk toe. Twee landarbeiders op weg naar de akker. Na vijf kilometer hielden ze pauze. Petr had in de laadbak een grote zak gevonden met een vloerbrood, flessen donker bier en een stuk gerookt vlees.

'Die tuinman van jou, daar heb je wat aan,' zei Petr terwijl hij een stuk van het brood afbrak en het met een slok bier wegspoelde. 'Hoe is het eigenlijk met de schrijverij? Nog boeken in de pijplijn?'

Hoe wist Petr Svetr van zijn publicaties? Roman schreef alleen wetenschappelijke werken. Was de erfenis een verzinsel? Hadden ze die slobbertrui ook al in de tang? Roman ging rechtop zitten.

'Dat is allemaal verleden tijd,' zei hij. 'Mijn laatste essay dateert alweer van een jaar terug.'

'Kom, niet zo bescheiden. Ik weet van op z'n minst één verhalenbundel.'

Zat Petr Novák te vissen? Roman gebruikte voor zijn fictieboeken het pseudoniem Miroslav von Miraus. Alleen de uitgever en de redacteur waren op de hoogte. Voor hen was het ook van het grootste belang dat ze hun mond stijf dicht hielden. Had hij zelf soms gepraat? Tijdens zijn colleges? In de kroeg met een paar glazen te veel op? Was er een bijzonder mooie schoonheid geweest bij wie Roman zijn hoofd had verloren? Had hij die met zijn lyriek willen imponeren en niet alleen met de marmeren hal en zijn adellijk hemelbed? Roman kreeg het stuk brood waarop hij kauwde bijna niet weg. Zelfs niet met twee grote slokken bier.

'Die anekdote over het lichtgevende Mariabeeld in de mijnschacht heb ik je zelf verteld,' zei Petr. 'Wees gerust, ik ben maar een boekhouder. Totaal oninteressant voor de geheim agenten.'

Die kerels bedachten anders wel iets om een verdachte te belasten. Zelfs het wetenschappelijke werk van Roman werd elke keer helemaal doorgespit. In een kasboek zouden ze vast veel eenvoudiger een verborgen lijk kunnen vinden.

'Begreep ik nu van mijn jonge vrouw dat er ook een groot epos aankomt?' vroeg Petr.

Nu wist Roman ineens hoe Petr aan de kennis kwam. De studente met de helderblauwe ogen. In haar nabijheid stak Roman altijd zijn borst vooruit en trok hij zijn buik in. Waarschijnlijk had hij in die opgeblazen staat iets laten doorschemeren.

Roman zakte weer onderuit tegen de bakfiets en zei: 'Het is de vraag of het daadwerkelijk verschijnt.'

'Durft de uitgever het niet aan?'

Petr dorst de kwaliteit van de tekst niet in twijfel te trekken. De vader van de schrijver had zijn studie betaald. Het was zeer ongewoon dat een landheer dat voor de zoon van zijn kokkin bereid was te doen. Ook al maakte de moeder van Petr overheerlijke soepen, pasteien en flensjes en was haar wildgebraad beroemd in de wijde omtrek. Het was een publiek geheim op de universiteit. Petr werd met dezelfde egards behandeld als Roman. Als ze samen in het studentencafé zaten, leken het wel broers.

'Ach, nee, de goede man heeft de drukplaten al klaar,' zei Roman.

'Waar is het wachten dan op?'

'De oplage moet nog worden bepaald. En dat moet in één keer goed. Een kans op een herdruk krijgen we niet.'

'Een papiertekort? Of misschien …' Over geld wilde Petr met Roman liever niet praten. Zelfs al betrof het de financiën van een uitgeverij die hij niet kende. 'Ik zou de datsja misschien van de hand kunnen doen. Er zijn wel partijen …'

Roman kneep zijn ogen dicht, keek onderzoekend naar Petr en maakte toen een wegwuifgebaar. 'Nee, dat is het allemaal niet. Het ministerie van Informatie heeft een nieuwe commissie ingesteld.'

'Ik heb ervan gehoord,' zei Petr.

'Zij moeten een oordeel geven over de inhoud van het boek. Gelukkig heb ik voor mijn fictiewerk meteen een alias aangenomen. Dat blijft hopelijk wel onder ons.'

'Dat spreekt voor zich. Een goede zet, die nom de plume. Anders zou de lezer in verwarring kunnen raken. Een roman door Roman Novela.'

'Dat de lezer het serieus neemt is voor mij en mijn medestanders van groot belang. Als ik nu wist dat het epos in de ban zou worden gedaan, dan stak ik al mijn geld erin.' Roman keek schielijk naar Petr. Als zijn oude schoolgenoot inderdaad voor de nieuwe machthebbers zou werken, dan had hij Roman heel subtiel in de val laten lopen. En Miroslav von Miraus erbij.

Petr krabde zich op zijn kin, dronk zijn flesje bier leeg en zei: 'Er zijn vast veel mensen die het graag willen lezen. Wanneer is het oordeel van de commissie bekend?'

'Over vier weken wordt het in de staatskrant gepubliceerd. Dan is het officieel. Maar dan kan het al te laat zijn.'

'Ik denk dat ik wel een oplossing weet,' zei Petr. 'Die wet kunnen ze zo snel nog niet hebben veranderd.'

Roman was natuurlijk geen rechtsgeleerde, maar naar zijn idee hadden die nieuwe machthebbers nog geen pennenstreek nodig om de regels aan te passen. Hij zag de districtsvoorzitter van de partij voor zich, die vlak voor een vergadering zijn vinger buiten het raam van zijn kantoor hield: 'Een straffe wind uit het oosten. Vandaag zijn de schrijvers en journalisten aan de beurt. Laten we ze maar eens echt aanpakken, die pennenlikkers. Ze zullen het eerlijke zweet van de arbeider voelen.'

Roman had opeens haast. Hij trok Petr aan zijn mouw omhoog en drukte hem in de laadbak. Hij had hernieuwde energie gevonden om de pedalen snel rond te laten gaan.

Petr Novák gaf aanwijzingen. Ze misten bijna een afslag omdat de bakfiets heuvelafwaarts veel snelheid maakte. Meestal ging het echter bergop. De kronkelweg ging over in een bospad waar puin op was gestort. De bakfiets rammelde bijna uit elkaar. Roman stapte af. Petr hielp hem met duwen. Roman vroeg zich af of hij alleen de weg terug zou kunnen vinden. Hij probeerde markante punten te onthouden, maar kwam niet veel verder dan een dikke eik, een paar omgevallen dennen en een groot vogelnest.

'Dunne lucht,' zei Roman.

'We zitten bijna een kilometer hoger dan het landgoed,' perste Petr eruit.

Roman had er niets van gemerkt. Alleen zijn kuiten voelden aan als gigantische worsten. Die van de staatswinkel. Zodra je ze in de pan deed, schrompelden ze ineen, de kok in wolken waterdamp hullend.

'Laat de bakfiets hier maar staan,' zei Petr. 'We gaan lopend verder.'

De begroeiing was hier nog dichter dan in de oerbossen achter het landgoed van Roman. Het laatste stuk moesten ze zich door stekelbosjes worstelen.

'Dat werkt beter dan een groot hek,' zei Roman puffend.

'Wacht maar af,' hijgde Petr.

Vijf minuten later kwamen de twee bij een open plaats. Middenin stond een uitkijktoren, een houten keet op ranke poten.

'Voor de jacht,' verduidelijkte Petr.

'De jacht op wat? Of op wie?'

'Je zult verbaasd staan,' zei Petr. 'Volg mij maar.'

Even later liepen ze op een brede weg. Het plaveisel bestond niet uit klinkers maar uit grote betonnen platen.

'Erfenis van de nazi's,' zei Petr. 'Onze militairen maken er dankbaar gebruik van. Zo nu en dan raast hier een colonne voorbij. Dan gaan ze bij de grens naar de andere kant kijken.'

Na een kilometer of drie wees Petr naar boven. De toegangsweg naar de datsja liep vrij steil omhoog. Je kunt bezoekers wel van verre zien aankomen, dacht Roman, altijd handig als je snel weg moet. Tevreden constateerde hij dat er rond de gebouwen grind lag. Het daglonershuisje zelf viel een beetje tegen. Wel waren er een aantal schuren. Van de grootste was het dak ingestort. Roman had zijn volle gewicht nodig om de deur open te krijgen. Er echode een schurend geluid door het dal.

'Kijk maar eens goed rond,' zei Petr. 'Je tante had een aparte hobby.'

Roman knipte de zaklantaarn aan. Hij had met de deur een groot stalen vat weggeduwd. Verder stond de schuur vol met bomen. De kale takken woekerden alle kanten op.

'Het oerbos van je tante,' zei Petr. 'Uit de ijzertijd.'

Roman liep naar de bomen toe en voelde aan een van de stammen. Koud. Hij rook aan zijn hand. Roest. Het was een sculptuur.

'Waar komt al dat metaal vandaan?' vroeg Roman.

'Het verlaten hotel was vroeger een drukkerij. Tegelijk met de machines gingen ook de metalen spanten op de schroothoop.'

'Hoe heeft ze die dingen hier naar boven gekregen?'

Roman kende zijn tante als een zeer doortastende vrouw, maar de grote ijzeren balken kon ze onmogelijk in haar eentje over de steile weg hebben gesleept.

'Loop eens even mee,' zei Petr. 'Je antwoord staat om de hoek.'

Achter het daglonershuisje onder een afdak stond een robuuste tractor, van een merk dat Roman niet kende. Hij legde zijn hand in het profiel van de achterband. Het wiel kwam tot borsthoogte.

'Volgens de documenten is deze landbouwmachine uit Groot-Brittannië geïmporteerd,' zei doctor Novák. 'Een echt raspaard, naar ik heb begrepen.'

Roman zette zijn laars op een uitsparing in het motorgedeelte, klom naar boven en ging in het kuipstoeltje zitten. 'Het boerenleven lijkt me zo gek nog niet. Met je handen in de aarde en op de tractor met je hoofd in de wolken. Ik denk dat ik hier een tijdje blijf. Heb je trek om mij te helpen?'

'Waarmee?' vroeg Petr. Hij zag zichzelf nog niet zo snel door de modder ploegen.

'Ik wil wat veranderen. Een beetje verbouwen. Het dak van de schuur herstellen. Dat soort dingen.'

Petr dacht na. Er was weinig te doen op kantoor. Alleen een paar oude dossiers die moesten worden afgehandeld. Hij had geen nieuwe opdrachten gekregen sinds de machtswisseling. De staat had een eigen rechtsbureau in het leven geroepen. Eenmaal raden aan wiens kant het gelijk altijd stond. Het versimpelde de gang van zaken wel. Geen juridische haarkloverij. Alles voor de staat. En niets voor de tegenpartij. Een waar arbeidersparadijs.

'Misschien kan ik in de kroeg telefoneren. Anders zal ik eerst bij mijn kantoor langs moeten. In elk geval kan ik op de terugweg wat proviand meenemen.'

Dat herinnerde Roman eraan dat hij de volgende dag eigenlijk een afspraak had bij de universiteit. Hij zou niet gaan. De uitkomst van dat gesprek stond toch wel vast. Het was belangrijker dat hij de drukker kon laten weten hoe hoog de oplage van zijn boek moest worden. De roman ontbeerde nog een motto en een goede titel. *De man die uitstel van executie kreeg*? Te lang en niet poëtisch genoeg. *Een nieuwe jas voor een oudgediende*? Aardig. Ineens had hij het. *De tuinman van niemandsland*. De beloofde verwijzing naar zijn trouwe dienaar.

'Zeg Petr, vertel nog even over die wet. Hoe kom ik nu al te weten of het boek verboden wordt?'

Roman draaide zich om. Er was niemand te zien. Petr Novák was al een paar minuten eerder om de hoek van het huisje verdwenen. Roman stapte van de tractor af en maakte een rondgang over zijn nieuwe terrein. Overal vond hij half verroeste boomskeletten. Hoe had tante dat allemaal aan elkaar gekregen? Hij ging het huisje binnen. Eenvoudig meubilair. Voor zover hij wist, had tante nooit met iemand over haar buiten gesproken.

Uren later kwam Petr terug. Hij was overduidelijk niet veel verder gekomen dan de kroeg in het dorp. Over zijn schouder droeg hij een jutezak. Bij elke stap rinkelden de flessen tegen elkaar. Hij riep een paar keer om Roman Novela en voor de grap ook nog om Von Miraus. Raus, raus, raus, galmde het door het dal. Een vijandige omgeving. Petr wankelde even in de deuropening van het huisje. Een belachelijk hoge drempel. Roman zat met zijn rug tegen de houtkachel, de kin op de borst. Gelukkig was het vuur nog niet aangestoken. Petr schudde Roman door elkaar. Geen reactie. Was hij dood? Petr zakte door zijn knieën, ging naast baron Novela zitten en zei: 'Nu kan ik het je niet meer vragen. Mijn vrouw is door geheim agenten verhoord. Ze noemden jouw naam.'

Roman bromde wat onverstaanbare woorden. Petr gaf hem een elleboogstoot. Misschien iets te hard. Roman schrok wakker, hield zijn rechterhand op zijn pijnlijke zij en wreef met twee vingers van de linker de slaap uit zijn ogen. 'Een goede leverstoot. Ik had even een opkikker nodig.'

'Daar heb ik dit voor,' zei Petr. Hij klopte een paar keer zachtjes op de jutezak.

'Ik word slaperig van die ijle lucht.' Roman sloeg zich op de dijbenen en kwam moeizaam overeind.

'Binnen een dag ben je eraan gewend. Ik heb naar kantoor gebeld om mijn afspraken te verzetten,' zei Petr. Zijn agenda voor de komende tijd was blanco, maar er sluimerde nog iets van de oude rivaliteit in hem. 'O ja, voor ik het vergeet, die wet is nog steeds geldig.'

'Welke wet?'

'Die waar de nieuwe commissie van het ministerie van Informatie zich ook nog aan moet houden.'

'Hoe kom ik er nu dan achter of mijn boek verboden wordt of niet?'

'Dat is heel eenvoudig ...' Petr wachtte even. 'Door een klacht in te dienen.'

'Hoe bedoel je?'

'Tegen je eigen boek.'

Roman kon even geen woord uitbrengen.

'Klagers in dit soort procedures,' vervolgde Petr, 'hebben namelijk het recht om de uitspraak eerder te weten dan het publiek.'

Roman dacht na. De waanzin van de dag. Zijn boek was op het oog een eenvoudig sprookje over een familie van zeven broers. Ergens op een heuvel bij een zaagmolen. In het dal was een klein dorp met een huis of acht, negen, een kroeg, al mocht het die naam nauwelijks hebben, en een winkel met een wel zeer breed assortiment. Her en der stonden in de vallei planken opgestapeld. De oudste broer had een flink deel van de bomen in de grensstreek verzaagd. Het schoolgebouwtje werd niet meer gebruikt en het hotel was verlaten. Niemand wilde dat stuk van het land nog bezoeken. Voor de goede verstaander sluimerde er in het boek juist een klacht tegen het nieuwe regime. Roman was blij dat hij vanaf het begin voor een pseudoniem had gekozen. Moest hij nu zelf de oude Miroslav von Miraus de nek omdraaien?

'Subversief en contrarevolutionair. Dat zal ik in mijn bezwaarschrift zetten,' zei Roman. De autoriteiten zouden verbaasd zijn. Een lid van een eeuwenoude adellijke familie die het nieuwe gedachtegoed verdedigde. En wanneer ze dan in *zijn* crapauds het succes vierden, zou hij driedubbel terugslaan. Door de overwinningsroes zouden ze het niet eens merken. Roman klopte Petr op zijn schouder. 'Goed gedaan … uh … Svetr.' Bijna had hij bloedbroeder gezegd en dat hun vader er goed aan had gedaan om Petr een beurs voor de rechtenfaculteit te geven. 'Ik begrijp dat het café een telefoonaansluiting heeft?'

De waard van het café tapte zonder iets te zeggen de bestelling van Roman. Ze waren in deze streek natuurlijk geen vreemde bezoekers gewend. Petr Novák was hem al voorgegaan. Twee onbekenden op een dag leek ook voor de andere gasten te veel. Ze bleven Roman maar over hun bierpullen aanstaren. Voordat hij om de telefoon durfde te vragen zou hij eerst nog wel een paar halve liters moeten bestellen. Misschien kon hij beginnen met een hapje. Hij had van al dat fietsen en heuvels beklimmen behoorlijke honger gekregen. Ondertussen kon hij dan het bezwaarschrift schrijven. Roman tastte in zijn binnenzak naar zijn vulpen. Zou hij die hier wel tevoorschijn durven halen?

Bij de derde pul waagde hij het om de waard aan te spreken. Hij schraapte zijn keel en vroeg om een worst met mosterd en een stuk brood. 'En misschien hebt u ook een stuk papier waarover ik mag beschikken.'

De waard wisselde een korte blik van verstandhouding met de stamgasten. Zo praatte men in deze streek niet. In de zangerige taal van de stad. 'Wilt u het meenemen dan? Er moet nog wel ergens een oude krant zijn.'

Roman had spijt van zijn vraag. Waarschijnlijk had Petr in zijn aktetas wel een paar velletjes. Hij vermande zich en zei snel achter elkaar: 'Het is om iets op te schrijven en ik wil ook graag even telefoneren naar een ministerie.'

De blik van de waard verstrakte nog meer, voor zover dit mogelijk was. 'De telefoon is sinds een paar uur buiten werking. Aan schrijfgerei kan ik u niet helpen.' Hij zag Roman waarschijnlijk aan voor een of andere inspecteur.

'Is hier ergens een postkantoor?' probeerde Roman nog.

'Bij de kruidenier hangt een bus. Daar kunt u uw brief in deponeren. Eens in de week komt de postbode langs.'

Roman had dus geen papier en al helemaal geen envelop.

'Let wel, de bus is gisteren net geleegd,' zei de waard. Roman meende een twinkeling in zijn oog te zien. Hij liet de helft van het laatste bier staan en legde een bankbiljet op het tafeltje. Misschien was het toch beter als Petr eerst terugging naar zijn kantoor om het bezwaarschrift voor Roman in te dienen.

Voor de tweede keer die dag beklom Roman het pad naar zijn datsja. Petr had gelijk. Het kostte hem inderdaad minder moeite. Al zou dat ook door het donkerbier kunnen komen.

Roman wankelde even in de deuropening van het huisje. Een belachelijk hoge drempel. Petr zat met zijn rug tegen de houtkachel, de kin op de borst. Gelukkig was het vuur nog niet aangestoken. Roman schudde Petr door elkaar. Geen reactie. Was hij dood? Roman zakte door zijn knieën, ging naast doctor Petr Novák zitten en zei: 'Nu kan ik het je niet meer vragen.'

Petr bromde wat onverstaanbare woorden. Roman gaf Petr een por in zijn zij. Misschien iets te hard. Petr schrok wakker, hield zijn rechterhand op zijn pijnlijke lever en wreef met twee vingers van zijn linker de slaap uit zijn ogen. 'Iets te veel opkikkertjes gehad, vrees ik.'

'Ik wil je vragen om naar je praktijk te gaan, het bezwaarschrift op te stellen en het persoonlijk bij het ministerie af te leveren. Uit mijn naam. Hopelijk krijg je dan direct antwoord.' Roman haalde een briefje van honderd kronen uit zijn zak en gaf het aan Petr. 'Voor de eerste onkosten.'

Petr maakte een afwerend gebaar. 'Een vriendendienst, uiteraard. Bovendien is het misschien beter als ik zelf op kantoor de lopende zaken bekijk. Het is de vraag of ze me over de telefoon goed hebben begrepen.'

Hoe had Petr de norse uitbater zo ver gekregen? Roman bekeek zijn jeugdvriend. Met zijn gescheurde jas, besmeurde gezicht en zijn laarzen vol modder leek Petr Novák precies op de stamgasten die naar Roman hadden zitten staren. Misschien was zijn familie uit deze streek afkomstig. Roman probeerde zich het gezicht van de kokkin voor de geest te halen, maar het enige wat hij zag waren soepen, puddingen en wildgebraad.

'Er stond een bijzonder aardige vrouw achter de toog. Heel behulpzaam. De flessen kreeg ik voor een zacht prijsje,' zei Petr. Hij lag altijd al goed bij de vrouwen. Hij was niet uitzonderlijk knap, misschien eerder mysterieus. Zijn neus was aan de grote kant, maar hij had een stralende lach, donker haar en helderblauwe ogen. Het pafferige schooljongetje met de slobbertruien werd een zwierige student. Zijn bijnaam bleef, maar kreeg een andere betekenis. Na een pauze tussen twee colleges in zat zijn pullover vaak binnenstebuiten.

'Een van de stamgasten,' zei Petr, 'vertelde mij alles over je tante en deze streek.'

Ze waren inmiddels op de keukenstoelen gaan zitten, hadden een fles geopend en twee glaasjes ingeschonken. Roman herinnerde zich ineens dat Petr bij de universiteit ook wel bekendstond als 'de raconteur'. De studentes hielden van zijn verhaaltjes. Meestal eindigden ze in het ledikant in zijn kamer.

Petr begon te vertellen. Roman liet hem begaan. Je wist nooit hoe hij er nog zijn voordeel mee zou kunnen doen.

'Je tante was tijdens de Tweede Grote Wereldkrijg door haar ouders naar deze streek gestuurd. Een familielid en tevens peetvader had hier vlak bij het daglonershuisje een aardig buitenverblijf. Het was hier rustig, weinig krijgsgeweld. Alleen de dreiging van het landleven. Je tante was een jonge vrouw van net in de twintig. Ze genoot van de losse banden.' Petr weifelde even. 'Ik zeg hier expres niet losbandig.' Hij nam een paar flinke teugen van de kersenlikeur. 'Ze probeerde konijnen te vangen in het struikgewas. In de bossen zocht ze naar eekhoorntjesbrood of de grote champignons waarvan de kokkin repen sneed die ze paneerde en als schnitzel bakte. Soms zag je haar voorbijrijden op een fiets met houten wielen. Die had ze zelf getimmerd toen de luchtbanden waren vergaan.'

'En wat vond haar peetvader ervan?' vroeg Roman. 'Bewonderenswaardig allemaal, maar het was in die tijd toch niet bepaald het leven van een jeunesse dorée.'

'Hij was een zachtaardige man. Alleen maar bezig met zijn schelpen- en stenenverzameling. Ik geloof niet dat hij iets in de gaten had. Die zag je hoogstens in de moestuin wieden. Voor de rest kwam hij nauwelijks buiten.' Petr sloot zijn ogen en hield een paar tellen de tafel vast, als zocht hij steun om de rest van het verhaal te kunnen vertellen. 'Op een dag sloeg het vijandelijke leger een tentenkamp op in de boomgaard. Daar waar nu de twee schuren staan. De familie werd de toegang tot de peren, kersen, kwetsen en walnoten ontzegd. In de moestuin waren de bonenstaken en de bedden met sla, radijsjes, aardbeien, knoflook en uien leeggeroofd of vertrapt door soldatenkistjes. Op het laatst had de familie alleen nog genoeg linzen en maanzaad. En mispels. Tegen het huis stonden een paar struiken. Je kon er zo vanuit het keukenraam bij. Water was er genoeg. Achter het huis was een bron. De peetvader was zo verstandig geweest om er een paar muren omheen te laten bouwen. Via een geheime deur in de keuken liep je zo de kamer met de put in. Gebouwd in de vorm van een schoorsteen.' Petr schonk snel nog een glas in. Hij schoof van ongeduld heen en weer op zijn stoel. Dat was vroeger vast het moment geweest waarop toehoorsters hem een eerste troostende hand hadden gereikt. 'Het duurde niet lang voordat er een oorlog woedde op het hele continent. En dat terwijl er na de Eerste Grote Wereldkrijg was afgesproken dat zulets nooit meer mocht gebeuren. Boerenbedrog natuurlijk, de goede bedoeling van een gesloten vrede is meestal na een paar jaar al weer weggesleten. Er is altijd een verliezer uit op eerherstel.'

Roman hoopte dat hij de laatste paar zinnen kon onthouden.

'Ons land behoorde tegen de wil van de bevolking ineens tot het vijandelijke kamp. Natuurlijk waren er, zoals bij elke machtswisseling, een paar uitzonderingen. Zo liep de zoon van de kleermaker van de ene op de andere dag in het strakgesneden zwarte uniform van de overheersers, een pet met doodskop scheef op het hoofd. Hij vond de legerjassen van het verzet van slechte snit. Ook de kapper liep over naar de nazi's. Zodat hij informatie kon inwinnen voor het verzet, beweerde hij later voor het tribunaal. Maar ik loop vooruit.' Petr stond op en rekte zich uit. Vroeger waarschijnlijk het tijdstip waarop hij zijn pullover zou uittrekken. Hij liep naar het raam, opende het, stak zijn hoofd naar buiten en nam een paar flinke teugen frisse lucht. Daarna ging hij weer zitten. 'De Duitse officieren kwamen vrijwel dagelijks voor een scheerbeurt in de kapperszaak langs. Altijd lange mannen in leren jassen met indrukwekkende revers. Hun dolken hingen losjes aan hun koppelriem en hun pistolen gleden soepel uit de ingevette holsters. Op een dag stond een overste, monocle in het oog, in de deuropening. Ongeduldig sloeg hij met zijn handschoenen op zijn handpalm. Alle kappersstoelen waren bezet en in de wachtruimte was ook geen enkele plaats meer. Het was zaterdag, alle mannen uit het dorp lieten zich door de kapper scheren, een ritueel waar ook een oorlog geen verandering in kon brengen. "Wie heeft de leiding in deze zwijnenstal?" schreeuwde de overste. Niemand zei iets, iedereen bleef stijf in zijn stoel zitten. Ook de scharen van de kappers zwegen.

In de hoek was de patroon net bezig om de stoppels van een jonge luitenant onder handen te nemen. Hij had de knaap flink ingezeept en praatte honderduit. Toen de overste de hakken van zijn laarzen tegen elkaar sloeg en zijn rechterarm met een heilwens schuin naar boven strekte, zette de kapper net het mes op de keel van de luitenant. Het gaf de kapper altijd kort een gevoel van ongekende macht. De stoere mannen van de streek die zich in zijn stoel aan hem onderwierpen. Maar bij zo'n officier van het bezettingsleger, een prototype Ariër met zijn blauwe ogen en blonde kuif, voelde hij eerder angst. Stel dat hij door een paar knapen van de ondergrondse gedwongen werd om een van de officieren de keel door te snijden. Als er één iemand de mogelijkheid toe had, dan was hij het wel. Op de stoeltjes in de wachtruimte had hij een paar mannen zien zitten van wie hij vermoedde dat ze weleens van het verzet konden zijn. Ze zaten er iets te onopvallend bij.'

'Wie is die stamgast die je dit allemaal heeft verteld?' vroeg Roman.

Maar dit keer liet raconteur Petr zich niet afleiden. 'De overste joeg een klant uit een kappersstoel. De officier nam zijn pet af en hield hem zonder een woord te zeggen naast zijn hoofd. In de nek had de rand een rechte lijn in het haar achtergelaten, als een markering tot waar precies opgeschoren moest worden. De hulpkapper wenkte de veegjongen. Die hing de grijze klep aan de kapstok. Met een flukse beweging sprong de luitenant uit zijn stoel toen hij de overste gewaarwerd. Hij salueerde. De patroon kon nog net op tijd het mes wegtrekken. Helaas werd het schuim op de hals van de luitenant rood. Het klapmes had hem dus toch geraakt. Het moest maar een klein sneetje zijn geweest, maar de Ariër ging tekeer als een varken. Hij sloeg met zijn linkerhand, die van hout bleek te zijn, een ster in de spiegel en veegde de lotions, de haarwaters en de kom met scheerschuim van de kaptafel. Daarna trok hij zijn pistool, keek de verschrikte klanten stuk voor stuk aan en richtte de Luger op het hoofd van de kapper. En toen kwam je tante de kapperszaak binnen. Verkleed als jongen. Anders mocht ze van haar peetvader het huis niet verlaten. Ze wilde hem verrassen met een haarwater.'

Het begon te schemeren.

Roman haalde een doosje lucifers uit zijn zak en stak de kaarsstomp aan die op tafel stond. 'Als deze is opgebrand moet het verhaal wel af zijn. Om buiten wat werk te doen is het te laat. En ik zie je ook niet meer naar je kantoor vertrekken.'

Petr vervolgde: 'Toen ging de bel van de deur bij de kapper opnieuw: een dikke korporaal, vergezeld van twee lange soldaten. De onderofficier had wel iets weg van de hoofdpersoon uit een van de boeken die ik in mijn jeugd las. In die pil zaten prachtige illustraties. Waren ze niet van Lada? Kom, hoe heet dat boek ook alweer?'

Roman zweeg. Hij keek naar het flikkeren van de kaars. Er was niet veel tijd meer over, maar hij wilde wel graag het einde van het verhaal horen. Als hij zijn zaklantaarn aan zou doen, zaten ze de hele nacht in de keuken van de datsja. Dan zou Petr de zwetser er van alles bij verzinnen. Geen wonder dat die vrouwen op een gegeven moment plat voor hem gingen.

'De dikzak las op luide toon in de taal van de bezetter een proclamatie voor. En daarna nog een keer in de landstaal. Alle mannen vanaf twaalf jaar werden opgeroepen. "Als ze oud genoeg zijn om zich te laten scheren, kunnen ze zeker mee." De luitenant bemoeide zich ermee. Je tante had geprotesteerd. Niet voor zichzelf, maar voor een jongen die met zijn vader was meegekomen. Niemand begreep waarom ze niet gewoon haar pet afdeed en haar rode haren liet wapperen. Ze was een trotse jonge vrouw. In zekere zin heeft je tante de kapperspatroon gered. Twee dagen later liep hij rond in een uniform van de collaborateurs. Je tante kwam te werken in de schoenenfabriek niet ver van het buiten van haar peetvader. Voorheen werden in de hal pantoffels en dure herenschoenen gemaakt. Nu produceerde men legerlaarzen. Je tante lapte de hakken aan de laars en sloeg er een aantal nagels in met een heel brede kop. Alles in een uiterst rustig tempo. Eens in de zoveel tijd gilde er een sirene door de fabriekshal. Er waren vliegtuigen van de vijand gesignaleerd.' Petr stopte even en benadrukte: 'De vijand van de bezetters, niet die van ons. Op het buiten van de peetvader van je tante was afweergeschut geplaatst. Het knalde zwarte wolkjes in de lucht. De dwangarbeiders verzamelden zich aan de rand van het bos. De piloten scheerden zo laag over dat hun gezichten te zien waren, alsof ze kwamen controleren of iedereen wel bang genoeg was. Ze hadden het geluk dat het eerste bommentapijt de meeste huizen van het dorp vernielde. Zodoende hadden ze nog tijd om uit de fabriek zakken vol met spijkerlaarzen mee te nemen. Je tante verstopte haar deel in de kelder van wat eens het buiten was. Het garnizoen van de bezetter werd met boomgaard en al weggeblazen. En daarnaast viel ook een grote bom op het huis met het afweergeschut. Toen bij de tweede luchtaanval, nog geen halfuur later, de fabriek grotendeels vernield werd, werden de werkers verzameld in het gespaarde schoolgebouw, als je het houten noodgebouwtje met drie lokaaltjes al zo mocht noemen. In de week dat ze daar huisden, stookten ze alle boeken op. Hoe je tante daar ook tegen protesteerde. Het scheelde de bezetter weer een brandstapel en de uitgeputte werkers hadden het voor even warm. Ze werden naar de bossen in het zuiden gestuurd. Er lag een winters pak sneeuw. Je tante had gelukkig goede laarzen. Twee wollen mutsen gebruikte ze als sokken. Ze moesten met pikhouwelen en spades loopgraven maken in de aangevroren grond. De korporaal had een vat met vruchtenschnaps op de kop getikt. Hij was de beroerdste niet, zoals zo vaak bij de laagsten in rang. Uitzonderingen daargelaten.' Petr hield twee vingers onder zijn neus en kleefde met spuug een lok haar schuin op zijn voorhoofd. 'Tweemaal per dag deelde hij aan alle werkers een glaasje uit. Je tante gaf die van haar steevast aan een van de oudere mannen. "Neem het nu maar zelf," had die gezegd, "dan krijg je het warm. Zeker als je er ook nog een sigaretje bijneemt." Na drie jaar geulen graven kwam er ook een einde aan dit conflict. Er werd vrede gesloten, er was een verliezer. De greppelgravers behoorden tot de overwinnaars. Je tante ging in het overgebleven daglonershuisje wonen. De kapper, een van de verliezers, kreeg een lichte straf. Hij had aannemelijk kunnen maken dat hij vitale informatie over troepenbewegingen aan de ondergrondse had doorgegeven. Wel pas tegen het einde van de oorlog. Onder het knippen en scheren hoorde je nog eens wat, zeker als je hetzelfde uniform droeg. Een aantal verzetshelden getuigde in zijn voordeel, die van het laatste uur welteverstaan.

Na zes maanden begon hij weer met knippen in zijn kapperszaak. Ditmaal in het uniform van zijn vak, een witte jas. Langzaam kwamen de mannen bij hem terug om zich weer op zaterdag te laten scheren.'

Petr boog zich naar voren. Alsof er op deze heuvel iemand mee kon luisteren.

'Ik ben vanmiddag langs die zaak gelopen. Die man die waait met alle modes mee. Behalve met de haarsnitten, naar ik heb begrepen. Hij knipt nog steeds het Arische bloempotmodel. Nu komt het ... bij het tribunaal voerde hij aan dat hij de hele oorlog lang als stil verzet de davidster in zijn spiegel had laten zitten. De zespuntige ster die de luitenant van de SS er met zijn houten poot in heeft geramd. Vanmiddag was die kapper bezig om een nieuwe naam op zijn etalageruit te schilderen: BIJ DE RODE STER. Zou hij weten dat die Russenster maar vijf punten heeft?'

Petr sloeg op zijn dijen. 'Wat een prachtsmoes. Volgende keer vertel ik je over de vader van de directeur van de schoenenfabriek. Net na de bevrijding door verzetshelden doodgeschoten. Hij reed op een achtergelaten Duitse motor. Getroffen door vriendelijk vuur. Welke schoten zijn een mens eigenlijk goedgezind?'

Tegenover elkaar gezeten vielen Roman en Petr met hun hoofd op hun armen in slaap. De kaars flikkerde nog een laatste keer op.

Toen Roman in de ochtend wakker werd, was Petr al vertrokken. Roman zette het raam op een kier en keek naar buiten. De ochtendmist was opgetrokken. Je kon de weg met de betonnen platen zien. Hier had je het grind eigenlijk niet nodig. Ten eerste was het een hele toer om boven te komen, ten tweede was een bezoeker al van verre te zien. Roman zou beginnen met het herstellen van de luiken met de hartvormige openingen. Daar zou de olifantendoder met ingelegde kolf wel doorheen passen. Hij liep naar de kleine schuur waar hij inmiddels gereedschap wist te staan, pakte een hamer en een paar beitels en deed een handvol spijkers in zijn jasje. Hij vulde een metselkuip met wat grote stenen en sleepte deze achter hem aan naar de rand van zijn domein. Roman wist niet precies waarom, maar hij wilde een muur rond zijn minilandgoed bouwen. Met een groot hek als poort, zodat hij vanuit het huisje zicht zou houden op de toegangsweg.

Met een van de metalen spanten als hefboom stapelde Roman de eerste zes stenen op elkaar. Mooi in verband. Misschien kon hij bij gebrek aan cement er wat van de modder tegenaan smeren. Dat zou het ook wel sterk genoeg maken. Als het opgedroogd was kreeg je het nauwelijks van je laarzen. En anders zag het er voor het gezicht sterk genoeg uit. De volgende laag moesten ze echt met z'n tweeën doen. Roman liep naar het huisje, pakte een paar lange nagels uit zijn zak en timmerde een loszittend stuk hout vast op een van de luiken. Boven zijn hoofd klapperde een raam. Aan een paal op het dak stond de windzak strak. Alsof het stevige briesje dat was opgestoken een broekspijp had aangetrokken. Wat had Roman een hekel aan zijn poëtische buien! Hij sloeg de laatste nagel er extra hard in. Het werd tijd om eens te kijken wat zich allemaal bevond op de zolder van het huisje. Dat was de enige plek waar hij nog niet geweest was. Er was alleen geen trap naar boven. Moest hij een ladder gaan zoeken? Misschien ... Hij liep naar binnen en trok aan het touw dat in de kamer uit het plafond stak. Er kwam inderdaad een smalle houten trap naar beneden.

Roman tuimelde de zolder binnen. Daarbij haalde hij zijn wang open aan de ezel die midden in de ruimte stond. Er stond een doek op met, zo te zien, een half afgemaakt schilderij. In een ander canvas had hij een gat getrapt. Hij pakte het lapje linnen op en drukte het tegen de wond. Het voelde heel zacht aan. Roman pakte het canvas op van de vloer. Het was een vergezicht. Een zee met heel veel stapelwolken. Ze zagen eruit als watten. Naast haar stalen sculpturen maakte tante dus ook nog schilderijen. Dat verklaarde de veelkleurige deurknoppen. Roman was van vreugde opgesprongen als hij niet gebukt had moeten lopen vanwege het schuine dak. Achter een paar lege doeken en een tafel met een pallet, tubes en een pot met kwasten, stond een lasapparaat. Nu moest hij dat nog naar beneden zien te krijgen. Het kon waarschijnlijk wel door het grote dakraam.

Roman stond voor het huis met de klink in de hand. Hij wilde de buitendeur sluiten.

De scharnieren maakten een bijna menselijk geluid, alsof ze zacht zijn naam zeiden. Hij bewoog de deur nog een paar keer heen en weer. Toen hoorde hij de snerpende fluit. Roman draaide zich om. Halverwege de toegangsweg liep Petr. Hij zwaaide met iets.

'Snel gedaan,' zei Svetr, 'vind je ook niet?'

'Ik denk dat ik sneller boven was dan jij,' meende Roman.

'Grapjas, ik bedoelde natuurlijk dit.' Petr duwde Roman een document onder zijn neus. Roman zag het briefhoofd van een ministerie. Hij pakte het papier en las de inhoud. De laatste alinea een keer of drie. Er verscheen een grote glimlach op zijn gezicht.

'Je moest eens weten hoe verbaasd ze waren dat een aristocraat met dergelijke argumenten aankwam. "Ontaard"? "Contrarevolutionair"? Daar waren ze even stil van.'

'En heb je het ook gelijk doorgegeven aan de drukker?' vroeg Roman.

'Ja, ja, precies zoals afgesproken. Meneer Sazeč zei dat, als hij aan de rest van het papier kon komen, er ongeveer twintigduizend exemplaren van de pers zouden rollen.'

'Von mir aus,' riep Roman. Door het verbod zou het boek van Miroslav snel van onder de toonbank verdwenen zijn. Alleen jammer dat hij het nooit in een etalage zou zien liggen.

Staalwerker

Roman zette Karl Marx terug op de plank. Dat boek hadden ze hem natuurlijk niet kunnen weigeren toen hij net als zijn inboedel werd afgevoerd.

'Word ik net als mijn historische artefacten ook elders veilig opgeborgen?' had Roman gevraagd aan een van de twee geheim agenten die hem bij de arm namen. 'Om me te behoeden voor het nageslacht?' Het had hem een eerste dreun opgeleverd. Nooit in discussie gaan met mensen die woorden tekortkomen. Kortsluitingsgevaar. Tot zijn arrestatie was hij niet veel met zulke personen in aanraking geweest. De hoofdinspecteur die vooropliep had zich in de deuropening omgedraaid en gezegd: 'We gaan het nageslacht juist behoeden voor contrarevolutionairen zoals u.' De man had er zelfs niet bij geglimlacht. Achteraf gezien was het een goede grap. Toen was het angstaanjagend. Dogmatici hebben geen humor.

Roman moest zorgen dat het staal snel uit zijn woning verdween. Hij werkte zes dagen in de fabriek. Op zaterdag mochten ze twee uur eerder weg. Het eerste wat Roman die dag deed was naar huis gaan en *Het kapitaal* ophalen. Zijn werkkapitaal. Hij had de drankhouder in het boek opengezaagd. Roman kon er maximaal vijf stukken staal in kwijt. Op de zaterdag nam hij geen stuk mee uit de fabriek. Hoewel hij vaak aarzelde.

'Zware kost?'

De politieagent was elke zaterdag vrij en zat dan meestal met een fles bier in het trapportaal. Hij keek naar de rug van het boek dat op Romans schouder rustte.

'O, weer dat standaardwerk. U moet inmiddels een kenner zijn.'

'Prettige dag,' zei Roman. 'Ik ga mijn kameraden uit de fabriek voorlezen.' Hij had op de zaterdag geen tijd te verliezen.

'Een goede zaak,' zei de agent. Hij wist niet wat hij ervan moest denken. Hij wist dat Roman een tijd in de gaten was gehouden.

Ze verdachten hem toen van contrarevolutionaire praktijken. Maar de agent zag alleen een voorbeeldig burger. Als hij een keer zin had, zou hij nog weleens informeren hoe de geheime politie nu dacht over buurman Novela. Op zaterdag was hij buiten dienst. Op zondag was hij het altijd weer vergeten.

Eigenlijk helemaal geen vervelende kerel, dacht Roman. Het zou geen kwaad kunnen zo af en toe een fles bier met de agent te drinken. Misschien zou hij na verloop van tijd dan zelfs een hint van hem krijgen als de veiligheidsdienst zijn dossier weer eens activeerde.

De eerste zaterdag wist Roman niet hoe hij bij zijn datsja moest komen. Hij kon natuurlijk een stuk met de bus gaan, maar dan bleven er nog altijd dertig kilometer over om te lopen. In de grensstreek kwam geen openbaar vervoer.

'Daar werkt het arbeidersparadijs natuurlijk niet aan mee,' had Petr Novák smalend tegen hem gezegd. 'Een directe buslijn naar de grens.' Ook de notaris was inmiddels een gelukkige arbeider. Roman dacht er lang over na, maar uiteindelijk lichtte hij zijn oude schoolvriend niet in over zijn plannen. Misschien in een later stadium.

'Als ik me daar een beetje heb ingericht,' zei Roman, 'dan kun je altijd in het weekend langskomen.'

De oplossing kwam natuurlijk van zijn voormalige tuinman. De bakfiets was na de tocht die Roman met Petr maakte in beslag genomen. Net als elk ander vervoermiddel. Hoewel de ouwe getrouwe behoorlijk tegenstand bood – er waren zes geheim agenten nodig om zijn tanige spieren in bedwang te houden – namen de kameraden zelfs de twee kruiwagens van de tuinman mee. Voorlopig mocht de oude man in het huisje blijven wonen, maar ook hij moest er rekening mee houden dat hij binnen niet al te lange tijd zou worden 'geresocialiseerd'. Daarmee bedoelden ze doorgaans een verhuizing naar een kamer in een van de grauwe woonflats die de communisten aan de rand van de stad hadden gebouwd. In recordtempo, dat moest gezegd.

Roman werd meegenomen naar een ander grijs gebouw. Twee weken lang hield de geheime politie hem vast. Ze hadden niets tegen hem in handen anders dan dat hij de bezitter was van een landgoed en dus de werkende klasse uitbuitte.

'Het is ook maar aan me nagelaten,' had Roman schouderophalend tegen de ondervragers gezegd.

'De erfzonde,' zei de kleinste dommekracht.

'Ik vraag een klein bedrag als pacht voor de landerijen. Net genoeg om het hoofdhuis van te kunnen onderhouden. De boeren klagen niet.'

'U bekent dus schuld. '

'Ik ben een wetenschapper. Ik houd mij niet met politiek bezig.'

'Natuurlijk, doctor Novela. Onze glorierijke partij zal u van uw last afhelpen. Het is toch ook een mooie gedachte dat vanaf nu de hele natie de vruchten kan plukken van het huis en de landerijen.'

Het patriciërshuis zou een mooie nieuwe locatie zijn voor het hoofdkwartier van de veiligheidsdienst, dacht de hoofdinspecteur. Geen naaste buren en ongetwijfeld een hoop kelders.

Elke zaterdagmiddag liep Roman langs het gemeenschapshuis, waar waarschijnlijk zijn crapauds stonden met daarin de volgevreten aarzen van de partijtop, en liep daarna met zijn werkkapitaal onder de arm naar het standbeeld langs de weg. Daar waar eens de kapel ter verering van Maria was. En de wensput, al generaties geleden opgedroogd. Aan een van de traptreden hing, van buiten niet zichtbaar, de sleutel van een motorfiets. In het oerbos, dat mensen in de streek nog steeds liever niet betraden, had de tuinman een Jawa 350 cc verstopt. Een eenpitter met een gat in de uitlaat. Vooral op zaterdagmiddag en zondagavond laat hoorde je veel ouders tegen hun kinderen zeggen: 'Ga nooit naar het oerbos. Hoor eens hoe woest de beren daar brullen.'

Roman ging nooit doordeweeks naar zijn geheime buitenhuis. Ten eerste zou het opvallen als hij een nacht zou wegblijven. Ten tweede kon hij het zich niet permitteren te laat op zijn werk te komen. Straks werd hij nog overgeplaatst voordat hij zijn plan tot een goed einde had gebracht. De Jawa was een simpele motor. Bijna niet stuk te krijgen. Toch had de machine af en toe wat onderhoud nodig. Het kostte Roman steeds meer moeite om aan olie en benzine te komen. Laatst was hij naar het leegstaande jagershuisje op zijn voormalig landgoed gegaan. Een gewaagde operatie. Hij had over een hek moeten klimmen. Waarschijnlijk was de afrastering nog niet zo lang geleden geplaatst. Wat waren ze van plan met het land en de gebouwen? In de kelder had hij een van zijn klassieke boeken uitgegraven. *Great Expectations* had hem een nieuwe bougie opgeleverd en een kan met olie. Wie zou nog durven zeggen dat literatuur niet kan helpen met overleven?

Op de eerste zaterdag dat Roman naar zijn minilandgoed terugging deed hij een belangrijke ontdekking. Hij parkeerde de motor in het bos tegen een grote kei en drapeerde er een camouflagedoek overheen. In de fabriek werd veel van het legertextiel meegepikt. De metaaldetector ging er natuurlijk niet van af en het woog bijna niets. Na zijn bezoek met Petr aan de datsja had hij bij de kei een bijl van tante verstopt. Een vooruitziende blik. De stekelbosjes waren inmiddels weer aangegroeid. Hij sloeg zich een weg naar de betonnen rijbaan. Hij liep rustig met Karl Marx op zijn schouder, de linker natuurlijk, naar zijn terrein toe. Er passeerde een tank. Aan de vorm van de loop kon Roman zien dat de kolos afkomstig was uit fabriek nummer vijf. Het deksel van de commandotoren kon Roman nog niet hebben gemaakt. Hij was pas de afgelopen week naar die machine overgeplaatst. Even later reed een jeep voorbij met een viertal soldaten. Ze letten niet op Roman, maar keken strak voor zich uit. Dat was natuurlijk wel anders geweest als hij zijn pilotenjas aan had gehad. Een cadeau van de tuinman.

'Voor op de motor. Van degelijke Duitse makelij. Uit de tijd van voor de tweedeling.'

Roman had gezegd dat hij een mooi tegengeschenk had. Zijn nieuwe boek zou hij aan de tuinman opgedragen. De oude dienaar lachte beleefd. Liever kreeg hij een goede fles cadeau.

Buiten adem bereikte Roman zijn minilandgoed. Karl woog zwaar op zijn schouder. De tas met zwart brood, een stuk spek en een fles bier zette hij achter de deur van het huisje. Daarna liep hij direct naar de schuur waarin hij bij zijn eerste bezoek de tractor had gestald. Midden op zijn terrein viel Roman plotseling voorover. Zijn voet was ergens achter blijven haken. Karl Marx vloog weg. 'Voorop in de vaart der volkeren,' mompelde Roman terwijl hij een stekel uit zijn neus trok.

Roman had het terrein de eerste keer toch meter voor meter onderzocht. Maar de roestige ring waarin zijn laars was blijven steken had hij over het hoofd gezien. Er lag een tapijt van mos over dat gedeelte van het terrein.

'Ik had mijn nek wel kunnen breken,' zei hij tegen een treurwilg, de enige boom die er stond. Het gezicht van schors en knoesten – er was een zekere gelijkenis met de nieuwe president – keek hem onbewogen aan als wilde het zeggen: 'Takken genoeg. Voor een strop moet je zelf zorgen. Ik ben maar een droevige solist die moet wachten tot ie eindelijk omvalt. O, heerlijke storm. O, verlossende bijl.'

Toen Roman met kracht zijn voet lostrok, kwam er een luik omhoog. Een geheime opslagplaats? Een grafkelder? Roman sloeg een hand voor zijn mond. Een onbestemde geur. Hij liep terug naar het huisje. Maar goed dat hij ook een zaklamp had meegenomen.

Roman maakte het luik met een eind touw vast aan de boomstam en daalde voorzichtig de stenen trap af. Hoorde dit soms bij het gangenstelsel onder het landgoed van zijn familie? Was tante ook onder de grond bezig geweest? Onzin, Knižní Palác lag meer dan veertig kilometer verder. Roman scheen in het rond. Aan de wand zaten planken. Er stonden nog wat gevulde weckflessen op. Jonge walnoten in het zuur. Roman haalde het deksel van een grote ton af – een zuurkoolvat? – en stak zijn hand erin, de wijsvinger eerst. Er zat een vloeistof in. Hij rook eraan. Nafta! Op die aanstekerbenzine zou de Jawa ook wel lopen. Hij keek in een ander vat. Olie! Nog beter. In een hoek lag een berg schoenen. Roman pakte er een paar op. Antieke legerkistjes met een spijkerzool. In opmerkelijk goede staat. Hij wierp de oude soldaten terug naar hun makkers. Prompt tuimelde de berg in elkaar.

'Zeker lang niet gemarcheerd,' zei Roman. Hij schrok even van wat hij zag. Wat stond daar stijf in het gelid? Waren dat de overblijfselen van soldaten? Dan toch zeker uit de Eerste Grote Wereldkrijg. Roman scheen er nog een keer op met zijn zaklantaarn. Rijen met hogedrukcilinders. Hij bekeek de etiketten. Gas. Acetyleen. Uiteraard opgelost in aceton. Anders was de boel hier allang in de lucht gegaan. Roman dacht aan de experimenten die hij als kind deed. Hij stopte stukken carbid in een oude melkbus, goot er wat water bij en deed de deksel erop. Tot hilariteit van zijn jonge neefjes schoot na enige tijd door de gasvorming de deksel met een knal weg. Roman had het carbid uit de lamp van zijn opa's antieke motorfiets gepikt. Hij genoot als hij publiek met zijn wetenschappelijke kunsten kon vermaken.

Hoe was tante aan die gasflessen gekomen? En waarom had ze

die dingen onder de grond verstopt? Roman kuchte. Het was benauwd in de kelder. Hij had zuurstof nodig voor zijn plannen. De achterste cilinders waren blauw gespoten, helder zoals de onbewolkte lucht. Op het etiket stond O_2. Puur zuurstofgas. Zo had tante al die stukken staal aan elkaar gelast. Dat maakte het geheel een stuk gemakkelijker. Met zijn soldeerbout zou het uitvoeren van zijn plan een eeuwigheid duren. En al helemaal als hij klinknagels zou moeten gebruiken. Al zou hij voor sommige stukken niet aan hameren ontkomen.

De boom bij het luik was natuurlijk de enige die het bombardement van het tentenkamp, het buiten en het luchtafweergeschut had overleefd. Als je hem om zou zagen, zouden de jaarringen heel wat kunnen vertellen. 'Ik ben een treurwilg, vroeger gaf ik schaduw, nu ben ik geknot,' neuriede Roman. Wat had hij een hekel aan zijn dichterlijke stemmingen. Boven in de stam van de aansteller zat een grote haak. Nadat hij het luik en de kelder had gevonden, begreep Roman ook waarom deze daar zat. Tante had natuurlijk de tractor gebruikt om de cilinders naar boven te hijsen, net zoals ze met de machine de ijzeren spanten haar steile toegangsweg had opgesleept.

In eerste instantie was Roman bang geweest om de motor van de Engelse krachtpatser te starten. Hij wilde niet de aandacht op zich vestigen. Toen hij bij zijn eerste bezoek de sleutel in het contact had omgedraaid, echoden na wat haperingen de paardenkrachten door het dal. Zwarte donderwolken uit de uitlaatpijp recht voor zijn neus. Zo snel mogelijk had Roman een rondje gedraaid en de machine in de schuur gereden. Het duurde een paar minuten voordat je het bos weer kon horen. Reeën bewogen zich niet, ze waren goed gecamoufleerd, vossen verdwenen in hun holen, de vogels zaten stilletjes op hun tak, alleen een verliefde kauw kraste overmoedig naar een vrouwtje. De wilde zwijnen staakten hun gewroet en vertelden hun gestreepte kroost over de donder, de gemene beren en de jager met zijn dubbelloops.

De tractor was in elk geval gebruiksklaar. Roman had het oliepeil nagekeken en een stuk touw in de benzinetank gehangen. Tot zijn verbazing zaten beide reservoirs helemaal vol. Nu begreep hij waarom. Tante had ondergrondse reserves aangelegd. Waarschijnlijk wilde ze nooit meer zonder zitten.

In het dorp, althans de acht, negen huizen die daar sinds de Tweede Grote Wereldkrijg van over waren, hadden de bewoners even stilgestaan als tante op haar heuvel de motor van de tractor startte. Eerst wat huiverig. Vooral de ouderen. Voor hen was de oorlog nog lang niet voorbij. Pas wanneer ze dood waren. Als het goed was. De kleintjes dachten aan onweer.

'Hoor eens,' zeiden ouders tegen hun kinderen, 'hoe de wilde dieren brullen in het bos. Als je niet braaf bent, komen ze je halen.' Ze glimlachten er geruststellend bij. De meeste mannen meestal ook nog met een glinstering in hun ogen. Zij dachten aan de adellijke furie met de lasbril en de snijbrander, haar zachte huid onder de smeer. Zelfs de staatsoverall stond haar nog bevallig.

Roman zette Karl Marx op de grond naast de tractor. Hij moest een schroevendraaier gebruiken om het metalen klepje aan de achterkant open te krijgen. 'Tegendraadse salonsocialist,' mopperde hij tegen de beeltenis op de flap. 'Straks krijg je een paar stevige tikken.' Het liefst gooide hij het boek in de beerput. Waarschijnlijk zou het zelfs daar niet vergaan. Maar hij had de komende tijd Karls hulp nog hard nodig.

Hij legde de stalen plaatjes naast elkaar neer. Veel was het nog niet. Vijf stukjes van ongeveer tien bij twintig centimeter. Dik waren ze wel. Wat was ook alweer de maximumtemperatuur die je met autogeen lassen kon bereiken? Ergens rond de drieduizend graden Celsius, meende Roman. Zo direct zou hij eens de naden bij een paar sculpturen van het ijzerbos van zijn tante wat nauwkeuriger gaan inspecteren. Misschien zat er zelfs nog iets bruikbaars tussen. Een kwestie van stevig de staalborstel eroverheen halen.

Hij haalde de contactsleutel van de tractor uit zijn broekzak en keek naar het hangertje dat hij eraan vast had gemaakt. Een replica van de Amerikaanse vlag. Tijdens zijn studietijd gaf hij bijles op een middelbare school. Hij deed er veel proefjes. Aanschouwelijk onderwijs. Dat stopte toen hij gedachteloos te veel water in een busje met carbid had gegoten. De deksel doorboorde het bord en de flinterdunne muur en vloog rakelings langs het hoofd van de rector die op dat moment uit het geschiedenisboek voorlas over de bevrijding van Praag. De Russen waren met open armen en lelies ontvangen. In het echt hadden de Amerikanen de hoofdstad bevrijd. Roman had het gezien. Een soldaat gaf hem de sleutelhanger. De kinderen bezaten niet zo'n geheugensteun. Zij hadden alleen de schoolboeken waarin de leugen de waarheid was. Het stond immers gedrukt.

Hij zette zijn voet op de steun van de tractor en veerde in het stoeltje. Hij startte de motor – het had hem nog heel wat moeite gekost om uit te vissen hoe de schakeling werkte – en reed zachtjes naar het begin van de toegangsweg. Daar zette hij het contact uit en liet zich naar beneden rollen. Met een flinke vaart kwam hij op de betonnen weg terecht. Een jeep met soldaten kon hem nog maar net ontwijken. Eentje greep zich vast aan zijn geweer en loste op die manier per ongeluk een waarschuwingsschot. De militairen lieten het erbij. Misschien omdat Roman de overall van zijn overleden tante had aangedaan en hij haar strohoed droeg. Hij startte de motor en tufte rustig naar het dorp. Het was toch goed om zich daar met het monster een paar keer te vertonen.

Toen Roman de kerk op de terp zag, hoog gezeten op zijn tractor, herinnerde hij zich dat hij toch een keer eerder in het dorp was geweest. Met zijn tante in een sportauto. Een Engelse tweezitter met een linnen kap. Het was winter en al donker. Roman had de astrakan muts van zijn grootvader op. Die was veel te groot. Hoe oud was hij toen? Misschien een jaar of zeven. Ondanks zijn dikke jas en de extra slobbertrui die hij van Petr Svetr had geleend, zat hij te rillen in het kuipstoeltje. Tante leek nergens last van te hebben. 'Als ik mijn drankje en mijn sigaretje maar heb.' Haar woorden galmden door Romans ijzige hoofd. Ze toeterde even bij een bocht en keek de jongen liefdevol aan. 'We zijn er zo. Voor jou een warm bad en een open haardvuur en voor mij een ijskoude wodka en een gloeiende sintel.' Ze bewoog haar wijs- en middelvinger gespreid voor haar mond heen en weer. Tante minderde vaart, ze reden een dorp in. Roman telde hardop de huizen. Bij twintig hield hij tandenklapperend op. De motor van de tweezitter stopte ook abrupt. Midden op het dorpsplein, vlak bij de kerk. Tante tikte op de benzinemeter. Die stond op '*full*'. 'Misschien is de wijzer vastgevroren?' zei ze, haast vrolijk. Ze veegde met haar dunne glacé handschoen het zijraampje schoon. 'Hum, niemand op straat.' Waarom zou je ook met deze kou? dacht Roman. Er brandden maar twee straatlantaarns.

'Geen kroeg of restaurant open,' zei tante. 'Dan zetten we ons maar over de afkeer heen.' Ze pakte haar handtas van het achterzitje. Meer paste daar ook niet op. 'Blijf maar even zitten.' Ze stapte uit en beende naar de voorkant van een groot gebouw. De deurklopper galmde een aantal maal over het dorpsplein. In een jeugdboek had Roman net gelezen dat de vriesdood een mild einde was. In zijn ledikant, onder de dekens had hij het idee wel romantisch gevonden. Het zwerfkind dat bevroren in foetushouding op de stoep voor het stadhuis werd gevonden. 'Wat is foetushouding?' had hij de volgende dag op school aan de gymjuffrouw gevraagd. Het leverde hem een flinke reprimande op. Hij moest een brief meenemen naar huis. Klappertandend in het zomerwagentje van tante dacht hij er anders over. Zijn neus en oren waren al gevoelloos. Zijn vingers had hij onder zijn oksels gestoken, maar dat hielp ook niet meer. In het boek had de jongen over zijn handen en voeten gepiest om warm te blijven. In zijn warme bed had hij erover gefantaseerd. Nu moest hij er niet aan denken. Hij raakte verdoofd, iets waarvoor hij later sigaren, vele glazen sterkedrank, poeders of pillen nodig had. Tante bleef op de poort bonzen.

'Waar zijn die zedenprekers als je ze nodig hebt,' zei ze in zichzelf, nu toch wat zorgelijk.

De poort ging krakend open. Het geluid sneed door de lucht, als een schaats die het jonge ijs op een vijver splijt.

'Wie haalt mij op dit uur uit mijn bed?' vroeg een man in een nachthemd en met een bontmuts op zijn hoofd. Zijn voeten staken in grote klompen. De man was vriendelijk, had niet de donderende kanselstem zoals tante zich die van haar jeugd herinnerde.

'Autopech. Hebt u voor ons tweeën een schuilplaats voor de nacht?'

Kordaat liep de man naar de sportauto en begon tegen de achterkant te duwen.

'In de auto, de jongen,' riep tante.

De man opende het portier, trok Roman naar buiten en sjouwde hem naar de kerk toe. Het geklapper van de tanden van Roman weergalmde tegen de ijzige gevels van de huizen op het plein, alsof de dood zelf een danse macabre op een xylofoon speelde.

Tante had geen krimp gegeven. Kon zij de kou simpel uitschakelen?

'Ze is zo vurig als een zigeunerin,' had de jonge Roman zijn vader over zijn zuster horen zeggen.

'Ik vrees dat ik u alleen een eenvoudige slaapplaats kan bieden voor de nacht,' zei de man, die zich voorstelde als bewaker van de kerk. 'Laten we het maar achterstallig onderhoud noemen. Tijdens de oorlog is hier gebombardeerd.'

Tante pakte Roman bij zijn hand en trok hem mee. Hij liet een spoor achter, als van een reuzenslak. Zijn lichaam leek een loodzware schelp. Het interieur van de kerk was inderdaad toe aan een opknapbeurt. Er ontbraken stukken van beelden, het plafond zag eruit als een enorm herfstblad en achter het altaar waren lege plekken. Wat viel hier eigenlijk nog te bewaken?

'De altaarstukken zijn helaas door de bezetter meegenomen.'

De bewaker opende een deur in een zijbeuk. Een extreme hitte sloeg Roman in het gezicht. Was hij in de auto doodgevroren en in de hel beland? En niet zoals de zwerfjongen in het boek in de hemel?

'De verwarming heeft maar twee standen,' zei de bewaker. 'Aan en uit.'

Roman legde zich in de cel op de stretcher en viel in een diepe slaap.

De volgende ochtend wreef hij zich de ogen uit met water uit een wasbakje in de hoek van de kerk. Hij had de bewaker niet aan horen komen.

'Dat is het doopvont, nu ben je gezegend.'

Bij de dorpskroeg stonden nog twee trekkers. Een stuk kleiner en met veel minder paardenkrachten. Roman schaamde zich een beetje voor zijn grote diesel. Daarom ging hij er al na een enkele pint vandoor. In zijn datsja zou hij met een touw en een meetlat het verbruik gaan berekenen. Dat was bij zijn plan ook zeer belangrijk.

In de kleine schuur vond Roman een touw met een strop eraan. Tante was toch altijd een levenslustige vrouw geweest? In elk geval was het precies wat hij nodig had. Hij knoopte het uiteinde vast aan het hekwerk dat aan de achterkant uit de trekker stak en trok er een paar keer aan om te kijken of het strak genoeg zat. Roman pakte de strop, liep naar de boom bij het luik en slingerde het touw over de haak die uit de kruin stak.

'Als je de komende tijd goed meewerkt, zal ik je daarna een handje helpen.'

Het was vast een hele klus om de dikke stam door te zagen of om te hakken. Misschien dat er over niet al te lange tijd een storm opstak. Voorlopig had Roman de treurwilg hard nodig. Hij keek om zich heen, stak zijn laars in de ring en tilde het luik met zijn voet een beetje op. Net genoeg om er zijn vingers tussen te wurmen. Met een zwaai klapte Roman het luik open. Eerst maar eens eentje van elk naar boven halen. Of zou hij voor de zekerheid alles in de grote schuur zetten? Neen, tante had het niet voor niets onder de grond verstopt.

Toen Roman beneden op de trap stond, bungelde de strop voor zijn neus. Zover was het nog lang niet. Voorlopig had hij de tijd. Het werk in de fabriek stond hem niet meer tegen sinds hij niet alleen bezig was met het quotum voor de staat. De voorman negeerde hem. De jongen met het kasboek was leergierig. De buren in de flat in de stad lieten hem met rust. Er leek zelfs iets van genegenheid te zijn ontstaan tussen de politieman en hem. Twee middagen had hij al met de diender in het trapportaal bier zitten drinken. Roman trok het touw naar beneden en legde de strop om de zuurstofbom. Even later gaf hij op de trekker voorzichtig gas. De diesel had gelukkig ook heel kleine versnellingen. De sleep spande zich. Na tien minuten kon hij de handrem aantrekken. De cilinder slingerde lichtjes heen en weer. De wind floot eromheen.

'Zo direct zal ik jullie gevangen familie bevrijden.' Roman haalde ook een cilinder lasgas naar boven en liet deze naast de zuurstoffles in de kruiwagen zakken. Roman deed het luik dicht. Dankzij het mos was er niets van te zien. Nadat hij via het zolderraam van het huisje ook de lasinstallatie naar buiten had gehesen, trok hij het touw van de haak, ontweek met gemak een paar zwiepers van wat takken en liep naar de trekker. Achter zijn rug hoorde hij de boom kreunen. Roman deed net alsof hij het niet merkte.

Bij de trekker merkte hij ineens een hendel op aan de achterkant bij het hekwerk. Roman drukte het palletje naar voren, klom op het kuipstoeltje en gaf een beetje gas. Hij had gelijk, het was een lier. De stang kon draaien. De strop verzette zich door een bosje te strikken, maar met drie stoten van het gaspedaal was het koord opgerold.

In de schuur zette Roman de cilinders naast elkaar en sloot het lasapparaat aan. Routineus, in de fabriek deed hij immers niet anders. Uit zijn jaszak haalde hij de aansteker van tante. Die had hij tussen haar verfspullen gevonden. Hij deed de beschermbril op, klikte het koperen dekseltje open en ging met zijn duim een paar keer langs het tandwieltje. Een krachtige vlam. Hij draaide de cilinders open, beetje bij beetje. Voor een goed eindresultaat was de afstelling van eminent belang. Te veel zuurstof en het smeltbad zou verbranden. Te veel gas en de lasboog werd niet heet genoeg. Roman stak de aansteker terug, deed zijn vuurvaste handschoenen aan en pakte de staaf vulmiddel. Met die roede was hij bijna betrapt. Hij had het lange ding in zijn overall gestoken. Daardoor liep hij meer rechtop dan anders. Vlak bij de uitgang zakte het ding in zijn broekspijp. Gelukkig bleef het uiteinde steken in zijn werkschoen.

'Ongelukje?' vroeg de directeur die handenwrijvend naast de voorman stond. Roman liep noodgedwongen met een stijf been.

'Mijn enkel, de schroef, bij dit weer speelt die pin altijd op,' had Roman geantwoord. Terwijl zijn hart in zijn borstkas raasde, sloeg hij een collega iets te uitbundig op de schouder. Hij werd gered door de bel. De metaaldetector ging af. De voorman concentreerde zich op de magere jongen die door het poortje was gelopen.

Roman draaide de zuurstofkraan iets meer open. De lange gele pluim verdween. Hij legde de twee stukken op een aambeeld en richtte het lasapparaat. Het duurder langer dan hij had gedacht voordat het metaal begon te smelten. Een bijzondere legering waarschijnlijk. Aan de maliënkolder zou hij nog heel wat werk hebben. 'Maliënkolder', een vreemd woord eigenlijk. Hij herhaalde het een aantal maal.

'Daar krijg je de kolder van in je kop,' zei hij hardop. Hij schrok van de echo. Bij zijn stadse flat en daarvoor bij het landgoed had je niet zoveel weerklank. Ook niet zoveel heuvels. Met een grote tang pakte hij zijn werkstuk op. Het waterbad in de metselkuip naast Roman suste de twee stukken staal.

'Die zitten nu voorgoed aan elkaar vast.' De andere drie stukken volgden. Het begon al te schemeren toen hij klaar was. Het eindresultaat kon hij maar nauwelijks met twee handen uit het water krijgen. Doordat de lasnaden zo strak waren als een breinaald leek het wel op een rijtje dikke boeken. Wel zware kost. Waar moest hij dit allemaal laten? Stel dat de verhoudingen tussen oost en west ineens weer op scherp zouden komen staan. Misschien werd het niemandsland dan nog wel een stuk groter en moesten de bossen en de grensdorpen plaatsmaken? Eerst zou alles dan weer worden uitgekamd door geheim agenten. Om te zien wat nog 'voor het nageslacht veilig kon worden opgeborgen'. Voorlopig leken beide zijden tevreden met de impasse, gescheiden door de kaalgeslagen strook met wachttorens en prikkeldraad. Af en toe was er over en weer wat machtsvertoon. Troepenbewegingen vlak bij het IJzeren Gordijn. Als twee jongetjes die op het schoolplein met de schouders tegen elkaar duwen, in het volste besef dat het nooit tot klappen zal komen. Roman vroeg zich af of de mensen het echt geloofden. Dat de strenge maatregelen er alleen maar waren om het volk, en daarnaast ook alle broedervolken, te beschermen tegen de kapitalistische imperialisten uit het westen. Daarom zaten er in de torens zeker ook landinwaarts schietgaten. Deze natie was één grote gevangenis.

Roman deed de lasbril af. Het was toch nog lichter dan hij dacht. Ineens kreeg hij een idee. Hij liep naar het huisje, trok de trap uit het plafond en ging naar de zolder. In de hoek had hij eerder een grote rol zien staan. Hij raapte een jutezak van de grond en veegde er het palet, de tubes verf en de kwasten in. Met de rol canvas onder zijn arm en de zak over zijn schouder liep hij terug naar de schuur. Daar rolde hij het doek uit. Het was precies zo groot als de achterwand. Roman kneep een paar tubes uit op het palet, vooral zwart, bruin en sepia. En een beetje grijs voor de voegen. Met een grove kwast penseelde hij de bakstenen van de muur na. Voordat hij het doek vlak achter de tractor ophing, legde hij zijn eerste laswerk in 'zijn geheime werkhok'. Zelfs als je op een meter afstand stond kon je het nog niet zien. Aan Roman was een begaafd kunstenaar verloren gegaan, een magisch-realist.

Het was nu echt donker geworden. Roman moest haast maken. Hij wilde niet net thuis aankomen als de agent van zijn nachtdienst terugkwam. Alhoewel hij ook zou kunnen zeggen dat hij een ommetje had gemaakt. Al eerder had Roman aan de buurman verteld dat hij een lichte slaper was.

'Een slecht geweten zeker,' zei de agent toen. Vroeger had Roman zich dan ongemakkelijk gevoeld. Sinds hij een paar keer met de man bier had gedronken in het trapportaal lachte hij met de agent mee na dat soort opmerkingen.

Roman verborg ook het lasapparaat en de cilinders achter zijn muur van canvas, pakte zijn zaklantaarn, liep de oprijlaan af naar de betonnen weg en worstelde zich door de struiken naar de grote kei. Hij moest even zoeken. Het camouflagedoek werkte perfect. Met de Jawa aan de hand liep hij naar de kronkelweg. Pas toen hij ver voorbij het dorp was, startte hij de motor en reed terug naar de stad en het standbeeld van de arbeiderspresident. Hij wilde de motor daar nu stallen. Niet veel mensen kwamen in de buurt van het afgietsel van de nieuwe leider. Bovendien had hij een uitstekend camouflagedoek. Roman werd niet overmoedig. Het was een goede arbeider toegestaan om een motorfiets te hebben. Niemand zou bezwaar maken. Hij was tenslotte uitgeroepen tot werker van de maand. Vlak voor de stad stopte Roman even. Uit zijn jas haalde hij de blikken onderscheiding en spelde die op de borst. De heer doctor ingenieur Roman Novela was volledig 'geresocialiseerd'. Vooral als hij doordeweeks in zijn stadse woning was en zijn zwarte brood verdiende in wapenfabriek nummer vijf.

Het ging Roman in de fabriek zo gemakkelijk af dat hij soms niet één, maar twee of drie plaatjes meenam. Gewoon in zijn broekzak, of onder in zijn schoen. Zoals bekend was de metaaldetector geen enkel probleem. De voorman nam hem nog slechts als voorbeeld. 'Een kwartaal lang arbeider van de maand. Dat is tot nu toe alleen Novela gelukt.' Roman had de voorman toestemming gegeven hem zonder doctorstitel aan te spreken. De blonde reus had het als zijn verdienste gezien. Hij was in staat om zelfs de grootste vijand van de natie weer in het gareel te krijgen.

De jongen met het kasboek schreef op wat Roman wilde. Hij was door hun gesprekken in de ochtend zo enthousiast geworden voor de schei- en natuurkunde dat hij bijlessen had genomen 'bij een autoriteit op dat gebied'. Welke wetenschapper kon dat zijn? Waren die inmiddels niet allemaal 'geresocialiseerd'? Het moest beslist een vooraanstaand geleerde zijn. Over sommige van de opgaven van de kasboekjongen moest Roman zelfs een tijdje nadenken. Steekhoudend. Origineel. Roman had ze zelf niet beter kunnen bedenken. Hij was er vol ingestapt. Een waarschuwing. Hij moest voortaan beter bij de les blijven. Na een maand had de jongen verklapt dat hij zijn vader zover had gekregen dat deze de, inmiddels verboden, wetenschappelijke publicaties van doctor ingenieur Roman Novela voor hem had versierd. 'En zelf heb ik een boek van zijn werkkamer meegenomen, volgens mij van onder de toonbank. Van ene Miroslav von Miraus. Een aparte naam. Vindt u ook niet, doctor Novela?'

Roman maakte zich zorgen over de grote hoeveelheid pantserstaal die hij in de loop der tijd had meegenomen. Eerst had hij nog een tweede en een derde kloek manifest op zijn plank uitgehold.

'Ik mag het natuurlijk niet zeggen,' zei zijn buurman terwijl ze op de overloop aan een biertje zaten. 'Maar overdrijf je niet een beetje. Je loopt op zaterdag soms met een hele bibliotheek rond.'

Het had Roman een heel weekend gekost. Hij was meegegaan naar de datsja van de agent. Toen ze daar aankwamen, Roman in de zijspan van de dienstmotor, stonden zeven collega's op een rij voor de deur te wachten. Ze hadden allemaal een jachtgeweer over de arm hangen. Gingen ze eigen rechter spelen? Had de agent net als Roman slechts theater gespeeld?

'Ik mag het natuurlijk niet zeggen,' zei de agent nogmaals. 'Maar wij hebben soms ook genoeg van al die nieuwe regels. Daarom gaan we in het weekend jagen, paddenstoelen zoeken, een beetje vissen op het meer en dan eten, drinken en over vrouwen praten.' De agent sprong uit het zadel en deed het leren kapje en de motorbril af. 'Natuurlijk niet de onze.'

Van de directeur van wapenfabriek nummer vijf had Roman ook geen last. Die dicteerde zijn roodharige secretaresse ellenlange brieven. En soms las hij haar voor uit een poëziebundel of een roman. 'Nog een hoofdstuk?' vroeg hij dan.

'Von mir aus,' antwoordde ze telkenmale met haar lage stem. Ze protesteerde niet als hij de deur van het kantoor op slot deed. Het was tenslotte een verboden boek.

Het gevaar kwam uit een onverwachte hoek. Die van Roman zelf. Eens in de maand kwam een ingenieur van het partijbureau de hallen stuk voor stuk controleren. Een dag waarop zelfs de voorman gespannen was. Voor je het wist stond je weer op de werkvloer. En daar zouden ze hem beslist wel krijgen. Zand in zijn machine. Een voorhamer die per ongeluk op zijn voet terechtkwam. Ook de directeur liep op de inspectiedag handenwringend achter de inspecteur aan. Roman kende de man wel. Het was een van de mindere goden geweest op de universiteit toen Roman aan het hoofd stond van de faculteit exacte wetenschappen. Een fervent partijlid, dat wel.

'Nog steeds aan de universiteit verbonden?' vroeg Roman. Waar zat zijn hoofd op dat moment? De inspecteur trok een vies gezicht en draaide zich op de ballen van de voeten om naar de voorman en de directeur. Het zand op de fabrieksvloer knarste net iets te hard. Net als de tanden van Roman. De arbeider naast hem klonk gelukkig net een paar nagels vast.

'Kameraad Novela, een van onze beste arbeiders,' zei de directeur snel.

'Novela, Novela,' herhaalde de inspecteur. Had hij niet ooit een akkefietje gehad met een professor die zo heette? Een afwijzing van een aanstelling? Hij sloeg zijn handen achter zijn rug ineen, keek even over zijn schouder naar Roman, die, bij zinnen gekomen, zich op de pers concentreerde, en liep met opgetrokken neus verder door de hal, de voorman en de directeur er bedremmeld achteraan. Het was alleen een kwestie van tijd voordat ze er bij het partijbureau achter zouden komen dat er iets mis was. Op die dag nam Roman nog geen millimeter plaat of vulmiddel mee naar huis. Hij had de laatste tijd bijna genoeg verzameld. Het meeste had hij in de binnentuin van de woonkazerne begraven. Een oude vrouw had een hoek vrijgemaakt en er wat hortensia's geplant. In het voorjaar waren er geen witte en roze bloemen aan de takken gekomen, maar donkerpaarse.

'En ik heb geeneens spijkers in de grond gestoken,' zei het oudje tegen Roman.

'Een speling der natuur,' had hij beaamd.

Aan het einde van zijn dienst klokte Roman uit en liep door de plastic tochtdeur. Daar stonden ditmaal niet alleen de voorman en de directeur, maar ook de inspecteur. In zijn hand hield hij het kasboek waarin de gewichten werden genoteerd. Roman ging op de grote weegschaal staan.

'Vijf kilo minder dan vanochtend?' De inspecteur keek naar de directeur. Roman had ook vandaag natuurlijk een voorraad zand meegenomen en die via zijn broekspijp op de werkvloer uitgestrooid.

'Achter de pers verliezen de mannen het meeste vocht,' kwam de voorman Roman onverwacht te hulp. 'Na een paar liters dienstbier aan de overkant zijn ze zo weer op gewicht.'

De directeur maakte een hoofdbeweging naar de metaaldetector. De voorman wees naar het apparaat. Waar wachtte Novela op? Moest hij soms schriftelijk worden uitgenodigd? Roman aarzelde. Ze wisten toch dat het ding dan af zou gaan. De inspecteur kneep zijn ogen samen. Roman liep erdoorheen.

'Nogmaals,' zei de inspecteur. Nog drie keer liep Roman door de detector heen. Geen alarmbellen, geen waarschuwingslicht. De voorman en de directeur keken elkaar aan. Een paar minuten eerder was er nog een jongen betrapt met een moer in zijn broekzak. De inspecteur legde het kasboek aan de kant, liep door de plastic tochtdeur de productiehal in en kwam terug met een hand schroeven. Hij stapte door de metaaldetector heen. De sirene loeide en de lampen flikkerden. De voorman drukte op een knop. Een onaangename stilte.

'Novela,' gebood de inspecteur. Het apparaat had bij Roman opnieuw niets te verklikken. Hij moest zich uitkleden. De inspecteur greep de overall van Roman bij de kraag en kneep de armen en de benen om de paar centimeter samen. Roman was blij dat hij het kledingstuk niet meer aanhad. De inspecteur haalde een pennenmesje uit zijn vestzak en tornde de zomen los. Hij wist zeker dat hij die verrekte nepprofessor een strip vulmiddel in zijn zak had zien steken. Toen ze hem na vier uur naar huis lieten gaan – hij moest zich de volgende ochtend om acht uur op het kantoor melden – aarzelde Roman geen moment. Het was tijd voor de grote finale.

In de flat greep hij zijn koffer onder uit de kast. Hij ging zijn schamele garderobe na. Hij deed twee extra hemden en een trui aan. Van achter de spiegel haalde hij twee foto's en stopte die in zijn zak. Beneden in de tuin – sorry buurvrouw – rukte hij de hortensia's uit de grond, ploegde met zijn handen de aarde weg en deed de stukken pantserstaal in de koffer. Hij probeerde het hengsel. Bijna niet te tillen. Roman sleepte het gevaarte door de gang naar de voordeur. Het kon hem niet schelen als iemand hem zo zag. Hij moest maken dat hij weg kwam. Roman parkeerde de koffer in de nis bij de brievenbussen. Een paar minuten later was hij terug met de motor. Toen hij de vracht op de bagagedrager vastmaakte, steigerde de Jawa uit protest hoog in de lucht. Roman sprong in het zadel, kickte de eenpitter aan, zette hem in de eerste versnelling en gaf vol gas. Met hoge toeren kwamen ze langzaam op gang.

Ex-gevangene

Aan het gesnurk en de nachtmerries van zijn medegevangenen was Roman na al die jaren wel gewend. Daar sliep hij zonder problemen doorheen. Zijn feilloze biologische klok wekte hem steeds een halfuur voordat het licht aanging. In de zomer had gevangene 1440 meer tijd. Dan gingen zijn ogen open zodra de eerste zonnestraal door het bovenlicht viel. De aangename geur van lichtgeroosterde aardappelen. De nieuwste schillen die hij de vorige dag aan zijn verzameling op de vensterbank had toegevoegd. Het was midden in de nacht. Winter. Gehaaste stappen op de gang. Niet van de laarzen van de bewakers. Roman kon precies onderscheiden wie er liep. Als de man o-benen had, maakten de hakken aan de buitenkant een typisch slepend geluid. Dat was 'de lange'. Hij was ruim boven de twee meter en moest dus overal bukken. Toch waren de gevangenen niet bang voor hem. Zijn magere schoudertjes hingen moedeloos af.

De Chef had een driftige tred. Hij boog zijn benen nauwelijks. Een paradepas, zou je kunnen zeggen. De mensen die nu op en neer liepen hadden spekzolen. Was het een van de gevreesde nachtelijke controles door de geheime politie? Roman raadpleegde zijn verborgen agenda op de muur. Daar waren ze al hondenvier kruisjes van verschoond gebleven, een hele C. Door ruimtegebrek hield Roman alleen nog de weekenden bij. Snel schoot hij in zijn broek en hemd, stapte op de stoel en drukte de laatste aardappelschillen nog eens extra aan. Daarna sprong hij in de houding. Precies op de juiste afstand van de deur.

De sleutel werd omgedraaid. Minder resoluut dan anders. Het luikje was niet eerst opengedaan. Hoorde hij daar nu kloppen? In de deuropening verscheen een man met een gleufhoed en een regenjas met een opgeslagen kraag. Dus toch, dacht Roman, een doorzoeking van het cellencomplex. Hij was benieuwd of ze ditmaal de aardappelschillen wel zouden vinden. De vensterbank was zeker tien centimeter dikker. En de tand van de vork in de stoelpoot. De hoeveelste zou het zijn? Misschien al de tiende of de elfde. Als hij dat allemaal ook nog eens bij moest gaan houden. Ondertussen moest het de afwashulpen ook zijn opgevallen, al dat invalide bestek. Daar kwamen ze natuurlijk voor. Roman begon met het in zijn hoofd opzeggen van alle atoomnummers. Eerst de ronde getallen. Boor, 5; mangaan, 25; zink, 30; tin, 50. Dat had hij al die jaren bij ondervragingen, doorzoekingen en visitaties gedaan.

'Doctor ingenieur Roman baron Novela?' vroeg de regenjas.

Roman reageerde niet, leek het niet te horen.

'Doctor Novela?' probeerde de man opnieuw. Hij had een aangename stem. Zangerig, de man moest afkomstig zijn uit de hoofdstad.

'099651440,' zei Roman op de voorgeschreven geluidssterkte.

'Wij zijn al enige tijd op zoek naar jullie.'

Roman maakte een kwartslag. Volgens het boekje. Voet achter het standbeen, ruk aan het bovenlijf, vingers op de naad. Al was dat moeilijk door de gestreepte gevangeniskleding.

'Het is gedaan. Uw straf zit erop. Algehele amnestie voor alle politieke gevangenen. De regering is gevallen. Er is al enige tijd een democratie. Een dissident, net als u ook een schrijver, is president. Ze hadden jullie goed weggestopt.'

'099651440,' herhaalde Roman. In zijn hoofd ratelden de atoomgetallen van zijn eigen nummer. Einsteinium, terbium, silicium, zirkonium. Kiezel en Zirkoon. De glimlach haalde hij meteen van zijn gezicht. De spieren in zijn bovenlijf spanden zich automatisch aan. Lachen leverde minstens vijf doffe klappen op de rug op, zeven als De Chef erbij was. Er welde een lichte paniek op bij Roman. Waar was 'de lange' en waarom was De Chef er niet bij? Werden 'de staatsvijanden' nu soms afgeschoten en durfden de bewakers daarbij hun gezichten niet te laten zien? Of waren ze op hetzelfde moment een vuurpeloton aan het vormen op de binnenplaats?

Een tweede man in een regenjas sloeg een wollen deken om Roman heen en leidde hem aan de arm naar buiten. Zonder knuppel, zelfs zonder hard te knijpen. Alle gevangenen van het celblok stonden op de galerij. Iedereen had een deken om de schouders geslagen. Zouden dat hun lijkzakken worden?

'Roman! Roman!' riep een van de medegevangenen.

Waarom deed die man dat? Iedereen in het complex van De Chef wist toch dat onderling praten verboden was. Woorden waren hier niet gewenst. De man schreeuwde zijn naam in plaats van zijn nummer. Straks kregen ze allebei nog een 52, de isoleer. Of de gevreesde dubbel nul. Een bezoek aan de privécellen van de directeur van het gevang.

Ook 1440 was een keer 'op audiëntie' geweest. Zijn handen werden achter zijn rug geboeid, ze staken een stok tussen zijn armen door en hij kreeg een kap over zijn hoofd. Ze draaiden hem een keer of tien, twintig in het rond en sleepten hem, naar het idee van Roman minstens een uur, over trappen en door gangen. Toen werd hij ergens naar binnen geduwd. De deur sloot met een dof, maar onheilspellend definitief geluid. Vergeten in een koelcel, bankkluis of een doodskist. Iemand trok aan een ketting. Met een ruk werden de handen van Roman omhooggetrokken. Zijn hoofd werd op zijn kin gedrukt. Er schoot een scherpe pijnscheut door zijn ruggengraat, schouders, nek- en armspieren. De kap viel op de grond. Het enige wat Roman kon zien was een felverlichte tegelvloer. Ergens boven hem moesten tl-buizen hangen. Witte tegels, gemakkelijk weer schoon te maken. De voegen waren her en der niet meer grijs, maar roestbruin. Roman probeerde zijn hoofd op te tillen. Het gepiep van rubberen zolen, een klap in zijn gezicht. Uit zijn neus spoot een straaltje bloed op de tegels. Ruitjespapier op de middelbare school, de rode pen van de meester. Het waas voor zijn ogen. Toen en nu.

Hij had geen idee hoe lang ze hem daar hebben laten hangen. Het licht was constant aan. Wel hoorde hij flarden van gesprekken, op geanimeerde toon. Het klinken van glazen en het gekraak van crapauds – het zouden zomaar die van hem kunnen zijn. Misschien ook hielden zijn hersenen hem door de grote bloedtoevoer voor de gek. Waarom was hij ook alweer afgevoerd? Roman had gefloten. Misschien maar een toon of drie of vier. 'De Internationale', had hij snel tegen De Chef gezegd. Zonder dat hem iets gevraagd werd. Een paar klappen leken De Chef ditmaal niet genoeg. De directeur moest het maar oplossen.

Roman klemde de deken om zich heen. Iemand floot. 'Roman! Roman!' klonk het nog een keer door de gang.

Roman ging nu kriskras door de elementen heen. Om te eindigen bij de edelgassen. Niet, zoals men zou denken, omdat ze vluchtig zijn. Maar juist omdat ze hem houvast boden. Xenon, de vreemdeling; krypton, de verborgene; argon, de inactieve. De hoop van neon, het nieuwe en helium, de zon. Al had de huid van Roman moeite om zich de warmte van een zonnestraal te herinneren.

'Roman, Roman,' zeurde de stem opnieuw. 'Ik ben het PETR SVETR.' Petrs blokletters galmden tegen het plafond. De weerklank was terug!

Het was alsof het horen van de bijnaam van zijn schoolvriend Roman weer bij zijn positieven bracht. Had hij de regenjas nu goed gehoord? Een amnestie voor alle vijanden van de staat?

'Ik wil terug, ik wil terug!' riep Roman.

De gevangenen waren minder verbaasd dan de ambtenaren in regenjas. De buitenwereld stelde andere eisen. Een van de ambtenaren liep met Roman terug naar zijn cel. Daar pakte Roman de aardappelschillen mee van de vensterbank. Voor de ambtenaar moest het eruitzien alsof Roman een baksteen in zijn hand klemde. Hij vond het waarschijnlijk maar vreemd dat iemand die een tijd vast had gezeten in zo'n kerker daar een souvenir van wilde hebben. In feite hoefde Roman rond zijn aardappelvellen maar een omslag te doen en hij had een nieuwe roman. Wel in code en zonder klinkers. Misschien werd dat een nieuwe trend. Roman las de eerste paar woorden: wrkschn, schlfr, frtschl, trctr, pntsrtnk. Volkomen duidelijk.

Voor de poort van het gevang stond een menigte. Her en der vielen gevangenen familieleden in de armen. Er werd geschreeuwd, gehuild en gebeden. Voor Roman leek het net een stomme film die later asynchroon was ingesproken. Hij draaide zich om en keek naar de plek waar hij zevenmaal een C in de muur had gekrast. Vanbuiten zag het gebouw er helemaal niet uit als een cellencomplex. Het was natuurlijk wel grijs – tijdens het bewind van de kameraden hadden alle gebouwen hun kleur verloren – maar de gevel straalde iets vriendelijks uit. Een goedaardige man waarin een gezwel woekerde.

'Maar,' zei Roman terwijl hij Petr aanstootte, 'dat is ons oude schoolgebouw.'

Petr speurde in het rond, maar van zijn vrouw geen spoor. Hij kon het haar niet kwalijk nemen. Ze was veel jonger. Waarschijnlijk had ze een nieuwe vent. Roman keek naar de andere panden op het plein. Ze hadden hun glans verloren, maar het was onmiskenbaar de wijk van de stad waar ze de laatste twee klassen van het gymnasium hadden doorlopen.

'Zou mijnheer Sedlák daar nog wonen?' vroeg Petr. Hij wees naar de tweede etage van een huis aan de overkant. Daar waren de gymnasiasten twee jaar in de kost geweest.

'De gordijnen zijn hetzelfde,' antwoordde Roman. 'En er staat ook nog steeds een laurierboom op het balkon.'

Urenlang hadden ze Roman na zijn laatste arrestatie in een geblindeerd busje rondgereden. Met een zak over zijn hoofd. Over hobbelige wegen. Naar het idee van Roman moesten ze het hele land hebben doorkruist. Steeds verder naar het oosten. Zo ver mogelijk weg van de grens waar hij overheen had trachten te gaan. Waren er soms kampen in de bergen? De lucht in het busje werd steeds dunner. (De zak was geïmpregneerd en het rooster achter in het busje kon niet meer helemaal open.) Hij had dus de hele tijd in zijn eigen stad opgesloten gezeten, op nog geen honderd meter van het kamertje van mijnheer Sedlák.

Terwijl de andere gevangenen werden onthaald op schouderkloppen, omhelzingen en flessen drank, leidden de ambtenaren Roman, Petr en de wiskundige naar een busje.

'U bent altijd welkom bij mij,' riep 2880 Roman nog na. Het kwam met vertraging bij hem binnen. Waar ging zijn laatste leerling heen?

Was het dan toch allemaal een schertsvertoning? Waren ze decorstukken bij hoog bezoek? Zoals ze de dag voordat een delegatie van een buitenlandse hulporganisatie de gevangenis aandeed allemaal een nieuwe overall hadden gekregen en een voetbal om op de binnenplaats een partijtje te spelen. Wel nadat ze eerst de gang met cellen die bezocht zou worden hadden gewit. Roman had een paar happen van het witsel genomen. 'Vol met kalk,' had hij tegen 2880 gezegd. Van de klappen had hij nog een pijnlijke nier. Die dag konden ze natuurlijk niet op de koppen timmeren.

De Chef was de scheidsrechter bij de wedstrijd. Wie anders? Zijn uniform had hij voor de gelegenheid vervangen door een wollen trainingspak. Zijn schaapskleren. De riem met de lange lat en het pistool lagen onder een bankje direct bij de hand. De voetbalpartij tussen de bewakers en de staatsvijanden moest de eerlijkste sportwedstrijd zijn die ooit op de wereld is gespeeld. Geen enkele overtreding. 'Laat mij uit de weg gaan, dit is de snelste weg naar het doel.' 'Neen, na u.' 'Wat een geweldig doelpunt.' Roman stond in de goal van de contra's. Aan de andere kant stond 'de lange' onder de lat. Nu ja, zijn hoofd torende boven het geïmproviseerde doel uit. Niet meer dan in de grond gestampte buizen waarover een dik touw was gespannen. Maar goed dat Zelfmoord Zoran die dag 'te ziek' was, anders was hij er met het touw vandoor gegaan en had zich, zijn rappe vingers kennende, binnen een paar tellen verhangen. Dat was een mooi spektakel geweest voor de delegatie. (Ze sloten hem op in de stookkelder. Voor de zekerheid bonden ze hem ook nog vast. Niet te strak uiteraard.)

Het busje van de ambtenaren had ramen zonder tralies. Geen houten banken, zoals in de geblindeerde boevenwagen, maar gecapitonneerde stoelen.

'Geïmporteerd, het nieuwste model.' Een van de ambtenaren zag Roman kijken.

'Uit het westen?' vroeg Petr verbaasd. Het busje was duidelijk geen Sovjetproduct.

'Het IJzeren Gordijn schuift langzaam open.' De ambtenaar maakte een uitnodigend gebaar. 'Na u.'

Roman, Petr en de wiskundige waren onwillekeurig in de houding gaan staan.

'Op de plaats rust,' zei de ambtenaar, een oude legerofficier. Een lach slikte hij in.

Het busje bracht de gevangenen die geen familie meer hadden naar een opvanghuis, ergens midden in het land. Een voormalig Huis van het Volk. Wegens de grote toeloop werden ze daar met z'n drieën op een kamer gelegd. Dat waren ze gewend. In de laatste jaren zaten ze bij De Chef soms ook met drie man tegelijk in een cel. Er waren stapelbedden geplaatst. Dat was de moeilijkste periode voor Roman. Toen had hij niet meer genoeg aan zijn periodieke stelsel. Hij cijferde zich toen weg met ingewikkelde formules. Niemand was te vertrouwen. Misschien waren zijn celgenoten wel spionnen. De ene keer waren het onbehouwen grote kerels vol met tatoeages – van de vleugel met de moordenaars en verkrachters – die gelijk de bovenste twee bedden in beslag namen. Soms waren het ook fijnzinnige types die Roman tot een gesprek over de negentiende-eeuwse verhalenvertellers wilden verleiden. Maar die hield hij ook voor zichzelf. De geheime dienst speelde waarschijnlijk het spelletje 'Goede agent-slechte agent'. Pas toen 2880 bij hem werd ingekwartierd en het andere bed leeg bleef, kraste Roman verder op zijn gedroogde aardappelschillen.

Een hulporganisatie stelde in het opvanghuis eenvoudige kleding ter beschikking. Ze kregen een maand om zich op de buitenwereld voor te bereiden. Met elk een buskaart en tweehonderd kronen op zak gingen Roman en Petr al na een dag op pad. Ze hadden lang genoeg binnengezeten. Eerst zouden ze naar de datsja gaan. Later zou Roman weleens bij het landgoed van de familie gaan kijken.

Ondanks de open grens kwam er nog steeds geen bus in het dorp bij de heuvel waar de datsja van Roman stond.

Een van de ambtenaren die hem uit de cel had gehaald, vertelde dat er tegenwoordig ladingen toeristen naar de hoofdstad kwamen. 'Uit alle windstreken, nu ja, voornamelijk uit het westen. Goedkope busreizen en charters. Het vliegveld wordt in rap tempo gemoderniseerd. Er zijn zelfs plannen om een directe metrolijn naar de stad te graven.' Het scheen dat je op het plein van koning Václav over de hoofden van kaartlezers kon lopen en dat de beroemde brug over de Vlatava verstevigd moest worden. Iedereen wilde natuurlijk de oude stad zien, het joodse kerkhof, de synagogen en het beroemde uurwerk met de bewegende figuren. De dood met de zeis als laatste. 'De hotels doen goede zaken,' had de beambte gezegd. 'De prijzen van het bier zijn drastisch gestegen.'

Ook Roman keek zorgelijk.

'Een bijverschijnsel van de vrijheid,' besloot de ambtenaar.

Voor de achterafgelegen plaatsjes was, gelukkig maar, nauwelijks belangstelling. Vlak bij het opvanghuis namen Roman, Petr en de wiskundige de bus naar de hoofdstad. Het centrum zouden ze mijden. Ze duwden hun buskaart in de automaat die naast de chauffeur hing. Een ingeblikte stem zei met korte tussenpozen: 'Gratis, gratis, gratis'. De medepassagiers keken op. Roman hoorde ze denken. Die mannen zien er weliswaar verlopen uit, hun gezichten zijn grauw, maar het zijn nog geen bejaarden. Hoe komen die aan een gratis buspas, normaal alleen bestemd voor gepensioneerden, en voor de mannen van 'de dienst'? Hun pakken hadden wel iets weg van die van de geheim agenten. De kragen van hun regenjassen hadden de juiste grootte, de randen van hun hoeden waren slap genoeg en hun gezichten net zo uitdrukkingsloos. Probeerden ze zich met hun vlasbaarden te camoufleren? Dachten ze zo aan vervolging te ontkomen? Het drietal liep door het gangpad naar achteren. Spitsroedenlopen. Abrupt afgewende hoofden. De angst voor de informanten zat er nog goed in. Je wist in dit land van het midden nooit wanneer er weer een wisseling van de wacht was.

Bij de eerste halte in de buurt van de hoofdstad stapte de wiskundige uit. Hij was de enige met een horloge. Een van de beambten had het hem gegeven in ruil voor een paar bijlessen geometrie voor zijn zoon. De wiskundige schoof de mouw van de regenjas omhoog. Wie zou dat ding nu ook nog willen hebben. De grote wijzer was een sikkel, de kleine een hamer. Bij de uren stonden rode sterren. Op de achtergrond zweefde een spoetnik.

'Zelfs de ratten in de bajes hadden meer ruimtelijk inzicht,' zei de wiskundige. 'En ik kan het weten.'

Ze spraken het niet uit, maar ieder had zijn eigen manier gevonden om te overleven. Roman had zijn stelsel en de wiskundige zijn patronen. Al had je heel veel fantasie nodig om in het cellencomplex iets anders te ontdekken dan rechthoeken. Daarvoor had de meetkundige de ratten gebruikt. Hij dresseerde er een paar net zo lang totdat ze driehoeken, pentagrammen en wie weet wat meer gingen lopen. En de man had natuurlijk een enorme hoeveelheid algoritmen achter de hand. Er was altijd wel een rekenkundig raadsel om op te lossen. De som van alle dingen. Maar wat had Petr Novák? Al die wetten, dat waren alleen maar woorden. Hij had vast, net als in zijn praktijk, met de wetsartikelen gegoocheld.

Petr had zijn eigen muziek ontdekt in het gevang. Het rinkelen van de sleutels, het klikken van de sloten, het slepen van een emmer, het soppen van een dweil, het zuchten en steunen van de gevangenen en het tikken van de buizen. Soms door het warme water dat Roman vanuit de stookkelder zond, maar meestal was het de interne post. De codetaal van de cel. Een klopalfabet, dat elke 'verborgene' vanaf het eerste moment intuïtief begreep.

In de keuken van de gevangenis maakte Roman een keer van een paar ingedroogde knollen een vogeltje.

'Alleraardigst snijwerk,' had een hulpkok gezegd voordat hij het in kleine plakjes hakte.

Een tweede hield Roman in het geniep in zijn cel. Hij sprak er soms tegen. 'Zolang je zingt, zal ik je niet eten, vogeltjelief.' En dan floot hij binnensmonds een serenade voor zichzelf. Een jaar lang wist Roman zijn vriendje verborgen te houden. Toen zette De Chef zijn spijkerlaars erbovenop terwijl hij zei: 'Heeft 1440 ook zo'n hekel aan flierefluiters? Daar zit muziek in: flie-re-flui-ters, flie-re-flui-ters, flie-re-flui-ters.' Steeds harder begon De Chef te schreeuwen. De lettergrepen zoals altijd benadrukkend met de lange lat en een overvloed aan speeksel. Toen Roman weer bij bewustzijn kwam op de betonnen vloer, likte hij de resten op. Hij was gehecht geraakt aan zijn nachtegaaltje, maar vermengd met bloed, slijm en stukken van zijn rauwe huid smaakte het, in vergelijking met de eeuwige koolsoep, als een delicatesse.

'Tot in het volgende rattenhol,' zei de meetlat, de bijnaam die de wiskundige had gekregen. Niemand kon zo kaarsrecht lopen als hij. Stram stapte hij uit. Hij draaide zich in de deuropening nog een keer om. 'Mijn zuster is twee dagen voor onze ommezwaai overleden. Met een beetje geluk is haar woning nog niet geplunderd.'

Roman wilde nog even in de bus blijven zitten. De beweging had hij gemist. Het rollen van de wielen. De cadans van weer een nieuwe betonnen plaat. Bijna als in een trein, het lievelingsvervoermiddel van Roman, vooral toen klasse drie nog bestond. Natuurlijk zat hij graag in de coupé der eersteklas. Banken met donkerblauw velours bekleed, een lampje voor het raam, een prettige tafel en een eigen gerant. Maar net zo lief zat hij op de houten banken van de derdeklas. Daar hoorde hij de beste verhalen. In het gedeelte van de tweedeklas kwam hij liever niet. Daar zaten alleen ambtenaren met hun kleinburgerlijke geschiedenissen. Leuk voor een keertje, maar meer ook niet.

In het busje van de ambtenaren van het gevangeniswezen, ook wel het bureau van correctie genoemd – die zouden wel in het werk omkomen, er was heel wat recht te zetten – was Roman nog te verdwaasd geweest. Nu genoot hij van elke bocht, van het schakelen van de chauffeur en het remmen voor een halte. Er waren alleen te veel mensen. Maar Roman kon zich goed afsluiten van zijn medemens. En bovendien zat Petr Novák naast hem. Al die tijd had hij zijn advocaat bij de hand gehad. Al twee weken na de arrestatie van Roman was Petr binnengebracht in het cellencomplex van De Chef.

Ze naderden de wijk van Roman en Petr. Voor de zekerheid stapten ze een paar haltes verder uit en liepen terug. Direct naar het standbeeld van de arbeiderspresident. De rode borden met ronkende teksten over het arbeidersparadijs waren weg. Er stond een felgekleurde reclame. Een, het moet gezegd, ongelooflijk mooie vrouw hield op de afbeelding een doos in haar hand met een nieuw product. (Zoveel was wel duidelijk. Driemaal 'nieuw' op een totaal van negen woorden. Later zou Roman begrijpen dat 'nieuw' het propagandawoord was van het westen. Altijd nog beter dan alles van Stalin, Lenin en Marx samen. Al had hij voor de laatste begrijpelijkerwijs een zwak.) Het bord was een aanbeveling voor een heel andere hemel, die van de stralend witte was. Reusachtige hoeveelheden kon je met één verpakking van dat middel vlekvrij krijgen. Op de bronzen kop van de arbeiderspresident zat een dikke laag vogelstront. Toen alle broeders nog gelijk waren, kwam er elke dag een kameraad met een ladder om de kop te poetsen. Nu mochten ook de duiven hun gang gaan. Om het hoofd zat verder een ooglap, van leer zo te zien. Het bordje op de sokkel was vervangen. Daar was de naam van een beroemde vrijheidsstrijder te lezen. Heel praktisch. Dat scheelde een hoop kosten. Het brons hoefde niet te worden gesmolten en in een andere vorm gegoten. Met die lap en die grijs-witte kop had het beeld inderdaad wel iets weg van die historische figuur.

De Jawa was verdwenen. Het was ook te mooi geweest als de eenpitter nog onder het camouflagedoek op Roman en Petr had staan wachten. Er zat niets anders op dan te gaan lopen.

'Misschien kunnen we onderweg een vrachtwagen aanhouden. Of meerijden met een tractor met aanhanger,' zei Petr. Gelijk realiseerde hij zich dat hij het laatste beter niet had kunnen zeggen.

Roman zweeg. Hij voerde alleen het tempo drastisch op.

Petr hinkte achter hem aan. Hij had nog steeds last van een opmerking die hij twee weken eerder tegen De Chef had gemaakt. Zonder erbij na te denken. Een terugval in woorden. Wat zou er geworden zijn van de hoofdcipier, 'de lange' en de rest van de staf? Zaten ze nu zelf in de cellen de dagen af te strepen? Of kwamen Roman en Petr ze binnenkort ergens tegen? Op verkiezingsposters bijvoorbeeld? Petr sprong bijna in de houding bij de gedachte alleen al.

'1444,' zei hij op de juiste geluidssterkte.

'1440,' antwoordde Roman automatisch. Hij stopte en draaide zich om. Op de voorgeschreven manier. 'Waarom kom je daar ineens mee?'

Toen Petr werd binnengebracht in het cellencomplex had Roman even gedacht dat doctor Novák hem uit het gevang kwam halen. Eén seconde maar. Toen zag hij dat ook Petr werd voortgedreven met de lange lat van de hoofdcipier en dat er op zijn borst een nummer prijkte, eindigend op 1444. Silicium, Ruthenium. Vuursteen Rusland. Roman had toen al geleerd om alleen vanbinnen te lachen. Al was dit eerder wrang dan komisch. Er hoefde maar iets op die vuursteen te ketsen en Rusland stond in lichterlaaie.

'Ik dacht even aan de bewakers,' verklaarde Petr. 'Ik vroeg me af waar die nu zijn.'

'Wat kan je dat nu schelen. Zolang we ze maar niet meer tegenkomen.'

Of juist wel, dacht Roman erachteraan, als de rollen zijn omgedraaid. Maar het is waarschijnlijker dat ze net als de politici na verloop van tijd gewoon weer terugkeren op hun post. Dat krijg je van een revolutie zonder noemenswaardig bloedvergieten. Een fluwelen revolutie, welke gek had dat bedacht? Dan was het na de Tweede Grote Wereldkrijg beter opgelost. Een proces in Neurenberg. De beulen werden publiekelijk gestraft. Met de foto in de krant. Je hoefde niet bang te zijn dat je die snel tegen het lijf zou lopen. Dat ze, getrouw aan hun karakter, bij de bakker voordrongen terwijl jij moest doen alsof er niets aan de hand was. Van de meesten van die boevenbende was je voorgoed verlost. Die kregen de strop.

Ze liepen verder aan de kant van de weg. De berm was hier te drassig. Vanuit de tegenovergestelde richting kwam een kleine colonne. Een jeep, een rupsvoertuig met vrolijke mannen in de bak en een tank. Op alle voertuigen een witte ster, die van de Amerikanen. Het was dus toch waar wat ze hadden gehoord. De geschiedenis werd rechtgezet. Er was een jubileum van de bevrijding van de hoofdstad. Vrijwilligers hadden oude Amerikaanse legervoertuigen opgeknapt en soms tanks van eigen bodem overgeschilderd. Er zou een parade worden gehouden. Toen hij een Amerikaanse vlag zag, dacht Roman ineens aan de sleutelhanger van de tractor. Wat zou er gebeurd zijn met de diesel? Hoe lang had hij eraan gewerkt? Toch zeker een jaar of vier. Als hij straks bij de datsja kwam moest hij de kruisjes die hij achter het doek op de muur had gezet nog maar eens tellen. Het gezang van de mannen verdween om de hoek. Een paar tellen was het stil.

'Hoor je dat gekwetter?' vroeg Petr. 'Ik kan niet zien waar het vandaan komt.'

Op een elektriciteitsdraad zat een vijftal kauwtjes naast elkaar. Ze verroerden zich niet en hielden hun snavels stijf dicht. Die hebben een goed heenkomen gezocht, dacht Roman.

'Het komt uit de bosjes,' zei hij.

Ze bleven stilstaan om te luisteren.

'Die vertelt een vrolijk verhaal,' zei Petr.

Roman bromde wat. Dat beestje kon net zo goed over dagelijkse dingen zingen. Waar het nu weer de wurmen vandaan moest halen voor de jongen. Of over de dood van een partner. Gevangen in een strik of aangeschoten door een jager en door diens hond meegenomen. Roman ging rechtsaf het bos in. Op een van de zaterdagen had hij een kortere route ontdekt. Voor de zekerheid had hij de bomen voorzien van een merkteken. Hij was benieuwd of daar na al die jaren nog wat van over was.

'Kunnen we hier niet even pauze houden?' vroeg Petr. Hij wreef over zijn pijnlijke been. Ze waren bij een open plek aangekomen.

'Waarom ook niet,' meende Roman. Hij wilde het moment waarop hij de datsja, of wat daarvan over was, terug zou zien nog best wat uitstellen.

Petr haalde een aansteker uit zijn zak. Het was het erfstuk van Romans tante. Hoe kwam hij daar nu weer aan? Het was onmogelijk dat hij die al die tijd in het gevang had weten te verstoppen. Daar had De Chef al na een dag trots mee rondgelopen. Binnen de kortste keren zou de onderdeur de herkomst uit Petr hebben geranseld. Roman wist niet of hij het klikklakken van het dekseltje voor zijn celdeur had kunnen verdragen.

'Laten we een vuurtje maken,' stelde Petr voor. 'Dan zetten we wat Turkse koffie.' Uit de schoudertas die hij meesleepte, haalde hij een steelpannetje, een flesje en een papieren zakje. 'Geruild,' was het enige wat hij verder zei.

Ze raapten wat takken bijeen. Petr schoof met zijn voet een paar keien tegen elkaar en gaf een klein tikje tegen het wieltje van de aansteker. Die gaf gelijk een steekvlam. Natuurlijk. Vuursteen Rusland. 'Ik geloof dat deze van jou is.' Zonder enige uitleg overhandigde hij de aansteker aan Roman. Die vroeg voorlopig niet verder. Bij zijn oude praktijk kon Petr niet geweest zijn. Alleen in het opvanghuis had Roman hem een paar uur niet gezien. Misschien had hij hem al die tijd onderschat en was Petr een geboren handelaar. Roman herinnerde zich de bijnaam van zijn studentenvriend. De raconteur, precies. De praatjesmaker diepte twee emaillen kroezen op uit zijn schoudertas en zette ze klaar bij het vuur. Roman was benieuwd wat Petr later nog meer tevoorschijn zou toveren.

Met een takje porde Petr in de aarzelende vlammen. Een ontevreden gebrom. Hij greep in zijn binnenzak en gooide een opgevouwen krant op het vuur. Roman was te verbaasd om te kunnen ingrijpen. Nog liever dan een beetje warmte, dan een mok met koffie, had hij weer eens woorden op papier willen zien. En dan ook nog een krant. Met nieuws! Waar of verzonnen. Aangedikt. Dat maakte Roman niets uit. Nieuws! Voordat hij kon zien welke datum er boven aan de voorpagina stond, was het dunne papier al bruin verschroeid.

'Dat ouwe nieuws fikt goed,' zei Petr. Hij strooide wat koffie in de kroezen, trok de mouw van de regenjas over zijn hand, pakte het steelpannetje en goot er water overheen. De mok die het minst afgebladderd was, gaf hij aan Roman.

Zwijgend slurpten ze een paar minuten van het hete vocht.

'Koffie Toebroek,' zei Petr. 'Een sterke bak.' Hij keek een minuut lang naar de drab op de bodem. Wilde hij daarin de toekomst lezen? Met een harde klap op een boomstam leegde hij de kroes. 'Nu je gesterkt bent, durf ik je dit ook wel te geven.'

Terwijl Petr het vuur uittrapte, keek Roman naar het medaillon met de Amerikaanse vlag. Opnieuw vroeg hij niet waar Petr het vandaan had. De sleutel van de tractor zat er nog aan vast. Hij was alleen een beetje verbogen. Alsof het ding met heel veel kracht uit het contact was gerukt. Wat zouden de kameraden met zijn werkstuk hebben gedaan? Hadden ze er de snijbrander opgezet? Te veel moeite. Afgesleept waarschijnlijk. Hallen en fabrieken genoeg om het ding in op te slaan. Zodra Roman een beetje op orde was, zou hij op onderzoek uitgaan. Eerst maar eens kijken hoe het met zijn minilandgoed ging na al die jaren leegstand. Of waren er gelijk kameraden ingetrokken? Die zouden ondertussen toch wel de benen hebben genomen?

Petr hurkte neer, opende zijn tas en haalde die als een bezetene leeg. Hij drapeerde de inhoud naast het steelpannetje, het zakje koffie en de kroezen en bleef er als geobsedeerd naar kijken. Een verrekijker, klein model, een doos met jodium, wondzalf, een rol verband en pleisters, een stuk zeep, volgekrast met minuscule cijfertjes, een platte zaklantaarn met een lus aan de bovenkant, waardoor je deze aan een knoop kon vastmaken, een koperkleurig kompas met opzetstukken, geen idee waarvoor die dienden, een pennenset, een opschrijfboekje met leren kaft en een slotje, een scheermes, een kwast en een stuk aluin, een tafelaansteker, een heupflacon en een zakhorloge. De ketting was vervangen door een gekleurd koord.

'Met een tweesnijdend mes, een kurkentrekker en een schroevendraaier,' zei Petr terwijl hij Roman een zakmes liet zien. 'En een nagelschaar, vijl en blikopener,' vervolgde hij triomfantelijk. Alsof hij nu pas écht besefte dat hij zijn leven weer in eigen hand had. 'Van het Zwitserse leger.'

Ook een land in het midden, dacht Roman. Waarom lukte het die Zwitsers wel om altijd neutraal te blijven? Of eerder, niet bij het slagveld betrokken te raken? Ligt het aan hun banken? Die financieren alles, zonder aanzien des persoons. Naamloze rekeningen. Dictators zijn dol op cijfers. Haalden de nazi's immers ook niet hun geld voor de oorlogsindustrie in de Zwitserse Alpen? Met als onderpand gestolen goud en goederen? En parkeerden ook de geallieerden geen grote sommen geld tussen de bergen? Misschien bestaat er wel een ongeschreven wet tussen de bovenbazen. Zwitserland laten we met rust. Sankt Moritz is prachtig. En we hebben allemaal een vrijhaven nodig voor ons vergaarde kapitaal.

'Een fijn stuk gereedschap,' zei Roman. Ach, misschien lag het ook wel aan zoiets basaals als het zakmes. Een precisie-instrument en tegelijkertijd een handig werktuig. Of aan de gatenkaas en de chocolade van alpenmelk. Of aan de klokken. Daardoor liepen in de Tweede Grote Wereldkrijg in Duitsland de goederentreinen op tijd.

Petr pakte alles weer in en gooide zijn tas over de schouder. De verrekijker hing hij om zijn nek en het zakhorloge stopte hij op de plaats waar het hoorde. Niet nadat hij met zijn mouw het deksel zorgvuldig had afgewreven. Alles moest zijn glans terugkrijgen.

Roman trok de hoed over zijn ogen, zette de kraag van de jas overeind, stapte over de stenen heen en verdween achter een groepje bomen. Petr zette zich af tegen een spar en liep achter hem aan. Zijn been was aan de beterende hand.

Af en toe betastte Roman links of rechts een stam van een boom. Hij was natuurlijk op zoek naar de merktekens. Petr kon niets bijzonders zien aan de schors. Niet verwonderlijk, de bomen hadden zeven jaar de tijd gehad. Roman negeerde de waarschuwingsbordjes. Was hij voorheen ook dwars door het oefenterrein van het leger gestoken? Geen wonder dat ze hem toen snel te pakken hadden. Hij was vast geschaduwd. Na een bestraffende blik van Roman was Petr opgehouden met het fluiten van een wijsje dat hij zich uit zijn jeugd herinnerde. Iets over een ree met groene ogen dat de weg kwijt was in het woud.

'Deze hebben ze tenminste niet gekapt,' zei Roman. Hij was stil blijven staan bij een grote eik. 'Helemaal hol.' Ze hadden minstens twee uur niets tegen elkaar gezegd. Of het vestzakhorloge van Petr moest veel te snel gaan. Maar dat zou wel niet het geval zijn. Het was een degelijk Zwitsers uurwerk. Roman hurkte neer en stak zijn arm in de opening onder in de boom. Hij trok er een geraamte uit. Dat van een paraplu. Er zaten nog een paar reepjes linnen aan de baleinen. Hij draaide het ding om en haakte met het handvat naar iets anders. Een paar echte knoken soms? Er kwam een pakket tevoorschijn uit de boom. Zonder het open te maken of er ook maar iets over te zeggen, nam Roman het onder de arm en stapte verder met de paraplu als een degen voor zich uit. Een paar honderd meter verderop woelde hij in het opgeschoten struikgewas.

'Hier naar rechts en dan zijn we er zo.' Ook de grote kei was nog niet gaan zwerven. Petr toonde zich niet verbaasd dat Roman ineens met een roestige bijl zwaaide. Zijn gedachten waren bij de inhoud van het pakket.

Er werd gewerkt aan de weg met de betonnen platen. Mannen in overall stonden bij een grote machine. Het rook naar teer. Even verderop was een parkeerplaats. Er stonden kraampjes. Ze verkochten groenten, fruit en huisvlijt. Volgens een bord aan een houten keet was er bier, warme soep, goulash en worst in de aanbieding. Petr had geen geld meer, wel een mooie kalfsleren portemonnee. Hij had zich in het opvanghuis niet kunnen beheersen en zijn biljetten van honderd kronen meteen uitgegeven. Die papiertjes zeiden hem niets meer. Hij had liever spullen waarmee je iets kon doen.

'Waarom ook niet,' zei Roman. 'Laten we even naar binnen gaan en een bord soep eten. Misschien komen we nog wat te weten.' Zijn woede van een paar uur eerder was geluwd. Het pakket was er nog geweest. Na al die jaren. Na al die houthakkersbijlen en motorzagen. Wat was er veel gekapt in de bossen! Toch zeker niet voor het maken van papier of het bouwen van blokhutten? Roman schudde zijn hoofd en schouders. Net zolang totdat alle vragen langs zijn ruggengraat gleden.

De wegwerkers en de dorpelingen keken een paar tellen vreemd op van de paraplu, de bijl en het pakket. Maar toen zagen ze dat het paste. Graatmager, roestig en besmeurd. Net als de twee mannen. Ondanks hun regenjassen, pakken en gleufhoeden met slappe rand. Iets te groot.

Roman wenkte de serveerster.

Ze keek naar de bijl en zei: 'Die heb je hier niet nodig. Het vlees smelt in je mond.'

Roman bestelde twee halve liters donkerbier en soep met brood en worst. Toen de vrouw de glazen en borden op tafel zette – Roman wist niet goed waar hij moest kijken, haar halfbedekte borsten zwoegden zwaar – gaf hij een haar een biljet van honderd kronen.

'Wie heeft je daarmee afgescheept?' vroeg de vrouw met een lach. 'Die zijn een paar maanden geleden vervangen. Niet meer geldig, naar ik vrees.'

Petr pakte de heupflacon, de tafelaansteker, de pennenset en het opschrijfboekje uit zijn tas. Hij twijfelde even, maar haalde ook het horloge tevoorschijn.

'Iets van uw gading?' Zat er anders misschien in dat pakket van Roman iets wat ze konden aanbieden? Slagen met de lange lat zou hij nu met gemak doorstaan, maar hij wilde beslist geen afstand doen van het bier en de soep. Hij had al een slok genomen en een stuk brood in de bouillon gedoopt.

'Ik weet niet,' zei de vrouw. Ze keek achterom naar de keuken. Haar vingers speelden met het slotje van het opschrijfboekje en liepen daarna over de twee pennen heen en weer.

'Een potlood en een vulpen,' zei Petr. 'En een extra buisje met inkt.'

Het moest niet lang meer duren, hij kon de neiging om zijn gezicht in het bord te storten bijna niet meer onderdrukken. Vreemd dat ze niet het horloge koos, of de tafelaansteker voor haar man of vriend. Of zou ze die niet hebben? Zo'n natuurlijke schoonheid?

'Vooruit dan,' zei de vrouw. 'Maar niets tegen de chef zeggen.'

Dat was Roman en Petr al jaren goed ingeprent.

Voldaan schoven ze tien minuten later de borden aan de kant. Een voedzame bouillon met leverknoedels en reepjes ei. Petr had bijna de hele pot mosterd op de worst gedaan. Van de klont gezouten boter was niets over. De zeven magere jaren waren gelukkig voorbij. Althans voor een paar uur.

'Is er nog iets bijzonders gebeurd de laatste tijd?' vroeg Petr toen de vrouw de borden kwam ophalen.

Roman was net te laat met zijn schop onder tafel. Ze moesten geen aandacht trekken.

Petr bewoog niet. Schoppen en slaag waren wel vaker het dessert geweest in het cellenblok.

'Wat bedoelt u precies?' vroeg de serveerster. Ze hield het dienblad met vuil servies op schouderhoogte. De borden wiebelden gevaarlijk.

'Nou, in het dorp, of bij de grens. Hoe is het bijvoorbeeld met dat kleine buiten hier vlakbij, op de heuvel een paar honderd meter verderop.'

Als die vraag al gesteld had moeten worden, dan was Roman daarvoor de aangewezen persoon. Hoewel Petr natuurlijk wel zijn notaris en advocaat was.

'Er worden huizen bijgebouwd. Ze zijn bezig met pensions. Het hotel gaat binnenkort ook weer open. De laatste tijd is het hier een gekkenhuis. Die van daar komen nu allemaal hierheen.' De vrouw wees over haar schouder. Petr pakte het kompas erbij en zag dat ze het westen bedoelde. 'Vooral in het weekend.' De vrouw zette het dienblad op een tafeltje achter haar. 'Op de vrijdag staat er een enorme rij bij de grensovergang. Allemaal goedkoop eten en vooral veel drinken. Na een glas of twee beginnen ze met hun vingers te knippen, naar je te fluiten en in je kont te knijpen. Alsof ze de oorlog toch hebben gewonnen.' Ze gaf Roman en Petr nog een glaasje kersenlikeur. 'En over die datsja weet ik niets. Als u tenminste die bedoelt met dat steile pad naar boven. Er staat een groot hekwerk omheen met borden met doodskoppen erop. Al sinds ik hier ben. Hoe lang zal dat zijn?' Ze bracht een hand naar haar mond en fronste haar voorhoofd. 'Een jaar of zeven, denk ik.' Uit haar schort pakte ze een servet. Met twee kruislingse halen veegde ze de kruimels van tafel. Een slotgebaar. Amen.

Roman klemde het pakket onder zijn arm en nam de bijl losjes in de hand. Petr maakte een buiging voor de serveerster en zond haar bij de deur ook nog een kushand.

Er zat sneeuw in de lucht. De wegwerkers zetten de kruiwagens omgekeerd in de berm. Hun dag zat erop.

Roman pakte de steel van de bijl extra stevig vast. Als er een slot op het hek zat dan zou hij het er met plezier van afslaan. Met al de kracht die in de loop der jaren in hem gebundeld was. Wat van hem gestolen was, zou hij desnoods met geweld terugnemen.

'Loop jij maar vast vooruit,' zei Roman. Petr had voortaan nog slechts één cliënt. Een stilzwijgende overeenkomst. Van zijn kantoor zou na al die jaren niet veel meer over zijn en als Roman ergens geld vandaan kon halen, zou doctor Novák zijn handen vol hebben aan beslagleggingen, bezwaarschriften en procedures. En aan zijn verdediging als Roman zich niet kon beheersen.

Petr wenkte hem. Er stond inderdaad een hek bij de steile toegangsweg. Van gietijzer met een kunstig vlechtwerk in het midden.

Roman hield zijn hoofd schuin. Als hij de kop van de hamer aan het handvat van de sikkel zou lassen en hier en daar nog de snijbrander op zou zetten, zou het ornament kunnen doorgaan voor zijn initialen. Het hek stond open. Op het pad lag een fijn soort witte kiezel. Smaakvol. Het werd daardoor wel onmogelijk om het huisje te besluipen.

Roman legde het pakket onder een bosje en verstevigde zijn greep op het handvat van de bijl.

Ze liepen naar boven. De muur stond er nog. Er zat nu prikkeldraad op. Roman en Petr stelden zich ieder aan weerskanten van de poort op.

'Met de rug tegen de muur', fluisterde Petr.

Roman keek voorzichtig om de hoek. Hij vreesde een bouwval te zien. Er was wel een hoop veranderd, maar alleen ten goede. De daken van de schuren waren opgeknapt. Er zaten nieuwe dakpannen op. Communistisch rood. De muren van het huisje leken dikker. De ramen waren veel kleiner dan Roman zich herinnerde, als ogen diep in hun kassen. Schietgaten. Het vriendelijke daglonershuisje had een grimmig gezicht gekregen. De deur stond open. De houten panelen waren vervangen door staal. Roman keek nog een keer om de hoek. Pantserstaal? Hadden ze een bunker gemaakt van zijn datsja?

Duim, wijsvinger, middelvinger, ringvinger, pink. Bij de vijfde tel gingen ze tegelijk de hoek om. Roman met zijn roestige bijl en Petr met de graatmagere paraplu. Niet echt wapens waarvan een soldaat onder de indruk zou zijn. Er was niemand te bekennen. Ze liepen om de bunker heen. Midden in een grote betonnen bak stond een metalen plastiek. Roman herkende het direct. De loop werd gebruikt als waterval. Roman stapte in het waterbassin en liep naar het kanon toe. Hij liet zijn hand over het metaal gaan. Ze hadden het mooi geschuurd en gelakt. Van de lasnaden was bijna niets meer te zien.

Roman en Petr gingen naar binnen in de datsja. Roman trok aan het koordje dat naast de gloeilamp uit het plafond stak. De trap kwam naar beneden. Roman liep naar boven met Petr vlak achter zich aan. Wat zouden ze boven aantreffen? Stonden de schilderijen van tante er nog? Of hadden de kameraden die vertrapt, dol als ze zijn op kunst?

Het was wel duidelijk dat een of ander belangrijk partijlid de boel had overgenomen. De wanden van de zolder waren communistisch rood betegeld en in de lijsten van tante staken afbeeldingen van trotse boerenvrouwen, hoekig gespierde soldaten en koene arbeiders. Roman moest even denken aan de voorman in de wapenfabriek. Wat zou er met hem gebeurd zijn? Midden in de kamer stond een bureautje met daarop tot verbazing van Roman en Petr een typemachine. Van hetzelfde merk als Roman ooit op het landgoed had gehad. Hij boog zich naar voren en bestudeerde de hamertjes. Het zou zomaar zijn apparaat kunnen zijn. Hij drukte op een paar toetsen. Iemandsland. Roma. Ook hier weigerde de n. De hoofdstad van Latium, later van het Romeinse Rijk.

'Waarom type je "zigeuner"?' vroeg Petr. 'Al heb je misschien wel gelijk en zijn we na onze bevrijding veroordeeld tot een nomadenbestaan.'

Roman wist dat hij niet in zijn voormalige datsja wilde blijven. Al was de tafel met de typemachine wel verleidelijk. Hij zou hier natuurlijk de aardappelschillen kunnen uitspreiden en een paar weken aan zijn verhaal gaan werken. Maar dat deed hij toch liever in een andere omgeving.

'Kom,' zei Roman. 'Tijd om te vertrekken.'

Petr protesteerde niet. Beneden openden ze alle kasten. Stalen deuren. Hoe typerend. Ze waren bijna allemaal leeg. Petr stopte een paar achtergebleven conservenblikken in zijn tas. Rode zalm, hoe hadden ze die nu kunnen vergeten? Tot zijn vreugde vond Roman een halfvolle fles wijn. Hij trok de kurk eruit. Gelukkig rook hij er eerst aan voordat hij de hals aan zijn mond zette. Het was azijn geworden. Alles is hier verzuurd. Zouden ze naar het buitenland gaan? Naar de oom van de wiskundige? Of helemaal naar dat bloedhete werelddeel daarbeneden? De gevluchte familieleden zagen hen aankomen. Die hadden nu een kant-en-klaar leven. Daarin was geen plaats voor verhalen en ontberingen van de achterblijvers. Misschien kwamen ze allemaal wel weer terug. Al was het alleen maar om hun gestolen eigendommen op te eisen. Of een goedkoop buitenhuisje aan te schaffen.

'Laten we in Praag gaan kijken,' stelde Roman voor. 'Je wilt toch ook wel weten wat er van je praktijk is geworden?' Over het landgoed durfde Roman voorlopig nog niet na te denken. Hij liep de deur uit. De bijl liet hij achter.

Petr volgde hem. Wat zou hij anders moeten doen? Naar zijn zuster in Australië gaan? Daar had hij een paspoort en een ticket voor nodig. Ze hadden geen geld en nauwelijks iets te eten. Ro-

man en hij hadden alleen een bewijs van ontslag uit de gevangenis. Met de arrestatiefoto's erop: kale koppen vol met korsten en
ogen waaruit al het licht verdwenen leek. Geen douanier die je
daarmee in zijn land welkom zou heten. En zijn praktijk? Wat
kon daarvan over zijn? Bij zijn arrestatie hadden ze de inboedel
vernield en al zijn 'bourgeoisiedossiers' in grote grijze dozen afgevoerd. Waarom had hij zich ook ooit met politiek ingelaten?
   'Misschien wil mijnheer Sedlák ons weer een paar kamers ver-
huren,' zei Roman. 'En anders komen we hier morgen terug.' Hij
probeerde een aantal sleutels van een bos die hij in het huisje had
gevonden. De derde paste op de deur en de achtste op het slot van
het hek. Van de hamer en de sikkel had hij zó zijn initialen gemaakt. Maar hoe zat het met het eigendomsrecht? Hij wilde niet
als een inbreker van zijn eigen terrein worden gejaagd. Hij was
dan wel vrijgelaten, maar officieel moest hij nog worden gereha-
biliteerd. Van de vijfentwintig jaar cel had hij er maar zeven uit-
gezeten. Doctor Novák moest maar snel een begin maken met
het papierwerk. Hopelijk werkten de nieuwe autoriteiten een
beetje mee. Uiteindelijk waren Roman en Petr nu zoiets als hel-
den van de democratie. En een van hun medegevangenen was nu
toch de president. Desnoods zouden ze direct naar de burcht in
Praag gaan en hem om hulp vragen. Of zou hij, net zoals bijna
alle politici, na de installatie zijn achterban gelijk zijn vergeten?
De onschuld van een nieuwe regering maakt vaak heel snel plaats
voor de intrige. Roman zou net zolang doordrammen tot hij zijn
gevangenispas bij hem op het bureau zou kunnen gooien. Hij had
een aanzienlijk lager nummer. Hij viste het pakket weer uit de
struiken.

Na vier uur lopen kwamen ze een halte tegen. In het hokje hing
een dienstregeling, nog maar nauwelijks te lezen. Petr keek op het
zakhorloge. Als de tabel nog steeds klopte, dan hadden ze de
streekbus net gemist. De volgende kwam pas over twee uur. Ze
gingen op het bankje zitten. De temperatuur was ver onder het
vriespunt gezakt. Het deerde Roman en Petr niet. Ze hadden zeven winters meegemaakt in het cellencomplex. Daar leerde je als
vanzelf geduld hebben met de temperatuur. Petr wreef over zijn
kin. Hij liet zijn handpalm aan Roman zien.
   'Geschoren door de koning zelf.'

'Waar heb je het over?' vroeg Roman afwezig.

'Door Koning Vorst,' antwoordde Petr terwijl hij op de afgevroren baardharen wees. 'Goedkoop en snel.'

Petr dacht aan zijn dagelijkse scheerbeurt bij de kapper die vlak bij zijn praktijk een salon had. Hij kon het haarwater en de alcohol bijna ruiken. Een borrel zou nu wel prettig zijn. Met een sigaretje erbij. Er schuifelde een zwarte schim het bushokje in.

'Goedemiddag, heren.'

Roman legde het pakket tussen zijn voeten en schoof aan de kant.

'Kan een van u een oude vrouw aan een vuurtje helpen?' Ze stak een grote pijp bijna onder de neus van Petr. 'Zodra ik die opsteek, komt de bus meestal direct.'

Petr snoof de tabaksgeur op, rommelde in zijn tas en haalde de tafelaansteker tevoorschijn.

'Vuursteen Rusland,' mompelde Roman.

Petr had slechts één draai aan het tandwieltje nodig.

'Wilt u ... misschien ... een slokje?' vroeg de vrouw tussen twee trekjes aan haar pijp door. Ze schroefde de dop van een zakflacon los.

Petr nam een teug. Hij strekte zijn benen en gaf de flacon aan Roman. Die zette de hals voorzichtig aan zijn mond, als was hij een verlegen jongeling bij de eerste kus. Hij kreeg een hoestbui.

'U dampt als mijn oude trekpaard,' zei de vrouw. Ze klopte Roman op zijn rug. 'U moet eens langskomen in het dorp hier in het dal. Ik verkoop uitstekende kruidenmengsels.' Ze trok een paar keer smakkend aan haar pijp. 'Vroeger kon je van de dienstregeling op aan. De laatste maanden is er niets over te zeggen. Een nieuwe chauffeur. Daar zal je de bus hebben.' Ze klopte snel haar pijp leeg tegen het wachthuisje en liep naar de geopende deur. Uit haar schort haalde ze een paar muntstukken. Met haar gestalte schermde ze de bestuurder helemaal af. De man kon niet erg groot zijn.

Roman en Petr waren zo ver mogelijk achterin gaan zitten. Buiten het bereik van de binnenspiegel van de chauffeur. Toch zaten ze ongemakkelijk op hun stoelen.

'Gisteren en eergisteren reed de man veel soepeler,' zei de kruidenvrouw. 'Het zal wel met het weer te maken hebben.' Roman en Petr waren na haar ingestapt en hadden zonder op te kijken hun kaarten in de automaat gedaan. Er klonk opnieuw 'Gratis, gratis'. Hun buskaarten waren dus nog geldig. Zowel de chauffeur als de twee voormalig politiek gevangenen waren er nog steeds goed in: net doen alsof er niets aan de hand was. Hoewel Petr Roman wel aan zijn mouw door het gangpad moest meeslepen. Hoe kwam die dwerg aan dit baantje? Hij had alleen van uniform gewisseld en geen lange lat meer maar een versnellingspook. In elk geval wisten ze waar ze hem konden vinden.

Toen ze bij de eerste straten van de hoofdstad kwamen, stapten ze voor de zekerheid ieder bij een andere halte uit. Petr bij het straatje waar de kapperszaak zat en Roman in de buurt van zijn faculteit. Ze zouden elkaar in de namiddag weer treffen voor het huis waarin mijnheer Sedlák hen ooit kamers had verhuurd. Niet naar de overkant kijken!

Petr liep snel langs de etalage van de barbier. Hij wilde niet dat ze hem in de ruimzittende kleren zouden zien. Straks dachten ze nog dat hij een geheim agent was. Hij was van de ene op de andere dag niet meer gekomen. Zo te zien was de zaak van eigenaar verwisseld. Een mannetje in een witte overall schrapte een woord en een symbool van de etalageruit. Petr kon niet goed zien wat er had gestaan. Hij stak over. Met vaste hand penseelde de schilder een vijfpuntige ster. Bij nader inzien niet zo moeilijk want de omtrek, in rood, stond er nog. BIJ DE WITTE STER las Petr. De verf van het woord 'witte' was nog nat. Had de kapper uit het grensdorp filialen gehad?

Roman stond weifelend in de hal van de universiteit, alsof hij een nieuweling was, vers van de middelbare school. Hij bekeek het bord waarop de namen van de hoogleraren stonden. Er was niemand bij die hij kende, behalve het hoofd van de faculteit der exacte wetenschappen: de middelmatige geleerde die ook inspecteur van het ministerie van Oorlog was. Of was geweest. Roman ging met zijn vinger langs het naambordje. 'Afwezig' stond erachter te lezen.

'Dat schuifje blijft voorlopig wel zo staan,' zei de oude amanuensis die achter Roman was opgedoken. 'Ten tijde van de omwenteling was die charlatan op een studiereis in het oosten. Bij onze voormalige broeders. Ik denk dat hij gelijk maar gebleven is.

Morgen schroef ik zijn naam eraf. Misschien komt professor Roman Novela wel terug.' Hij ademde een paar keer diep in en uit. 'Dan kan ik ook weer terug in mijn kabinet.' Hij borg een bril met enorm dikke glazen in zijn borstzak.

'Ik kan niet wachten op de eerste eigen stook,' zei Roman. Hij moest zichzelf bedwingen om de amanuensis niet tegen de borst te drukken.

De man keek dwars door hem heen. 'Komt u iets afgeven?' Het pakket van Roman was inderdaad niet over het hoofd te zien.

Hij wachtte niet op antwoord, maar draaide zich om en sleepte zich terug naar het glazen hokje. Niet alleen bijna doof en slecht ter been, maar nu ook nog zo goed als blind.

Net als de gewezen collega's van Roman. Van de ene op de andere dag vluchtten ze hun lokalen in als Roman voorbijkwam, of ze versnelden hun pas, het hoofd hoog in de wind of diep in de boeken. Alsof opeens het onheil alleen aan hem kleefde. De studenten, ach, de studenten, die jongelingen hebben altijd meer moed. Er waren er zelfs bij die een petitie voor hem opstelden, gewoon ondertekend met hun naam. Die lichting moest ondertussen toch wel zijn afgestudeerd? Er waren een paar veelbelovende geesten bij. Hoogleraren in de dop. Tot zijn spijt zag Roman geen van hen terug op de docentenlijst. Hij draaide zich om en liep de deur uit. Hij keek nog een keer over zijn schouder naar de marmeren trappen. Zou hij die mettertijd nog een keer bestijgen? In functie? In welke dan ook?

Petr hield zich op de hoek van de straat vast aan een lantaarnpaal. Een oude dame keek hem kort meewarig aan. Hij moest er inderdaad uitzien als een dronken zwerver. Na een paar regels uit een beroemd gedicht over drank en lantaarnpalen had hij zichzelf herpakt. Hij stak schuin de straat over en liep direct op het pand af waarin zijn praktijk gevestigd was. Een erfstuk van zijn opa. Al eeuwen in de familie. Het hele blok stond in de steigers. Beneden draaide een betonmolen. Bouwvakkers hesen kuipen naar boven.

'Wat voor werk wordt hier uitgevoerd?' informeerde Petr bij een man die zand in de molen schepte.

'Opdracht van de gemeente. Historisch erfgoed. We halen al dat grijs van de gevel af en herstellen de oude luister.'

'Kennen wij elkaar niet?' vroeg Petr. De man praatte niet als een arbeider en iets in zijn grauwe gezicht meende hij te herkennen.

'Waarvan zou dat moeten zijn?' De cementwerker veegde zijn handen af aan zijn overall en streek een paar keer over zijn kin. Hij keek met een schuin oog naar de kleding van Petr en omklemde zijn schop extra stevig. De kraag van de regenjas van Petr was opgeslagen en de rand van zijn hoed was slap genoeg om zijn ogen te bedekken. Dat soort types hadden hem de afgelopen jaren heel wat vragen gesteld.

'Doctor Petr Novák, aangenaam.' Petr stak zijn hand uit. 'Gustík, de zoon van mijnheer Sedlák, is het niet? Een van mijn beste klerken. Ik ben net op weg naar uw vader.' Schrik in de ogen van de arbeider. Hij gaf zijn voormalige baas schuchter een hand, een stevige eeltige palm. 'Maakt hij het goed?' voegde Petr er haastig aan toe.

'Hij is zichzelf niet meer.'

Wie nog wel, dacht Petr.

'Gaat u de praktijk weer opstarten?'

'Eerst het pand weer terug. Nu ga ik bij uw vader op bezoek.'

'Alstublieft, zegt u niet dat u mij gezien hebt.'

Roman stond al te wachten voor het pand waarin Petr en hij studentenkamers hadden gehuurd. Hij informeerde niet naar de praktijk. Zo hoopte hij ook dat Petr niet zou vragen naar zijn bezoek aan de universiteit.

'Een hopeloze zaak,' zei Roman, 'de pensionhouder is oud geworden. Hij is zichzelf niet meer.'

'Wat is er gebeurd dan?'

'Hij begroette me onderdanig, bijna slaafs. Hij was in de veronderstelling dat we nog in de Dubbelmonarchie leefden en dat ik een persoonlijke afgezant was van de keizer. Hij verwarde me kennelijk met mijn opa. De flessen stonden al op tafel. Twee tellen later schold hij me uit voor landverrader, vijand van het proletariaat en tegelijk ook voor communist en broedermoordenaar. Daarna probeerde hij me van de trap af te gooien. Met onvermoede kracht.'

'Laten we naar ons oude stamcafé gaan,' stelde Petr voor. 'Daar zullen ze toch wel van goede wil zijn?'

Bijna hun hele toelage hadden ze in hun studententijd naar dat etablissement gebracht. En later, zonder het van elkaar te weten, hadden ze ieder minstens twee keer per week daar gegeten en gedronken. Roman steevast op woensdag en vrijdag en Petr op dagen dat hij niet bij de rechtbank werd verwacht, meestal op maandag en zaterdag. Zouden ze nu ook een tafel bij het raam durven nemen? De flat waar Roman woonde toen hij staalarbeider was lag schuin tegenover hun oude trefpunt. In die tijd was Roman er nooit binnen geweest. Ten eerste had hij geen geld voor restaurants, ten tweede was het toen een dagzaak geworden, in de weekenden vooral bevolkt door partijleden en mannen met regenjassen en hoeden met slappe randen. Voor de deur zwarte Tatra's met halfbeschonken chauffeurs. Op zaterdag en zondag had Roman toen nu eenmaal andere bezigheden buitenshuis.

Er waren nu vijf grote ramen waar Roman en Petr achter konden gaan zitten. Het restaurant had plaatsgemaakt voor een enorme hal van een burgerrestaurant. Onwennig trokken ze de stoeltjes bij een plastic tafeltje vandaan. Servetjes in een houder. Geen menukaart. Grote posters schreeuwden de porties friet en hamburgers bijna bij de klanten naar binnen.

'Aan de tafels wordt niet bediend,' zei een man in een clownspak die de vloer aan het dweilen was. Pas nu zagen Petr en Roman de lange rijen die voor de balie stonden. Roman greep in zijn zak naar het geld dat hij nog had. Zouden ze hier wel de oude valuta accepteren?

'Dit is waar u, laat ik het netjes zeggen, naar hebt willen uitwijken,' zei de clown. 'Het land van Coca-Cola. Nu zijn ze hiernaartoe gekomen. We zijn niet bevrijd, maar ingelijfd.'

Wie was die grappenmaker?

'Blijft u maar zitten,' vervolgde de clown. Hij boog zich naar Roman. 'Ik kon u natuurlijk niet openlijk verdedigen, maar ik heb uw doorzettingsvermogen bewonderd. In het geniep hebben mijn kameraden, pardon, vrienden en ik hartelijk gelachen om uw actie. Uiteraard alleen bij het jagen, paddenstoelen verzamelen en vissen bij mijn datsja … ik ben zo terug.'

Tien minuten later kwam de man terug met een dienblad. Hij was afgeschminkt en droeg nu een gewone broek en een trui. 'Voorgoed buiten dienst,' verklaarde de oude buurman van Roman. Moest hij zich nu verstoppen achter een laag poeder en verf? 'Misschien hebt u binnenkort wel een klusjesman nodig, een chauffeur of een tuinman. Ik heb gehoord dat de president al zijn gestolen onroerend goed alweer in bezit heeft. Met de hulp van uw advocatenvriend hier zal u dat ook wel snel lukken, heer baron. Al zouden er bij het landgoed wat complicaties kunnen zijn.'

Het laatste drong niet helemaal tot Roman door. Hij dacht aan zijn eigen tuinman. Hoe zou het hem in de laatste jaren zijn vergaan? Leefde de ouwe getrouwe nog?

'Nog mijn excuses voor de arrestatie, beste heer Novák,' zei de schoonmaker en voormalig agent.

Petr maakte een wegwuifgebaar. Hij genoot van de dubbele hamburger met kaas. Doordat zijn gebit in het gevang bijna helemaal was verdwenen deed hij er extra lang over. De voortanden had De Chef eruit geslagen en de rest, op een vijftal kiezen na, was er in de loop der jaren uitgevallen. 'U was maar een pion.'

'In een heel slecht schaakspel,' zei de schoonmaker tussen een paar frieten met mayonaise en een hap van zijn burger door. 'Dat kan ik nu wel toegeven.'

Op het gejengel van kinderen na, was het een tijdje stil. Een wonderlijke drank, die Cola. Toch kikkerde Roman ervan op.

'En is het nu beter?' vroeg hij plotseling aan de afgeschminkte clown.

'Het begint langzaam al weer humoristisch te worden. Het politieke steekspel is van alle tijden, toch? Maar ik hou mij verre van die grappenmakerij.' Hij trok een bedenkelijk gezicht en vervolgde: 'Ach, op onze overloop hadden we het niet slecht, nietwaar buurman? Rekent u overigens niet op een flat aan de overkant. Die appartementen staan nu allemaal te koop. Voor westerse bedragen. Ik woon, voor zolang het duurt, in de kelder. In het oude washok met de getraliede bovenramen.'

Ook een soort kerker dus, dacht Roman. Alleen mocht de oud-agent er tenminste nog uit voor een hapje en een drankje.

'Willen jullie nog soep?' vroeg de afgeschminkte clown. 'Vrees niet, ik word hier voor een gedeelte in natura betaald.' Hij knipoogde naar een van de meisjes achter de balie. Ze bracht drie halve liters bier. Gelukkig, want soep hadden Roman en Petr de laatste jaren genoeg gegeten. Voor het eerst leunden de twee een moment achterover. Roman trommelde op zijn buik, of wat daarvan over was. 'Kun je ons wellicht een of ander vervoermiddel lenen? Met de goede tijden in gedachten?'

'Onthoudt u het alstublieft heel goed. Ik kan u het allereerste bezit teruggeven. Namens de democratie, zullen we maar zeggen. Volgt u mij maar. Het is aan de achterkant van de woning.'

Ze liepen naar het gebouw. De gevels aan de voorkant waren allemaal mooi hersteld. Nieuwe luiken, fris geschilderde kozijnen en kleurig stucwerk. Roman bleef even staan bij het beslag op de grote toegangspoort. Kundig gesmeed. In de gang zaten prachtige jugendstiltegels. Toen hij per ongeluk de haak uit de muur had getrokken, gezeten op de laars van de politieagent, had hij er al een stukje van gezien. De oud-agent droeg nu klompen, zag Roman toen ze een tussendeur doorgingen.

'U ziet het, opgeknapt tot aan het souvenirwinkeltje en verder niet,' zei hun gids. 'Heel de hoofdstad is een toeristenval. Zagen jullie de prijs voor een half litertje bij het restaurant op de hoek? Verdrievoudigd in de laatste maanden. Vooral de uitbaters zijn heel erg snel gewend geraakt aan de nieuwe mentaliteit'

Alsof de kameraden van het arbeidersparadijs ook niet voornamelijk aan hun portemonnee hadden gedacht. Aan de achterzijde van het pand zaten gaten in de muur. Er lagen stukken beton op de opgebroken stoep. Een vuilcontainer was door de wielen gezakt en hing overvol tegen een berg stalen spanten aan. Roman moest even slikken.

'Hier is het,' zei de oud-agent. Hij opende het deurtje van een krakkemikkig schuurtje, liep naar binnen en trok een camouflagedoek weg. Daaronder stond de Jawa 350. De eenpitter glom trots. 'Wel een dagje ouder, maar ik heb die brompot goed verzorgd. Een nieuwe uitlaat, op tijd een verse bougie. De accu heb ik op het nippertje nog laten vervangen bij de politiegarage. En kijk even goed ...' De oud-agent drukte op een knop. Achter op het zadel was boven op een stang een zwaailicht gemonteerd. Het ging een aantal keren aan en uit. 'Erg handig als je haast hebt. Als de motor loopt kun je ook nog een sirene aanzetten. Het is een echte dienstfiets geworden. Helemaal volgetankt.' Hij gaf Roman de sleutels en pakte zijn helm en dienstjas. 'Een valhelm is nu verplicht, maar geen collega zal u op deze motor aanhouden als een van u beiden er geen draagt. Denkt u binnenkort nog even aan mij? U krijgt ook vast de mooie Hispanic-Suisse terug.' Aan de groteske limousine van zijn vader had Roman al lang niet meer gedacht.

Roman drukte de helm op het hoofd van Petr en nam zelf de motorbril en het ouderwetse leren kapje. Hij duwde de motor door de gang naar de straat. Toen ze de poort weer openden was het donker. De avond viel hier altijd plotsklaps in. Het leek het cellencomplex wel. Daar kende men ook geen schemer. Roman drukte het pakket tegen zijn borst en deed de dienstjas eroverheen aan. Met de knopen naar achteren. Zodat het niet door de kieren zou tochten. Het was een kort ritje, zeker als hij het zwaailicht en de sirene zou aanzetten, maar de rijwind zou vrieskoud zijn.

Romans oude buurman kwam terug uit zijn kelder. Hij had nog een sjaal en een paar grote leren handschoenen gehaald. Geen kwaaie vent. Later moest Roman hem toch nog eens vragen of hij iets door had gehad van de 'weekenddiensten' die Roman in de van zijn tante geërfde datsja draaide.

'Een goede rit. En kom gerust zo nu en dan aan om een bakje soep of zo'n kleffe deegbol met een schoenzool te eten. Hier zijn nog wat kranten voor de bijrijder.'

Even zag Roman Petr achter zich op het zadel zitten terwijl hij het laatste nieuws doornam. Het was natuurlijk voor onder zijn jas en trui. Dan waren al die ellendige berichten tenminste nog ergens goed voor. 'Wie loopt er nog warm voor een goede krant?' bromde Roman. Maar de laatste vier woorden gingen verloren in de knallen van de uitlaat.

'Ik wil je een prachtig verhaal vertellen,' zei Petr. 'Als ik niet te veel klappertand zal ik onderweg alvast beginnen.'

Het ging Petr kennelijk een stuk beter dan Roman. De raconteur was helemaal terug. Roman schakelde in de eerste versnelling en liet de koppeling opkomen. Ze slingerden naar de overkant van de weg. Roman had natuurlijk een tijd niet gereden en door de dikke handschoenen, eerder wanten, kon hij de gashendel en de koppeling niet meteen goed doseren. Maar na honderd meter kreeg hij zijn eenpitter weer helemaal onder controle.

Petr hield zijn hoofd vlak bij het oor van Roman en begon zijn verhaal te vertellen. 'Een potige kerel van een jaar of dertig woonde bij zijn oude moeder op een heuvel in een klein gepleisterd huisje. Iedereen was bang voor hem. Zo spuugde hij een keer een doodgraver zo hard tussen zijn ogen dat hij diens neus brak. Ook schudde hij een zigeuner zo heftig door elkaar dat die zijn tatoeages verloor.'

'Iemand die ik graag zou willen leren kennen,' brulde Roman boven het geplof van de cilinder en de uitlaat uit. Hij sneed een bocht naar rechts nogal scherp aan.

'Kijk je uit,' zei Petr. 'In elk geval had het moedertje al bij leven een plaats in de hemel verdiend. Onze held was erg gelovig. Hij vroeg zijn moedertje om wat geld voor de collecte. Sinds de dood van zijn vader biechtte hij elke avond. Zonder penitentie. Wodka was zijn Weesgegroetje, slivovitsj zijn Onzevader en rum zijn Credo.'

In geloofszaken had Roman niet veel trek. Als Petr niet snel met iets beters kwam dan zou hij het verhaal met de sirene beëindigen.

'Op een avond wilde het moedertje geen kroon meer geven aan haar zoon. Hij vernielde wat van haar lievelingskopjes en, de Heer zij geprezen, zij gaf hem haar laatste stapeltje bankbiljetten. Of beter, hij griste het uit haar handen. Hij had een Jawa geërfd van zijn vader.'

De motorfiets tussen de benen van Roman en Petr maakte minder toeren, alsof de eenpitter ineens ook mee wilde luisteren.

'Voordat onze potige kerel op zijn motorfiets stapte, trok hij altijd zijn colbertje achterstevoren aan zodat de rijwind niet door de knoopsgaten kon waaien. Hij raasde van kroeg naar kroeg en iedereen was bang voor hem. Iedereen behalve zijn moedertje. Als hij thuiskwam, schold ze hem stijf. Dan tilde hij haar op en zette haar bij zijn bed. Ze moest een verhaaltje vertellen of een liedje zingen en als ze dat niet deed, zou hij haar in de kachel stoppen. Ze vertelde en ze zong, maar de volgende dag had ze toch een beroet gezicht. In de ochtend had onze zuiplap altijd heel veel spijt en wilde hij zijn leven beteren. Dan ging hij op weg naar de mijn om te vragen of er werk was, maar precies bij zijn lievelingskroeg hield het motortje ermee op.'

De Jawa liet uit protest een luide knal horen. Roman zette de sirene en het zwaailicht aan. Niet omdat hij de rest niet wilde horen, maar hij kreeg dorst van het verhaal van Petr. Hopelijk bestond de kroeg vlak bij het landgoed nog. Toen de weg een kronkel naar links maakte, vloog Roman bijna de bocht uit. In dat geval waren ze dwars door de afrastering gegaan en zo in het dal beland. Twee voorzichtige bochten verder remde Roman af voor de omgebouwde jachthut. Er hing nog steeds hetzelfde uithangbord. Ze stapten af. Roman zette de Jawa op de standaard en ze waggelden naar binnen. Hun voeten waren gevoelloos geworden. Roman nam zich voor om zo snel mogelijk voor hen beiden winterlaarzen te kopen.

'Ga verder,' zei Roman. Ze zaten tegenover elkaar en hadden ieder een kroes in hun hand.

'Waar was ik gebleven?' Petr wreef zich over zijn gezicht. Ook van zijn kaken vielen nu de bevroren baardharen af. 'Die nacht zoop onze held zich opnieuw helemaal lam. De volgende ochtend had hij weer berouw. Ditmaal zou hij echt naar de mijn gaan om te gaan werken. Hij spoot met een pipet wat zuur op een rotte kies zodat hij niet uit zijn bek zou stinken. Het moedertje knoopte nauwgezet het colbertje op de rug van haar wilde zoon dicht. Ze zwaaide hem uit. Bij de kroeg minderde hij vaart, maar stopte niet. Misschien omdat de tent nog dicht was. Op een heuvel ging hij uit de bocht. Met een donderend geraas knalde hij op een paal van de afrastering. De motorfiets bleef ontzield achter op het wegdek. En de bestuurder werd het dal in getorpedeerd.'

Roman kon het zich verbeelden, maar meende buiten de Jawa te horen tegensputteren. Hij zocht in zijn zak naar de contactsleutel.

'Na een tijdje stopte een patrouillerende politieauto bij de gekreukelde motorfiets. Ze keken over de reling en zagen in de diepte iemand liggen. Omzichtig daalden ze naar de ongelukkige af. Hij ademde nog, alleen zijn hoofd zat verkeerd om. Dat zetten de twee dienders even recht. Toen ademde hij niet meer. En zo kwam deze potige kerel, die toch ook een goed mens wilde worden, direct in de hemel terecht. Zijn moedertje liet hij beneden in het vagevuur achter.'

Roman had even genoeg van de verhaaltjes van de raconteur. Hij vroeg om de kranten die onder diens Svetr verstopt zaten.

'Zo te zien is het anders wel oud nieuws,' zei Petr.

Roman las een paar voorpagina's. Grote koppen van net na de revolutie. 'Geen wonder,' zei hij plotseling. Hij liet een foto aan Petr zien.

'Een treffende gelijkenis.'

'Mijn buurman de oud-agent mag van geluk spreken dat hij twee grote wratten op zijn kin heeft,' zei Roman. 'Voor de rest lijkt hij sprekend op dit voortvluchtige partijlid.'

'Stalin had wel twaalf dubbelgangers,' wist Petr te melden. Misschien bestuurde de echte in het geheim nog steeds wel het Warschaupact.

De deur van de omgebouwde jachthut werd met kracht opengedaan. Er verschenen twee dienders. Het waren simpele verkeersagenten, alleen gewapend met een bonnenboek.

'Van wie is die motorfiets die buiten staat?' vroeg de jongste van hen. De mannen aan de toog reageerden niet. Ook Roman en Petr zwegen boven hun bier. Met zijn voeten werkte Roman de valhelm onder de bank.

'Het voertuig nemen we in beslag. Gestolen uit de politiegarage. Niet zo lang geleden.' Daar hadden Roman en Petr maar kort plezier van gehad. Gelukkig waren ze niet ver meer van het landgoed. De jongste agent liep de gelagkamer rond en keek de gasten stuk voor stuk onderzoekend aan. De vastberadenheid van een beginner. De oudste diender bleef bij het tafeltje van Roman en Petr staan. Die bogen zich nog dieper over hun bier heen.

De man deed zijn pet af, trok zijn uniformjas uit, haakte zijn koppelriem los en gooide alles op tafel. Het leek alsof hij zichzelf ter plekke van zijn taak onthief. 'Geheel tot uw beschikking.' De man riep zijn jonge metgezel en zei: 'Neem dat allemaal maar mee, vanaf nu ben ik met pensioen.'

Roman stond op, omarmde zijn trouwe tuinman en bestelde bier en worst voor de hele tafel. Hij zou wel zien hoe hij het allemaal ging betalen. Petr had in geval van nood nog wel iets in zijn tas. En anders had hij nog het pakket met de restanten van zijn onder pseudoniem uitgegeven roman. Hij had begrepen dat het een groot succes was geweest. Dat er zelfs vertalingen in het buitenland waren verschenen.

De tuinman ging zitten aan het tafeltje van Roman en zijn raadsman. Wel op een laag krukje. Verschil moest er zijn. Hij was van de oude stempel. Roman nodigde hem uit op de bank naast hem. 'Vertel hoe het u is vergaan. Hoe is het met uw huisje? Het niemandsland? Het behekste oerbos? En … de rest van het landgoed?'

'Wanneer bent u weer in het land teruggekeerd?' wedervroeg de tuinman. Wat had hij moeten vertellen? Dat hij er niet in geslaagd was om zijn eigen bastion te behouden, laat staan het hoofdhuis, de bijgebouwen en de landerijen? Hij was in zijn eentje geweest, met maar een enkele donderbus. Ze hadden hem, de oude gek, maar een dagje op het bureau vastgehouden. Hij was tenslotte een werkman, een lid van het uitgebuite volk. Hij kreeg een kamer in een grijs betonblok. Eerst mocht hij nog wat in de parken werken. Maar de meeste stukken groen werden bestraat of vrijgemaakt voor standbeelden. Op het laatst schoffelde hij nog wat in bermen en zaaide wat bloemenzaad in een bak op de binnenplaats van het vervloekte communistenhok waarin hij woonde. Gele en paarse violen. Maar de vrouw van een apparatsjik op de begane grond trok alles wat niet rood was uit de aarde.

Hij begon zich overal mee te bemoeien. Als hij dan al zo graag alles wilde regelen, dan hadden ze wel een baantje voor hem. Ze maakten hem verkeersagent. Vijf jaar stond hij op de kruising voor zijn eigen deur de fietsers en de enkele auto tegen te houden als er een Tatra van een regeringsbons aan kwam rijden. Die kameraden hadden altijd voorrang. En ondertussen schold dat mens hem elke dag uit, hangend uit haar raam met bakken met rode geraniums. Hij kon niets doen. Haar man was het hoofd van de politie. Als de ommezwaai er niet was gekomen, had de verkeersagent na zijn pensioen met een ladder de stad moeten rondgaan om de beelden te ontdoen van duivenstront.

'Ik heb Praag nooit verlaten,' zei Roman. 'Behalve in de weekenden dan. En die ene keer dat ik op minder dan vijfhonderd meter van het Vrije Westen was. Ongeveer een halve dag.'

'Niemand kon mij wat vertellen,' zei de tuinman. 'Ik heb zelfs bij de universiteit aangeklopt. Daar zeiden ze dat u op studiereis was. Men wist niet voor hoe lang. Ik dacht dat u zich misschien schuilhield in de datsja van uw tante.'

'Misschien had ik dat moeten doen,' zei Roman. 'Maar wie had kunnen voorzien dat de greep van de Russische beer zo snel verslapte.'

De bierpullen ketsten hard tegen elkaar.

De tuinman veegde met de rug van de hand zijn mond af, haalde een portefeuille uit de binnenzak en ontvouwde een vergeeld krantenknipsel.

Romans ogen vlogen over de laatste regels. Volgens het artikel was hij naar Moskou gegaan. 'Bij de grote broeder zal hij beslist verder naam gaan maken,' las Roman hardop voor. Voor onbepaalde tijd heen gezonden. Zonder recht op correspondentie. De kameraden waren meesters in het verbloemen.

'En hoe is het landgoed eraan toe?'

Het was Roman niet ontgaan dat de tuinman daarover zweeg als een dodenakker. Wat zou er gebeurd zijn met het hoofdhuis, de bijgebouwen, de jachthutten en de familiebegraafplaats? En met de negentiende-eeuwse klassiekers die hij levend had begraven? Zou het oerbos er nog zijn? Daar waar hij met de jachtopziener, vaak verscholen achter zijn grote weidetas, op zoek ging naar vallen en strikken van stropers? De tuinman die bij elke boom en struik de naam paraat had? Roman die opa hielp bij het ophangen van windorgels aan de takken, heel effectief tegen ongewenste bezoekers? Het dienstmeisje met wie hij paddenstoelen verzamelde? En de wandelingen met zijn vader, die brulde als een beer, maar ook alle vogels na kon doen?

'Zelfs een vergeetachtige oude man kan de resterende struiken nog benoemen,' zei de tuinman. Hij nam een slok bier. 'En er staat een groot hek omheen, met stroom erop.' Hij moest nog een paar teugen nemen. 'Daar hebben ze nu meer dan genoeg van.' Met kracht zette hij zijn glas op tafel. 'Ik begrijp niet hoe ze het doen. Met onzichtbare stoffen, achter dikke muren. Ik plant een stekje in de aarde, giet water, geef wat mest en timmer een schutting tegen de wind. De zonnestralen doen de rest. De andere elementen, dat is uw terrein.'

Het begon Roman te dagen. Toen hij de Jawa parkeerde, had hij tot zijn verbazing gezien dat de weg naar het landgoed verbreed en geasfalteerd was en nu Straat van Uraan heette. Wie had dat bedacht? En dan al dat licht. Om de twintig meter stond een lantaarnpaal. Al die stroom kon niet in zijn oude generator worden opgewekt.

'Natriumgaslampen,' mompelde Roman. In de verhoorkamers van de veiligheidsdienst hadden ze ook van dat oranjegele licht. Geen enkele andere kleur was daar te onderscheiden. Ook de blauwe plekken niet.

Roman ging in gedachten de aantekeningen op de gedroogde aardappelschillen na en begon zijn verhaal aan de tuinman te vertellen. En aan iedereen in het café die het horen wilde.

'De plaatjes waren ongeveer zo groot als een boek. Met veel pagina's. Het was natuurlijk pantserstaal. Voor de voorkant van de tractor, toch het belangrijkste stuk, kwam ik tekort. Het ijzeren bos van tante was onbruikbaar. Ik was net klaar met een van de leukste klussen: de ringen aan elkaar lassen die samen de loop vormden. Ik had spierpijn in mijn rechterbeen. Elke dag nam ik een setje C – de twee helften waarvan ze een cilinder maakten – mee uit de fabriek. Het was een kanon geworden met een behoorlijk kaliber. De laatste stukken uit de koffer laste ik aan de achterkant van de tractor. Rugdekking was natuurlijk ook belangrijk. Je kunt soms dagen, maanden en jaren over een probleem piekeren en dan wordt het ineens als vanzelf opgelost. Toen ik met mijn zwaarbeladen koffer naar de datsja tufte, werd ik ingehaald door een trekker met aanhanger. Achterop lag een vreemd soort grote schoep. Ik wist niet veel van het boerenbedrijf.'

'Die heeft zijn beste tijd gehad,' zei de boer, wijzend op de Jawa.

'Een zware koffer,' verklaarde Roman. 'Wat hebt u daar in de laadbak? Het lijkt wel een scheepsschroef.'

De boer lachte zijn stompjes bloot. 'Dat is een sneeuwploeg. Normaal zet ik die in het voorjaar in de schapenschuur, vlak bij de weilanden.'

De boer begreep niet wat de vreemdeling moest met de ploeg. Maar goed, hij betaalde een aardige som voor het lenen en de komende maanden had hij het ding toch niet nodig. Over een paar uur zou hij het wel even bij de datsja van Roman afleveren.

Roman zette de lasbril af en veegde zich het zweet van het voorhoofd. De achterkant zag er nu ook goed stevig uit. Jammer dat hij geen tijd meer had om alle lasnaden weg te polijsten en het eindresultaat van een passend groen kleurtje te voorzien. Een hels kabaal op de toegangsweg. Waren ze hem nu al op het spoor? Had zijn buurman de agent hem soms de platen zien opgraven? Vanachter de muur keek hij naar beneden. De trekker van de boer had moeite om de aanhanger naar boven te krijgen.

'Dat is een machtig steile helling,' zei de man even later toen hij naast zijn trekker stond. 'Waar wilt u hem hebben?' Hij keek in 't rond. Een leuk buiten. Maar wat moest die man met een sneeuwploeg midden in de zomer? Wat kon hem het ook schelen. Die zonderling had hem onderweg de huur al betaald. Een briefje van duizend kronen. Wat had de man gedaan als hij niet was gekomen?

'Kiepert u dat ding maar achter de schuur neer,' zei Roman. Op die manier hoefde hij niet ver te rijden met zijn eigen tractor – als het die naam nog kon dragen – om het ding op de voorkant te monteren.

'Wilt u misschien ook een van mijn trekkers huren?' vroeg de boer. 'Ik zie er hier zo snel geen staan.'

'Neen, dank u.'

De boer haalde de schouders op. 'Zodra de eerste vlokken vallen kom ik hem weer ophalen.' Hij ging op zijn trekker zitten, zwaaide met zijn pet en verdween op de toegangsweg naar beneden. De aanhanger sluiterde vervaarlijk.

'Dat was het moment waarvoor ik jaren had gewerkt. Ik deed de motorjas aan, zette het leren kapje en de beschermbril op en deed de sleutel in het contact van de tractor.'

Romans hand verdween opnieuw in zijn zak, ditmaal om even het medaillon met de Amerikaanse vlag vast te pakken.

'Ik had de deur van de schuur niet helemaal opengedaan. Een makkie. Buiten trok ik de handrem aan, wurmde me door het mangat naar buiten en monteerde de sneeuwploeg aan de voorkant. Ik had nog wat blikken carbid in de schuur. Die nam ik mee. En wat worsten, maanzaadkoeken, en flessen met water.'

De toehoorders in het café begonnen te morren.

'Voor het carbid, niet om te drinken. Ober, nog een rondje voor mijn vrienden hier.'

Al tijden had de uitbater niet zo'n goede klant gehad. Een hoge pief die zelfs de politie in de hand had. En als hij het goed begreep had hij ook nog iets te maken met de energiekolos aan het einde van de Straat van Uraan. Met de betaling zat het dus wel goed.

'Ik bleef op een paar meter afstand even naar mijn werkstuk kijken. Hoe moest je zoiets noemen? Een trektank? Een tanktor? De geschutskoepel kon niet draaien. De loop wees naar achteren. Ik wilde mijn nieuwe vrienden niet laten schrikken. Het was zover. Ik klom naar binnen. Niets of niemand kon mij nu nog stoppen. Bij de poort nam ik een aantal stenen van de muur mee. Ik suisde naar beneden. Een goede aanloop.'

Gelukkig was er niemand op de weg met de betonnen platen toen Roman de bocht naar links maakte. Ten eerste stuurde het gevaarte moeizaam en ten tweede was het breder geworden dan hij had gedacht. Door de bepantsering konden de wielen niet al te veel draaien. Als de houthakkers niet net een hele rij bomen hadden gekapt langs de kant van de weg, dan was de missie van Roman gelijk in de berm geëindigd. De zijkant knakte een spar in tweeën. De loop nam nog twee woudreuzen mee.

'Ik raakte een paar boompjes. Ik leunde naar buiten om de schade op te nemen. Geen deuk te bekennen. Daar konden ze hun machinegeweren op leeg schieten. De enige zwakke plek was het deksel op het mangat. Weken heb ik erover gepiekerd hoe ik een van de pantserluiken uit de fabriek kon smokkelen. Dat kon ik moeilijk achter in mijn overall stoppen.'

Meerdere keren had Roman geprobeerd om een plaatsje te veroveren bij de machine van de deksels van de geschutskoepels. De verantwoordelijke regelde aan het eind van de dag ook het transport naar de naastgelegen assemblagefabriek.

'Ik wil de doppenkoning worden,' had Roman tegen de voorman gezegd. Geen slimme opmerking, besefte hij meteen. Hij zag het gezicht van de blonde reus betrekken, alsof die zich ineens weer realiseerde dat Roman tewerk was gesteld omdat hij contrarevolutionair was, een aristocraat, een uitbuiter van de arbeidersklasse, een vijand van de staat. Roman Novela kon dan nog zo 'geresocialiseerd' zijn, hij had natuurlijk nog steeds dat blauwe bloed. Dat zou nooit veranderen, al speelde hij nog dertig jaar de voorbeeldige arbeider. 'Ter meerdere eer en glorie van het collectief,' voegde Roman er snel aan toe. Maar de voorman was al verder gelopen en maakte een wegwerpgebaar.

'Voordat ik het mansgat afsloot – ik had het deksel van een vuilnisvat gemonteerd – keek ik nog een laatste keer om mij heen. Wat liet ik achter? Het arbeidersparadijs natuurlijk. Maar dat kon me gestolen worden. Wie wilde zoiets hebben? Ik zag de heuvels en de bossen. Bij een kleine tapperij haalde ik even mijn voet van het gaspedaal. Vlak voor de top van de hoogste heuvel werd ik ingehaald door een bejaarde fietser. De man lichtte zijn pet, alsof er niets aan de hand was.'

De motor gromde. De uitlaat voor de neus van Roman braakte een grote zwarte wolk uit. En toen begon de lapjestank, mede door het enorme gewicht, snelheid te maken. Bij sommige bochten had Roman beide helften van de weg nodig. Er waren gelukkig geen tegenliggers. Geen auto, geen vrachtwagen, zelfs geen boerenkar.

'Ik telde de betonnen platen. Alsof je de pagina's van een boek omslaat. Een lijvig werk. Uiteindelijk minstens tienduizend bladzijden dik. De tweede en derde heuvel denderden onder mij voorbij.'

In het dal miste Roman maar net een jeep met militairen die hem tegemoetkwam. Een tank die achteruitreed naar de grens? Was er een conflict? Jammer dat hun zender net was uitgevallen. Zouden ze omkeren en erachteraan gaan? Roman was al uit hun gezichtsveld verdwenen. Ze reden door. Een halfuur eerder was hun verlof begonnen. Als er kanonnenvoer nodig was, dan hoorden ze dat vanzelf wel. Als de militaire politie ze tenminste kon vinden.

Roman was de tel kwijtgeraakt bij iets meer dan negenduizend pagina's. Elke tweede seconde tikte er een betonnen drempeltje weg. Dat betekende dat hij meer dan vijfendertig kilometer per uur reed toen hij het laatste stuk inging. Hij had de grootste moeite om de tank op de weg te houden. Er was alleen een kleine spleet waardoor Roman naar buiten kon kijken. In de verte zag hij een wachttoren. Nog één heuvel te gaan. De soldaat boven in de uitkijkpost verklaarde later dat hij zijn verrekijker snel naar het achterland had gericht toen die vreemde tank langskwam met de loop landinwaarts. Hij had geen tijd gehad om zich om te draaien en te schieten. Wat had hij ook uit kunnen richten met zijn eenvoudige geweer?

'Door de kijkspleet zag ik de grenswacht heftig zwaaien. Een knaap, waarschijnlijk pas net in dienst. Het jongmens twijfelde tussen de telefoon in het wachthuisje en zijn geschouderde machinegeweer. Hij schoot een aantal maal in de lucht en richtte toen op mij. Alsof ik door een zomers hagelbuitje reed. Verarmd uranium. Bijna ondoordringbaar.'

Roman had het stuur niet meer onder controle. De rechtervoorkant ramde de grenspaal. Het rood-wit vloog door de lucht. De sneeuwploeg boorde zich in de onderkant van het wachthuisje. Twee tellen later was er niets meer over van het gebouw. Vijftig meter verder kwam Roman met zijn tractortank tot stilstand in het niemandsland.

'Ik opende het deksel en gluurde voorzichtig over de rand naar achteren. De grenswacht rende naar een bosje en trok er een fiets uit. Die ging waarschijnlijk bellen bij de uitkijkpost. Zijn eigen telefoon was voorgoed buiten werking. Ik had zijn wachthuisje platgereden.'

Roman wachtte totdat de jonge dienstplichtige uit het zicht was verdwenen en draaide zich om. Hij ging naar binnen en kroop naar achteren in zijn metalen schelp op zoek naar de stok met het zo goed als witte onderhemd. Uit een foedraal haalde hij zijn verrekijker.

'Aan de Duitse zijde werd driftig getelefoneerd. Beambten renden heen en weer. Het kan niet meer dan een paar minuten hebben geduurd voordat er een jeep kwam aanrijden. Mannen met veel strepen en sterren op hun epauletten. Korte tijd later verscheen er een tank achter de Duitse grenspaal, de loop in de richting van het niemandsland. Toen was het tijd om de stok met het onderhemd in de houder te steken die ik daarvoor speciaal naast het mansgat had gelast.'

De motor was door de botsing met het Tsjechische wachthuisje stilgevallen. Roman ging terug naar binnen en draaide de contactsleutel om. Een tweede maal. Bij tien keer stopte hij. Was de motor door de botsing van slag? Het was toch maar een petieterig hokje, niet meer dan vier bij vier meter groot? Moest hij uitstappen en naar het westen lopen? Roman probeerde opnieuw de diesel te starten.

'Ik kreeg de tank niet meer aan de praat. Er zat niets anders op dan naar de Duitsers te rennen. Het was nog wel een heel stuk. Ik zat veel dichter bij de arbeidersrepubliek dan bij het Vrije Westen. Langzaam kwam ik in de koepel omhoog. Eerst mijn hoofd, toen mijn romp. Ik hield mijn armen in de lucht. Op dat moment zag ik dat een hele rij Tsjechische grenswachten het geweer schouderde. Een vuurpeloton. Snel liet ik mij weer naar binnen zakken. Een mooie patstelling. De vijfhonderd meter brede strook was van niemand, maar technisch gesproken stond ik op de Tsjechische helft. Plotseling dacht ik aan het carbid en de flessen water. Ik pakte een cilinder, goot er een flinke hoeveelheid water in, schroefde de deksel weer dicht en stak het geheel in de loop. Het zou een behoorlijke knal geven. Misschien werd ik door de terugslag een stuk in de goede richting geschoten. Ik had tien cilinders en voldoende water.'

De deksel spoot met een knal uit de loop. De cilinder schoot in de tegenovergestelde richting tegen de binnenwand van Romans lapjestank. Hij was de afsluiter vergeten. Gelukkig was het ding over zijn hoofd heen gevlogen. Hij was tien centimeter verschoven, in de verkeerde richting.

'Had ik maar een extra uitgang gemaakt aan de voorkant. Dan had ik naar de vrijheid kunnen kruipen. Waarom kwamen de Amerikanen en de Duitsers me niet te hulp? Had ik soms een carbidgranaat in mijn broek moeten doen om te vliegen als de beroemde baron?'

Haalt u zich het kale veld weer voor de geest. Als er nog een sprietje gras is, dan brandt de zon die nu weg. Er klinken een paar harde knallen. Het geschubde gevaarte komt even van de grond. De mannen met verrekijkers reageren niet. Maar als u na een paar uur nogmaals kijkt, dan ziet u beweging in de geledeeren. Er voegen zich een pantservoertuig en een vrachtwagen met open bak bij de mannen in grijs. Ze laden een ouderwets stuk oorlogstuig uit: een soort katapult. Ze stellen het ding op en beginnen het geschubde gevaarte te beschieten met stukken metaal met kabels eraan. Na een groot aantal missers zijn er drie raak. Als magneten klampen ze zich aan de schubben vast. Een pantservoertuig met rode ster trekt het gevaarte weer terug achter het IJzeren Gordijn. Ze openen het luik en vinden water en bussen met carbid. Zoals gedacht: losse flodders. Er zijn maanzaadkoeken, gedroogde worsten en een vat met bier. Meer souvenirs zijn er niet. Wanneer ze tikken op de schubben wordt het de mannen in grijs duidelijk. Veel te zwaar. Niet genoeg diesel. Daarom bleef de zelfbouwtank in het niemandsland steken.

Misschien hebt u, net als de mannen in groen, weggekeken. Wellicht bent u net te laat en ziet u alleen twee partijen die elkaar met verrekijkers begluren. Het geschubde gevaarte was vast een zinsbegoocheling. Er zou niet over worden bericht. Niemand zou weten van de 1440 pantserplaten die Roman op de oude tractor van zijn tante laste, van de sneeuwploeg die de voorkant versterkte en van het cellencomplex in een vochtige kelder waar hij naartoe werd afgevoerd. Totdat … heimwee kleur bekende.

TE KOOP:
GERENOVEERD TUINHUIS
MET VIJF GROTE KAMERS
OP EEUWENOUD LANDGOED.
ZEER GOEDE BEVEILIGING.
KRACHTSTROOM AANWEZIG.

De koperslager en het grauw

Op de morgen van zijn verjaardag vond Clemens de gebruiksaanwijzing, al was het hem toen niet duidelijk wat hij precies van de keukenvloer opraapte. De la met bestek wilde niet open. Hij wilde een mes om boter op zijn brood te smeren en trok met al zijn kracht aan het hengsel. Hoe kon een meubel dat hij zelf had gemaakt zo halsstarrig zijn?

Goed in elkaar gezet, prachtig materiaal, dacht Clemens toen hij op zijn rug lag en de la van zijn borstkas tilde. Alleen hij wist van het hout met de vlammende nerven die hij voor het binnenwerk gebruikte. De ware schoonheid van zijn kasten, commodes, tafels en stoelen verborg hij achter spiegels, fineer, verf en bepolstering. Hij wist nog precies wanneer hij het keukenkastje had getimmerd. Sterker nog: hij had de bomen een eeuwigheid eerder zelf omgehakt, in stukken gezaagd en de planken in de schuur te drogen gelegd.

Hij deed de knoopjes van zijn nachthemd open, alsof hij nog steeds last had van het linnen waarin hij vandaag precies vijftig jaar geleden voor het eerst was gewikkeld. Naar men zei veel te strak.

Hij was nog maar amper gewassen toen zijn vader de kraamkamer binnenstormde, zijn vrouw een drankkus op het voorhoofd gaf en zijn vinger langs de heiligenkalender liet gaan. Uit de borstzak van zijn overhemd staken sigaren. 'Het is de naamdag van Clemens, de gezel en opvolger van Petrus. Kan het mooier?' Vader, gezegend met de namen van alle evangelisten, keek kort naar zijn zoon en concentreerde zich toen weer op de tekst en uitleg bij de drieëntwintigste november. 'De patroon van zeelieden, hoedenmakers, marmerzagers, steenhouwers en kleuters. Aan te roepen bij kinderziekten, watersnood, storm en onweer. Voorlopig zitten we dus goed.' Hij stak een vinger door het gat in de rand van zijn hoed.

Moeder glimlachte flauwtjes. In het dal was geen open water. De rotsachtige bodem had alleen een paar putten toegestaan. Misschien kon haar man de beschermheilige zelf te hulp roepen. Zijn steenhouwerij had aanloopproblemen.

'Ene keizer Trajanus,' vervolgde de nieuwbakken vader, 'heeft paus Clemens wegens zielenijver naar de Krim verbannen en hem met een anker om zijn hals in de zee gegooid.' Hij had geen idee waar het verbanningsoord lag, maar erger dan het gat waarin ze zelf woonden kon het niet zijn.

De pasgeborene begon onbedaarlijk te huilen, alsof het besefte dat het hele leven al voor hem was uitgestippeld. Hij zou net als zijn vader marmerzager en steenhouwer worden en het afgelegen dorp nooit verlaten.

De moeder hield een hand beschermend boven het hoofdje. Het gezichtje was rood aangelopen. Zou hij net zo driftig worden als zijn verwekker?

Clemens was precies om vijf uur opgestaan. Het was een doordeweekse dag. In het weekend wilde hij nog weleens een minuut of twee smokkelen. De kerkklok had nog niet geslagen of hij stond al naast het ledikant, hetzelfde als dat waarin hij geboren was. Een wekker had hij niet nodig. Zijn hartslag was zijn secondewijzer, exact zestig tikken per minuut. Om middernacht, bij de twaalfde slag van de staartklok beneden in de hal, raakte het linkeroor van Clemens zijn kussen. Precies een uur later draaide hij zich op zijn rug. Om twee uur lag hij op zijn rechterzij. Duidelijk zijn minst favoriete houding. Aan die kant zat ter hoogte van zijn ribbenkast zijn zwakke plek. Daarom sliep hij langer op zijn buik.

Clemens stond op van de keukenvloer en verzamelde het bestek. Op de grote nagel van zijn linkerduim probeerde hij de messen uit. Hij zou er eerst eentje moeten gaan slijpen. De kachel brandde de hele nacht op de hoogste stand, maar toch waren het spek en de boter zo goed als bevroren. Er lag een grote prop papier op de grond. Clemens streek hem glad, veegde er een ruitje mee schoon en legde hem boven op de stapel met aanmaakhout. Handig als het vuur in de kachel uit mocht gaan.

Hij keek naar buiten, een stijf landschap. De bomen leken dichter tegen elkaar aan te staan dan anders, als zochten ze beschutting bij elkaar. Was er een klus die beslist vandaag af moest? Elk jaar kwam de kou vrijwel rond dezelfde tijd, maar toch voelden de bewoners van het dorp zich steeds overvallen. Clemens was niet klaar geweest met het dak van het dorpscafé. Hij stond op een ladder met de hamer in de aanslag toen de vorst het dal binnengolfde. Pas na een halfuur bij zijn kachel lieten de stalen spijkers zijn hand los. De bezoekers van het café moesten noodgedwongen een winter lang in de woonkamer van de waard doorbrengen. Dat maakte niet veel uit. Meer dan vijf gasten zaten er nooit aan de toog. Het was een kleine gemeenschap. Als er al iemand het dorp aandeed was dat meestal een verdwaalde wandelaar of een overijverige inspecteur.

Clemens schuifelde op zijn klompen naar de linnenkast en pakte een paar extra kledingstukken van de planken met vurige nerf. De sokken en de trui waren ooit door zijn vrouw zaliger gebreid, en zijn moeder, ook al weer een eeuwigheid geleden gaan hemelen, had een stapel hemden 'op de groei' genaaid. Iedereen in het dorp liep op de klompen die Clemens maakte. Alleen zonderlingen droegen iets anders aan hun voeten. Sommige bewoners, strikt in de leer, vonden zelfs de klompen aan de gevel van het café een verkwisting. 'Passend bij een dergelijk zondig hol.' Clemens had er een paar hopplantjes in gedaan. Ze wilden niet groeien.

Het bier was het enige wat van elders werd aangevoerd. Om een of andere reden kreeg de voerman van de brouwerij de paarden maar met de grootste moeite het dal in. En nadat hij de vaten had afgeleverd waren de enorme knollen niet meer te houden. Ze galoppeerden terug over de bergkam, als werden ze achternagezeten door de paardenslager zelf. De eerste paar keer probeerde hij ze nog in te tomen met zijn stem, de zweep en de teugels.

Dagen na het bezoek aan de dorpskroeg waren ze nauwelijks inzetbaar. En dat terwijl ze in het drukke stadsverkeer geen krimp gaven. Na het derde gebroken wiel hield de voerman het voor gezien. Zijn vervanger deed één leverantie. Daarna is hij nooit meer in het dal geweest. Hij wilde er niet over praten.

De kastelein ging zelf aan de slag. Hij brouwde al sterkedrank van aardappels en van de bleke bosvruchten. Hoe moeilijk was het om een paar liter bier te maken? Er stond gerst en hop op de velden en achter het café was een waterput. Aan gist zou hij op een of andere manier ook wel komen. Hij had alleen nog een grote ketel nodig. Misschien kon hij korting krijgen bij koperslager Domin. Ze waren jeugdvrienden.

De ene keer smaakte het gerstenat goddelijk, een week later kon men nog beter paardenpis drinken. Maar het enige rijdier in het dal stond op het erf van de oudste der dorpsoudsten. Achter een groot hek.

Met grote regelmaat moest de kastelein zijn eigen brouwsel testen. De gasten werden op rantsoen gezet: één pint op de vrijdag en twee op de zaterdagen.

Het kwam voor Clemens niet als een verrassing: na twee jaar stierf de brouwer aan een hartaanval. Het was de vraag of het kwam door de drank of omdat hij de aanschaf van de dure koperketel nooit helemaal te boven was gekomen.

'We zijn bij jou allemaal in goede handen,' waren de laatste woorden van de kroegbaas.

Clemens zat aan zijn sterfbed. Hij had de grafzerk al klaar. Een kwartier na het overlijden was de datum in het marmer gehouwen. Nog een uur later was de kist klaar, een mooi staaltje vakmanschap: Clemens had bovenop een hopplant uitgesneden. De volgende ochtend nam hij zijn grote begrafenisspade en groef een gat op het knekelveld achter de kerk. Het was winter, dus de eerste vijftig centimeter kostte hem de meeste moeite.

Zo was Clemens naast timmerman, klompenmaker, steenhouwer, marmerzager en doodgraver ook ineens brouwer en caféuitbater. Hij was met de dochter van de kroegbaas getrouwd.

Clemens streelde met zijn eeltige handpalm de panelen van de linnenkast. Zijn huwelijksgeschenk. Op het inlegwerk, aan de binnenzijde van de kastdeuren, had hij zijn uiterste best gedaan. Hij was laat getrouwd, pas op zijn vierendertigste. Al na een jaar werd zijn vrouw ziek.

'Het zaad wordt zwak van al die drank,' werd er gefluisterd.

Men wees naar de dorpskern, waar haar vader het café uitbaatte.

Aan het feit dat al sinds mensenheugenis alleen binnen de kleine gemeenschap werd getrouwd, kon het niet liggen. Met wantrouwen had men Clemens zien opgroeien. Al in zijn tienerjaren torende hij dertig centimeter boven iedereen uit. Was zijn moeder zwanger geworden van een stoutmoedige handelsreiziger, of had ze iemand van buiten het dal 'bezocht'? Misschien zelfs iemand uit 'u weet wel waar'? Als de dorpelingen over die plek spraken, dan sloegen ze een kruis, spuugden op de grond en meden oogcontact anders dan met de hemel.

Maar Clemens ging elke week naar de kerk, blies het bedrijfje van zijn vader nieuw leven in en leerde zichzelf het timmermansvak aan. De dorpsbewoners accepteerden zijn ongewone lengte. Hij beheerste nu eenmaal vele ambachten. Vijftien jaar lang zorgde Clemens voor zijn bedlegerige vrouw. Zij breide als dank een enorme voorraad truien, sokken, mutsen, sjaals en handschoenen. De bedspreien, theemutsen en eierwarmers vlogen van haar pennen. Clemens moest soms hele nachten doorspinnen om te zorgen dat ze voldoende wol tot haar beschikking had. Hij ruilde haar breisels tegen alles wat zo voorhanden was.

In zijn schuur stapelden de emmers, bezems, rollen touw en jutezakken zich op. Clemens had genoeg gelooide huiden om zijn moestuin en het grootste gedeelte van zijn akker te bedekken – niet het knekelveld, maar dat met de hop en de gerst. Er waren inmaakflessen met jam voor toch zeker tien winters. Het plafond bestond uit gerookte worsten en hammen. Hij kon zo een winkel beginnen. Dat zou de eerste van de streek zijn. De strenggelovigen zouden het nooit toestaan.

Je zou haast denken dat Clemens zich overal in het dorp thuis moest voelen. Zelfs het kleinste hutje was helemaal ingericht met kleedjes, lampenkappen, gordijntjes en bedspreien die door zijn vrouw waren gebreid of gehaakt.

Als hij 's zondags in de kerk zat en werktuiglijk mee prevelde, dacht hij aan de buitenwereld. Clemens, de schutspatroon van marmerzagers en steenhouwers, maar ook van hoedenmakers en zeelieden. Hoe zou het zijn om geen vaste grond onder de voeten te hebben?

Clemens had er drie bedspreien en twee paar handschoenen voor moeten geven. Voor de grap deed hij er nog een set eierwarmers bij. Zijn vrouw noemde ze altijd 'tepelhuisjes'. Alleen binnenskamers. Dat sprak vanzelf. Ze kwam haar bed slechts tweemaal per dag uit. In de ochtend als Clemens haar zittend op een keukenstoel van boven tot onder waste en 's avonds wanneer hij haar bed verschoonde.

Met goed fatsoen kon je het geen fiets noemen. Er ontbraken een zadel, een trapper en een groot aantal spaken van het voorwiel. De ketting zag er nog prima uit. Het beetje roest op het stuur poetste Clemens binnenkort wel weg. Zodra hij een paar vrije minuten had, ging hij het wrak opknappen. Als iedereen nog sliep zou hij op een dag een tocht ondernemen. Hij had geen idee of hij kon fietsen. Nooit geprobeerd. De afstanden in het dorp waren niet groot en voor het vervoer van de oogst deelden de bewoners een wagen met een muildier. Bier of paardenpis. Het tweede rijdier in het dorp. Bijna vergeten. Eerder een schim dan een schimmel. Die oude knol was al zo goed als onderweg naar het slachthuis. De mannen trokken meestal zelf de kar.

De fiets was bij het overhaaste vertrek van een inspecteur achtergelaten bij koperslager Domin, de buurman van Clemens.

Anna, de jonge dochter van de koperslager, hielp Clemens in de huishouding. Zij deed de was en kookte elke dag twee maaltijden, eenpansgerechten. Een paar keer in de week hielp ze mee in de moestuin. Regelmatig trof Clemens zijn vrouw en het buurmeisje samen aan. Het jonge kind, hij schatte haar op een jaar of dertien, zat in kleermakerszit op het uiteinde van het bed. Het bovenlichaam van zijn vrouw verdween bijna in de vier à vijf extra kussens. Ze zwegen, alleen hun breipennen leken met elkaar in gesprek, een ritmisch duel. Het zou niet lang meer duren of het buurmeisje zou sneller breien dan de vrouw van Clemens. Als hij terugkwam van een timmerklus of het werken op het land, keek hij eerst door het keukenraam. Niet te lang, hij had immers nog vele andere ambachten.

Clemens was op zijn dodenakker geweest. Hij liep gebogen. Niet te veel, net genoeg. In zijn gezicht de twijfel over de aardse schoonheid die bij een doodgraver past. Al leek het bij hem eerder de onwennige zondagse boord om de nek van een landarbeider. Hij moest denken aan een begrafenis eerder in het jaar. Een neef van de overledene werd onwel en zakte ter plekke dood neer.
'Twee voor anderhalf keer de prijs van één,' stelde Clemens

voor. Uiteraard nadat hij een aantal maal op gepaste wijze had gekucht. De familieleden staken hun hoofden bij elkaar, overlegden kort en stemden grif toe. De teraardebestelling werd twee uur uitgesteld.

'Jullie kunnen wachten in het café,' zei Clemens. In allerijl rende hij vooruit, opende de deuren van de kroeg, deed zijn voorschoot aan en zette appeldrank en bier klaar. Dat zou hij bij elke uitvaart kunnen aanbieden. Een paar zwarte bedspreien over de tafeltjes.

Clemens liep in looppas naar huis en haalde uit zijn schuur zijn steenhouwerhamer en beitel. Binnen een paar minuten had hij de extra dode bijgezet op de steen. Dat was niet zo moeilijk. Het foutje dat hij had gemaakt kwam nu goed uit. De voorletters van de eerste dode stonden schuin boven de familienaam. Clemens tikte er de voorletter van de neef onder.

Ook voor zijn vrouw had hij de grafzerk vrijwel direct klaar. Omdat er niet veel meer van haar over was en ze geen kist wilde hebben, was het gat binnen een uurtje gedicht.

'Je kunt je tijd wel beter besteden,' waren haar laatste woorden. Hij had haar net uit bed getild, op de keukenstoel gezet en van boven tot onder ingezeept. Haar lijk hoefde hij in elk geval niet meer te wassen. Clemens veegde haar gezicht af en vlocht haar rode strengen in een staart. Het was nog net zo dik als toen ze elkaar voor de eerste keer ontmoetten. Hij nam de bedsprei en bleef er even mee in zijn handen staan. Zou hij deze gebruiken? Hij was nog zo goed als nieuw, pas twee dagen eerder gebreid door het buurmeisje. Ze was voor het eerst in vijftien jaar sneller geweest. Waarschijnlijk had zijn vrouw daarom de breipennen voorgoed aan de kant gelegd.

Het was allemaal toch nog sneller gegaan dan Clemens had gedacht. Hij tilde het lichaam van zijn vrouw van de stoel en wikkelde haar in de sprei. Daarvoor had hij maar één hand nodig.

'Dag wollebaal,' fluisterde hij. Al kon niemand hem horen. Anna, inmiddels een vrouw in de bloei van haar leven, was naar huis. Clemens zou de koperslager na de periode van zeven dagen rouw om haar hand vragen. Met een paar grote halen naaide hij de uiteinden van de sprei aan elkaar en legde het pakket over zijn schouder.

Op de tweede rouwdag had Clemens de fiets helemaal gerepareerd. De breipennen van zijn vrouw zaliger gebruikte hij als spaken in het voorwiel. Een oude wandelstok fungeerde als zadelpen. Hij lijmde er een schijf eiken op. Uit de kast in de kamer haalde hij een paar wollen mutsen. Die trok hij over het hout heen. Zo zou hij lekker zacht zitten. Van een niet meer te repareren pendule – van lieverlee was hij ook reparateur van klokken en zakhorloges geworden – haalde Clemens de bel en monteerde die op het blinkend opgepoetste stuur. Binnenkort zou hij een proefrit maken. Nog vijf dagen was hij aan huis gebonden. In de rouwperiode mocht men alleen in noodgevallen op pad. In het geval van Clemens als er iemand zou overlijden. Al kon dat in de winter ook wel een paar dagen wachten.

De dorpsoudsten zagen streng toe op naleving van de rouwregel. Ongeschreven, maar daarom niet minder van kracht. Regelmatig sloop er een schim voor het raam van Clemens langs. De dorpsbewoners voederden zijn dieren in de stal en gingen langs bij zijn akkers. In de lange winter groeide er niets. Hoogstens konden ze op het knekelveld de zerken ontdoen van ijs en sneeuw. Tot volle tevredenheid van de strenggelovigen lag de productie in de brouwerij stil en was het café dus minimaal een week of twee gesloten.

Clemens hakte het aanmaakhout voor de kachel in nog kleinere stukken. Daarna sloop hij naar de schuur en zette, zachtjes met een rubberen hamer en veel lijm, een paar krukjes in elkaar. Voor het geval dat ze hem weer kwamen controleren, plaatste hij een pop in een stoel voor het keukenraam. Hij stopte een overall vol met bedspreien, zette de met zijn hoed getooide fluitketel er boven op en stak zijn pijp in de tuit. Gelukkig was het glas in het raam van ouderdom melkachtig geworden. Na verloop van tijd zou men verslag uitbrengen bij de dorpsoudsten.

'Hij heeft meer dan acht uur onbeweeglijk in zijn leunstoel gezeten.'

'Verstard van verdriet.'

Nu had hij eindelijk een paar dagen tijd en kon hij nog niet gaan en staan waar hij wilde. Hij keek uit het raam, geen verandering in het weer. Zodra het ijs zich in de bergen terugtrok, daar waar de vorst zijn thuis heeft, zouden de planten weer levenslustig reageren. Aan dat overdreven gegroei had Clemens eigenlijk een hekel, al leverde de moestuin dan zoveel op dat hij moeite had om het allemaal te verwerken, laat staan op te eten. Het winterse landschap irriteerde hem niet, al realiseerde hij zich daardoor nog meer dat hij zelf ook vastgevroren was.

'Hoe komt men er toch bij dat sneeuw wit is?' Hij mocht graag kijken naar alle kleurschakeringen, al zou hij ze niet kunnen benoemen.

Clemens sneed nog een paar plakken van het brood en belegde ze met boter en spek. Hij had geen zin om een inmaakfles met jam open te maken. In de ochtend had hij het binnenwerk van een pendule uit elkaar gehaald, de radertjes zorgvuldig gereinigd en geolied en het geheel weer gemonteerd. Terwijl hij traag kauwde op de boterham viel zijn blik op het stuk papier dat de keukenla had geblokkeerd. Voordat hij het aanmaakhout opnieuw was gaan klieven, uiteindelijk bijna tot de grootte van luciferhoutjes, had hij het papier achteloos op het granito aanrechtblad gesmeten. Hij pakte het op, legde het voor zich neer en streek het opnieuw glad. Het was eigenlijk een soort boekje, maar dan slapjes, open en bloot, zonder beschermhoes. Om de huisbijbel zat een zwaar leren omslag met een ingebrand gouden kruis. Daar wierp hij nooit meer een blik in. In zijn jeugdjaren had hij het helemaal vanbuiten moeten leren.

De eerste pagina van het slappe boekje was niet meer goed te lezen. De tekst was vervaagd en Clemens had er het raam mee gepoetst en het botermes er een paar keer aan schoongeveegd. Hij probeerde een bladzijde om te slaan. Ze zaten aan elkaar geplakt. Hij ging een aantal keer met zijn duim langs de zijkant van het boekje, zoals hij in de ochtend voordat hij zijn haar kamde ook altijd langs de tanden van de kam ging, een geluid als van een kleine specht. Hij liep naar de achterkamer en haalde een pincet en een paar schroevendraaiertjes uit zijn horlogemakerset.

Zijn vrouw was elke keer weer verbaasd dat hij die zakhorloges op gang bracht. 'Hoe krijg je het voor elkaar, met die grote handen van je? Al die kleine tandwieltjes, weer precies op de juiste plaats!'

'Ik hou van geduldwerkjes,' bromde Clemens. Als het lukte, had hij een opgeruimd gevoel. Alsof hij met het in elkaar zetten van de raderwerken zijn eigen hoofd opnieuw ordende.

Clemens hing een loep om zijn nek, ging terug naar de woonkeuken, schoof zijn stoel dicht tegen de tafel aan en stak een schroevendraaiertje tussen twee pagina's van het boekje. Voorzichtig wrikte hij het papier los.

Wat te veel tijd al niet met je doet. Eerst heb ik het als een vod in de hoek gegooid, dacht Clemens. En nu behandel ik het als het kostbare binnenwerk van een pendule. Hij begon met lezen. Het ging in eerste instantie niet zo vlot. (Ongeveer met de snelheid waarmee hij namen op zerken hakte.) Hij had vijf dagen om de nieuwe tekst te bestuderen.

Clemens hield zijn hoofd een beetje schuin. De tekst was cursief gedrukt, in een sierlijke krulletter. Er stonden mooie tekeningen bij. Hij keek over zijn schouder. Clemens deed het boekje snel dicht, stond op, verschoof zijn stoel naar de kop van de tafel en ging weer zitten. De strenggelovigen vonden al die krullen en uithalen vast overdreven. En de illustraties waren in kleur, dat moest wel zondig zijn, ook al waren ze vaal. De pasteltinten van de winter. 'De doodgraver bekijkt dubieuze lectuur tijdens de rouwperiode.'

Spionnen overal. De dorpsoudsten zouden hun hoofden schudden en maatregelen voorbereiden.

Nu hij met zijn rug naar het raam zat, leek het net alsof hij zat te bidden. Clemens moest de loep dicht bij zijn gezicht houden. Hij legde zijn hoofd even op tafel en keek langs het papier. Met het oog van de timmerman ditmaal. Her en der was op het papier gekrast. Hij stond op, haalde een potje grafiet uit zijn achterkamer en strooide het op de eerste bladzijde. Met een ganzenveer veegde hij het overtollige polijstmiddel van het papier af.

Onder het kopje GEBRUIKSAANWIJZING CENTRALE BELICHTER 50 was een tekst in een slordig handschrift verschenen:

Een handleiding voor C B

Het titelblad stond helemaal vol met zinnen in een priegelschrift. Was er geen inkt genoeg geweest in die dagen? Wat was de 'Centrale Belichter 50'? Was het toeval dat Clemens speciaal vandaag, op zijn vijftigste verjaardag, een geheimzinnig document met zijn initialen uit de la trok? Een handleiding voor Clemens Bramzoon. Was er een gezel geweest die hem had geholpen bij het maken van het keukenkastje? Het was al minstens vijftien jaar geleden. Zijn vader en moeder leefden toen al niet meer. Clemens las de eerste paar zinnen.

Je moeders nicht stond ineens voor het dorpscafé. Een timide wicht. Ze durfde niet naar binnen, zwaaide wat voor het raam. Al die kerels gelijk gebaartjes maken. Ze klopte op de ruit, een doorzettertje. Ik moest direct komen. Je was veel te vroeg. Ik had je pas na het weekend verwacht. Van de kroegbaas, een beste kerel moet je weten, kreeg ik een handvol sigaren. Mijn maten zeiden later dat ze naar rietpluimen smaakten. Het was mij om het even. Ik was een veelgevraagde steenhouwer en er was een opvolger geboren.

Daar kende Clemens het handschrift van. Het stond op een aantal zerken op zijn knekelveld. Niet op al te veel. Zijn vader kreeg maar weinig opdrachten. De teksten kwamen schots en scheef op de hoofdstenen. Hij dronk nu eenmaal graag elke dag een paar glazen.

Nu ja, op het laatst zaagde ik alleen nog het marmer. De mensen beitelden liever zelf de namen in de steen. Het deerde mij niet, ik had een echte passie. Ja, drank, zul je wel denken, of mooie vrouwen. En zelfs de lelijke. Dat zal je moeder hebben verteld. En vooruit, omdat niet iedereen het zomaar kan ontcijferen, wil ik op papier wel eerlijk zijn: ze had gelijk. Ik had geen rechte rug. Te veel gesjouwd met stenen. En veel te veel gehakt.

Clemens sloeg de bladzijde om. Hij wilde verder lezen, maar daar stond links een technische tekening met cijfers eromheen. Dat kon hem wel bekoren. Hij was tenslotte als timmerman ook altijd in de weer met verbindingen en constructies. Zoiets als dit had hij nog nooit gezien. Er waren geen hoeken om te berekenen. Op de rechterpagina stond een lang verhaal met termen die Clemens niet kende. Wilde zijn vader hem met dit boekje iets duidelijk maken? Clemens strooide poeder op het opengevouwen boekje. Ditmaal kon hij twee zijden tegelijk polijsten. Hij moest zuinig zijn met het poeder. Waarom maakte hij zich zo druk om een vod papier? En in de haard was anders nog wel een sintel of een stuk deels verbrand hout ...

Clemens draaide het papier een kwartslag. In de kantlijn stonden weer een paar regels.

Op een of andere manier ben ik ervan overtuigd dat jij de gebruiksaanwijzing van de C B als enige onder ogen krijgt. Die zul je nodig hebben als je haar hebt gevonden. Ja, ze is vrouwelijk. Je zult versteld staan van haar rondingen en de manier waarop ze straalt. Was je ouwe vader toch nog ergens goed voor. Alleen jij, Clemens Bramzoon, kunt met behulp van dit door mij aangepaste document haar vinden. En haar op juiste wijze bedienen.

Had zijn vader ergens een geheime liefde? Was dat misschien zijn echte moeder geweest? Hij stond op van de keukentafel, legde het boekje onder het gebreide tafelkleed en liep naar het luik in de achterkamer. Elektriciteit bestond al enige tijd, maar de vooruitgang kreeg in het dal geen kans. Clemens pakte een olielamp, draaide de pit omhoog, streek een lucifer af en nam de trap naar de kelder. Met zijn vinger ging hij de planken af. Hij koos voor een fles met kersenlikeur. Aan de keukentafel schonk hij zijn mok vol.

Hoorde Clemens het goed? Werd er zachtjes op de achterdeur geklopt? Wie schond daar de ongeschreven regel? Hij schoof zijn stoel naar achteren en slofte naar de deur.

'Wie daar?' vroeg Clemens. Zijn mond hield hij minstens tien centimeter van het eiken af. Anders zouden zijn lippen aan het hout vastvriezen. Opnieuw dat zachte geluid. Het was eerder een soort krassen dan kloppen. Deed hij straks de deur open voor een hongerig wild dier?

'Een klein moment!' riep Clemens. Er kwam geen reactie. Alsof wolven of beren zouden antwoorden. Clemens geloofde niets van de verhalen die de ronde deden. Dieren konden niet praten en je ook niet beheksen met hun stem. Zelfs onder de standvastigen in de kerkelijke leer waren er veel aanhangers van dat volksgeloof.

Al zouden ze dat openlijk nooit toegeven. Clemens haalde met een tang een stuk roodgloeiende kool uit de kachel. In geval van nood kon hij daarmee een belager wel terug het struikgewas injagen.

De deur liet zich met veel moeite openen. Het hout gromde en de scharnieren krijsten het uit, alsof de deur zelf een angstaanjagend beest was. Clemens hield het gloeiende kooltje in de geopende kier. Hij tilde de olielamp in de hoogte. Er was alleen een grote schaduw te zien met veel haar. Al wilde hij het liever niet toegeven: hij had beslist een bril nodig. Hij gooide het kooltje naar buiten en sloot snel de deur.

'Clemens, doe nu open.'

Het was de stem van het buurmeisje, de dochter van de koperslager, die hij over vijf dagen ten huwelijk zou vragen. Wat zijn die beesten toch wreed! Nu imiteerden ze ook al de stem van zijn nieuwe liefde. Maar de betovering werkte. Clemens deed opnieuw de hendel naar beneden en trok de deur naar zich toe.

'Aardig van je, dat gloeiende kooltje,' zei de behaarde schaduw. 'Alleen was het voor ik het kon oppakken al afgekoeld.'

De bezoeker haalde de grote bontmuts van het hoofd en hing de mantel van berenvel in de achterkamer over een stoel. Het was daadwerkelijk Anna Domin.

In de eerste jaren was ze weleens met grote tranen in haar ogen naar Clemens en zijn vrouw gekomen. Nooit had ze willen vertellen wat er aan de hand was. Sloeg de koperslager niet alleen zijn ketels? Verbood haar vader de omgang met een geliefde van achter de bergkam? Toen Clemens enige tijd later een keer op het dorpsplein tegen de schoorsteen van een huis aan het uitrusten was – hij was net klaar met het betimmeren van het dak – hoorde hij een paar van de opgeschoten jongens van het dorp Anna naroepen. 'Anna Domini, het meisje van alle huizen. Op de gevels staat hoe vaak ze is platgegaan.' Clemens had een rubberen hamer naar beneden geslingerd. De leider van het groepje kreeg het ding met een doffe knal tegen zijn achterhoofd. God straft onmiddellijk, dacht Clemens. De hamer viel in een afvoerput. Clemens was snel achter de schoorsteen gaan staan. De jongens begrepen er niets van, maar voortaan zouden ze zich wel twee keer bedenken. Met die mysterieuze Anna viel niet te spotten. Zij kreeg hulp van boven.

Clemens zette de keukenstoel bij de kachel, legde er een kussen op en pakte voor zichzelf een krukje. Uit de pronkkast haalde hij twee kristallen glazen. Jammer dat ze niet bij het raam konden zitten. Hij was nog nooit alleen in huis geweest met Anna. Voorlopig had hij toch nog liever de tafel tussen hen in. Maar dan moest hij de gehaakte gordijnen dichttrekken en in dit dorp werd de rouw open en bloot gedragen.

Anna ging zitten. Ze wreef haar handen tegen elkaar, legde ze eerst in haar schoot, daarna op de leuning en stak ze toen in de zakken van haar schort.

'Wil je nog een extra kussen?' vroeg Clemens. Hij schoot uit bij het inschenken van de glazen. De likeur spatte tegen zijn borst. Het leek alsof hij in de hartstreek was getroffen. Met een gebreide onderzetter veegde hij het kersenbloed van zijn handen.

'Ik weet dat het tegen de regels is,' zei Anna, 'maar vader is te trots om het zelf te vragen.' Clemens kreeg niet eens kans om zijn wenkbrauwen op te trekken. 'Hij heeft je hulp nodig.'

Waar zou die ongenaakbare koperslager hem bij kunnen gebruiken?

'Morgenvroeg om drie uur bij de struiken achter ons huis.'

Anna stond op en legde een pakje in de schoot van Clemens.

'Voor je verjaardag,' zei ze terwijl ze opstond, haar muts en vel pakte, de achterdeur met een ruk opentrok en in de sneeuwstorm verdween.

In de bosjes wilde hij best met Anna afspreken.

Clemens bleef een tijdje met het pakje op schoot bij de kachel zitten. Hij wist dat hij binnen niet al te lange tijd een paar houtblokken op het vuur zou moeten gooien, anders zou het doven en was het maar de vraag of hij het weer aankreeg. Er zaten nog maar twee zwavelhoutjes in de verpakking. Clemens stelde het zo lang mogelijk uit. Ondanks drie paar sokken voelde hij zijn voeten al niet meer. Hij had ergens gehoord dat de vriesdood mild was. Vanaf zijn kruk opende hij met een pook het deurtje van de kachel.

Clemens sprong op. Het pakje van Anna belandde bijna in het vuur. Niet dat het veel kwaad had gekund, want er likten nog slechts twee vlammetjes aan de sintels. Hij gooide twee blokken in de kachel en pakte de blaasbalg van de muur. Die had Clemens al drie dagen niet meer gebruikt. Met tegenzin zoog het oude ding zich vol.

'Kom op, brand maar lekker, reinig met je vlammen.'

De kachel liet zich niet zomaar wakker porren. Clemens beloofde de veelvraat – het geval nam de hele achterwand van zijn woonkeuken in beslag – al het hout dat hij in huis had. Natuurlijk niet de tafel, de stoelen, de keukenkast met de laden en het huwelijksgeschenk. Al zou het er ook dit jaar weer om spannen. Clemens legde zijn handen op de tegels aan de bovenzijde. Daar zou hij vannacht zijn bed maken. Toen hij eerder bij het raam naar de thermometer was gaan kijken, had het kwik zich niet vertoond.

Er ging een pijnscheut door zijn knieschijf. Clemens keek op de pendule. De vierde steek binnen een uur. Het zou nog enige tijd winter blijven. Had het eigenlijk nog wel zin om te gaan slapen? Over drie uur werd hij al achter het huis van Anna en haar vader verwacht. Bovendien zou hij de nacht gemakkelijker doorkomen als hij een beetje in beweging bleef. Hij was benieuwd wat de koperslager van hem moest. Wat zat er eigenlijk in het pakje van Anna? En hoe ging het verhaal van zijn eigen vader verder? Clemens tilde het tafelkleed op. Waar was de gebruiksaanwijzing gebleven? Had Anna het misschien per ongeluk meegenomen? Of wist ze er meer van?

De koperslager, de caféhouder en doodgraver senior waren goed bevriend geweest. Als kleine jongen werd Clemens altijd weggestuurd als ze bij hen thuis samenkwamen. In de zomer moest hij buiten gaan spelen. In de winter werd hij naar de kelder verbannen. Dat vond Clemens niet erg. Onder de grond werd hij niet lastiggevallen. Hij maakte plannen om een tunnel te graven. Af en toe deed hij een poging om wat van de rotsachtige bodem weg te bikken, maar hij had alleen een klein schepje. Bovendien, waar zou hij al die zware klei moeten laten? Als Clemens heel stil in een hoek bleef zitten, kon je de muizen horen die tussen de zakken met meel, uien, aardappelen en appels scharrelden.

'Pa, ik heb een schattige witte muis gezien,' zei hij op een keer enthousiast toen hij na drie uur weer boven mocht komen. 'Het diertje bleef zo voor mijn neus staan.'

De vader van Clemens riep zijn eigen voornamen en ook de rest van de heiligen van de kalender aan. 'Wat voor een zoon heb ik gekregen?' riep hij uit. Hij richtte zich tot zijn vrouw. 'Dat slappe gedoe komt van jouw kant. Hoe moet die jongen nu steenhouwer en doodgraver worden?' Hij haalde uit naar zijn zoon. Voor de vorm. Met zijn grote klauwen had hij de jongen finaal doodgeslagen. 'De muizen zitten waarschijnlijk aan het meel,' zei pa. 'Ik ga even bij ze op visite.' Hij verdween met een vergiet, een schep en een jutezak naar beneden. Het duurde nooit langer dan een kwartier.

Clemens begreep niet hoe die grote man de rappe diertjes zo snel kon vangen.

Als hij zich de komende dagen echt zou vervelen kon Clemens altijd nog beginnen met het graven en hakken van een tunnel. Zijn kinderschepje was vervangen door een doodgraversspade en hij had steenhouwersbeitels, zware voorhamers en kabels van spieren. De klei kon hij nu ongestraft uit het raam gooien. Misschien brandde het ook wel in de kachel. Dat scheelde een hoop houthakken, al had hij plezier in het omzagen van bomen en het klieven van de stammen. Grote stukken rots die hij tegenkwam kon hij voor het knekelveld gebruiken.

De gebruiksaanwijzing lag onder de tafel. Waarschijnlijk weggewaaid toen Anna de deur met een ruk opentrok. Met moeite kreeg Clemens het boekje open. Hij pakte het busje met grafiet en bestrooide nogmaals de titelpagina. De ingekraste tekst was verdwenen. Clemens ging er zonder nadenken aan voorbij. Hij zou snel moeten doorlezen. Had hij nog ergens schrijfgerei? Het leek hem verstandig om de instructies te noteren. Anders moest hij een aantal van de Bijbelteksten uit zijn geheugen wissen en dan zou je net zien dat juist die op een van de komende zondagen zouden worden aangehaald.

Je zult moeite hebben om haar aan de praat te krijgen. De dorpsbewoners, zeker de strenggelovigen, zullen je tegenwerken. Kun je je de bezoeken van de buurman en de kroegbaas herinneren? Dat zijn mensen die te vertrouwen zijn. Ik wed om een fles van de beste pruimenjenever dat je getrouwd bent met de dochter van de kastelein. Maar ja, wat heeft mijn karkas aan die drank? Als je dit leest heb ik al jaren het beiteltje erbij neergelegd. Weet je nog dat ik je tijdens die

bezoekjes in de winter opsloot in de kelder? Alleen omdat je
een prater was. Je had al onze plannen zo doorgekletst. Onder
de grond ligt het antwoord. Maar dat weet je inmiddels vast
ook wel. Waarschijnlijk ben je toch ook steenhouwer en
doodgraver geworden. Denk aan die witte muis.

Voordat Clemens weer in de handleiding was gaan lezen, had hij
eerst een van de deurtjes uit de keukenkast gehaald en een pook
in de haard gezet. Er was geen onbedrukt papier in huis en het
stompje dat over moest zijn van zijn timmermanspotlood kon hij
nergens vinden. In het blanke hout kon hij desnoods wat aanwijzingen branden. Clemens tikte met zijn steenharde nagel op de
onderkant van de olielamp. Niet te hard, anders zou hij er maar
een deuk inslaan. De lamp moest snel worden bijgevuld, anders
moest hij in het donker naar beneden om petroleum te tappen. In
plaats van dat zijn apparaten hem tot hulp waren, dicteerden ze
zijn leven. Maar Clemens wilde toch naar de kelder. Daar lag kennelijk het antwoord.

Om de lamp bij te vullen moest hij de pit doven. Kon hij in het
donker het reservoir vullen? Clemens wikkelde een lap om een
oude tafelpoot en stak die even in de kachelmond. Een vlammen-
tong likte gulzig. Hoe had Clemens deze delicatesse nu achter
kunnen houden? Toen hij de fakkel naar buiten trok, protesteerde
de veelvraat met een steekvlam. Clemens was op tijd opzij gesprongen. Voorzichtig liep hij naar beneden. In de kelder stak hij
de toorts in een vat. Gelukkig niet in dat van de petroleum. Als
zijn huisje nu af zou fikken, moest hij drie dagen wachten voordat
hij het weer zou kunnen opbouwen. Hij zou het wel redden in de
kelder. En anders had hij altijd nog de kroeg. Bij Anna en haar
vader zou hij als dakloze niet zomaar aankloppen.

Clemens keek om zich heen in de kelder. De zakken met uien
en aardappelen bolden spookachtig op in het schijnsel van de
toorts. De dood liet hem al heel lang koud. Misschien was hij er
altijd al ongevoelig voor geweest. Ieder ander had de rillingen
gekregen van de plank met scalpen. Sinds enige tijd ontdeed hij
voor de begrafenis de overledenen van hun haar. Hij wist niet
precies waarom. Misschien omdat er nog geen pruikenmaker was
in het dorp. Zelfs niet in de streek. De koperslager had hem aan

de toog verteld dat je voor mensenhaar veel geld kon krijgen. Hij was in een ongewoon openhartige bui. Misschien omdat Clemens in gedachten was blijven doorschenken uit een van de geerfde flessen.

Clemens had zijn vrouw toch maar mooi haar staart laten houden. Als hij over een paar jaar haar graf zou ruimen, kon hij altijd nog zien. Waarschijnlijk was het ding dan een stuk langer. Onder de grond groeit het nog een tijd door. Het was alleen de vraag of hij er dan de kleilucht nog uit kreeg.

Clemens hoorde de staartklok in de gang tweemaal slaan. Hij keek nog een paar keer om zich heen en dacht aan de witte muis die als kind pal voor hem was blijven staan. Het beestje had hem met priemende oogjes en trillende snorharen gehypnotiseerd. Wat had dat kleine schepsel te maken met de gebruiksaanwijzing? De staartklok sloeg nog een keer.

Hij liep naar boven, nam zijn extra gevoerde jas en muts en deed zijn zware bontlaarzen aan. Als de dorpelingen dat zouden zien, dan kon hij zijn klompenhandel wel vergeten. Maar zelfs de spionnen van de dorpsoudsten waagden zich dit vroege uur nog niet buiten. En op een of andere manier zag hij in de koperslager en diens dochter Anna geen enkele bedreiging. Clemens deed de handleiding in een gebreid hoesje en stak het ter hoogte van de hartstreek in zijn shirt. Hij deed de achterdeur open. De sneeuw sloeg hem in het gezicht. Achter zijn rug siste de kachel afkeurend. Als hij terugkwam zou hij weer veel werk hebben aan die brompot.

Omdat hij te vroeg was zocht Clemens beschutting in de struiken. Hij droeg zijn koppelriem met beitels en hamers. Ook de grote spade en het pikhouweel had hij meegenomen. Hij schepte wat sneeuw aan de kant, draaide een paar rondjes en maakte zich klein. Om hem te kunnen zien moest je goede ogen hebben. Zijn jas en muts waren gemaakt van zilvervos.

'Wie daar?' Het was opgehouden met sneeuwen en de maan bescheen het huis van de koperslager. De vader van Anna stond met een geweer in de hand onder het afdakje van de schuur. Naast hem zat zijn grote zwarte waakhond, de oren gespitst. Een rode kegel lichtte op. Koperslager Domin was een zware roker.

'De dood, dood, doodgraver,' riep Clemens tegen de wind in met klapperende tanden.

Domin schouderde het geweer, maar liet het gelijk weer zakken. Zelfs met zijn dubbelloops donderbus kon hij zich tegen déze bezoeker niet verzetten. De hond verborg zich jankend in een gebutste ketel op het erf.

Clemens kwam tevoorschijn. Voor de zekerheid hield hij zijn armen in de lucht.

'O, ben jij het,' zei de koperslager opgelucht. 'Misschien moet ik toch maar stoppen met roken. Ik dacht dat mijn tijd gekomen was. Kom mee naar binnen.'

Clemens klopte zijn aanstaande schoonvader een aantal malen op de rug. Niet te hard. Hij had eerst nog toestemming van hem nodig voor het huwelijk met zijn dochter. 'Dank je, dat lucht op,' zei Domin na een hoestbui van een kwartier. 'Heb je het meegenomen?'

'Wat bedoelt u?' vroeg Clemens wantrouwend.

'Het geschenk van Anna.'

Het lag nog ongeopend op de grond bij de haard.

'Moest ik het meenemen dan?'

'Dat spreekt toch vanzelf.'

Domin bekeek Clemens van top tot teen. Voor zover hij wist had er nog nooit zo'n lange man in het dorp gewoond. De jongen was toch wel een echte Bramzoon? In hem zag de koperslager zijn opvolger en de ideale huwelijkskandidaat voor zijn enige dochter. Een man die nooit zonder inkomen zou zitten. Iedereen gaat uiteindelijk de grond in. Om er niet voortijdig in te zakken draagt men klompen. En voor een beetje vergetelheid neemt men op het leven graag een paar glaasjes in de kroeg. Een gouden combinatie: kastelein, klompenmaker en doodgraver. En straks zou hij ook nog ketels kunnen lappen.

'Zeg, Bramzoon,' zei Domin.

'Ja.'

'Begrijp ik het nu goed dat je ook alles af weet van raderwerkjes?'

'Ik repareer zakhorloges, pendules en staartklokken. Het fijne werk,' zei Clemens. 'Hoewel ik ook het mechaniek van de kerkklok zou kunnen repareren.'

Domin sloeg zich op de borst. 'Dan kun je misschien ook een

keer mijn rikketik bijstellen. Maar daar gaat het nu even niet om. Ik wil dat je me helpt. Je weet toch dat je vader en ik heel goede vrienden waren?'

Anna kwam de kamer in, knikte naar Clemens en trok haar vader aan zijn mouw met zich mee. De koperslager draaide zijn hoofd om en zei tegen Clemens: 'Haal jij ondertussen maar even dat pakketje op.'

Clemens keek rond in het vertrek. Er hingen tapijten aan de wand en her en der stonden fluitketels, bedpannen, strijkijzers en potten. Alles was van koper. Zonder gebreide hoesjes! Dat was toch niet toegestaan? Hij bekeek de planten in de potten van dichtbij. Zulke exotische vormen had hij nog nooit gezien. Hij voelde even aan een steel en trok zijn hand geschrokken terug. Er zat een flinke snee in zijn vinger. De bloemen waren ook van metaal. Dat scheelde een hoop snoeien en bewateren.

Clemens was achteloos met de koperslager mee naar binnen gelopen. Op goed geluk liep hij naar een deur in de hoek van de kamer. Alleen dit vertrek was al twee keer zo groot als heel zijn huis. Hoe zou hij Anna Domin straks tevreden kunnen stellen? Hij deed de klink naar beneden en trok aan de deur. Hij zat niet op slot, maar het kostte Clemens toch heel wat kracht om hem te openen.

Midden in de hal hing een enorme kroonluchter. Naar zijn idee zaten er wel honderd lampjes in. Clemens moest even met zijn ogen knipperen. Zoveel licht had je in deze streek alleen in de paar weken dat het zomer was. En dan hoogstens een uurtje of twee per dag. De gang die Clemens links zag was ook al helverlicht. Rechts leidde een stenen trap naar beneden. Ook die zou je niet op de tast hoeven te nemen. Als Anna dit allemaal verzorgde dan moest haar energie onuitputtelijk zijn. Misschien zou ze Clemens zelfs een kind kunnen schenken.

'Onder de indruk?'

Clemens had niet gemerkt dat ze achter hem was komen staan. Maar goed dat ze geen gedachten kon lezen.

'In deze streek is buiten alleen zoveel licht als het zomer is. En dan hoogstens een uurtje of twee per dag.'

Clemens probeerde uit alle macht om aan niets te denken, maar het beeld van een wiegje kreeg hij niet uit zijn hoofd. Zijn hoofd werd roder en roder. Hij wilde snel weer naar het gedempte licht van zijn olielamp en houtkachel.

'Ik hoef deze lampen niet aan of uit te doen. Dat gaat allemaal vanzelf,' zei Anna. 'Ik heb tijd genoeg voor belangrijker zaken,' voegde ze er met een lachje aan toe.

'Ik denk dat ik de weg kwijt ben,' zei Clemens. Hij morrelde aan wat deurklinken.

Anna pakte zijn hand en trok hem mee naar de gang. 'Je zult versteld staan.'

Een halfuur later was Clemens terug in de opkamer van koperslager Domin. Hij had het verjaardagscadeau opgehaald en legde het voor zich op de salontafel.

'Wil je nog een extra kussen?' vroeg Anna.

Clemens wreef zijn handen tegen elkaar, legde ze in zijn schoot, daarna op de leuning en stak ze uiteindelijk in de zakken van zijn kiel. 'Ik dank u natuurlijk hartelijk voor het cadeau, maar kunt u mij zeggen wat het is?'

Koperslager Domin kuchte en keek zijn dochter kort aan.

'Ik weet alleen dat ik het aan je moest geven op de dag dat je meerderjarig zou worden. Het is van je vader.' Domin maakte een verontschuldigend gebaar. 'Ik wist alleen niet meer waar ik het had opgeborgen. Gisteren was ik iets aan het zoeken.' De koperslager wees naar een antieke kast. 'Daar rolde het ineens uit. Alsof het zo moest zijn.'

Clemens bekeek het apparaat en likte er even aan. Die steensoort kende hij. Dat was net zoiets als marmer. En er zat een kunsthars op. Dat heette volgens hem 'bakeliet'. 'En wat is dit?' vroeg hij aan Domin. Clemens vond dat het leek op een van de klosjes met garen van zijn vrouw zaliger. Anna moest dat toch ook herkennen?

'Het is een koperspoel,' zei Domin. 'Volgens je vader kunnen we zonder dat onderdeel niet verder.'

Waarmee was dat vriendenclubje eigenlijk bezig geweest? Ze zwegen een tijdje. Zelfs toen Clemens het gebreide hoesje al in zijn hand had aarzelde hij nog. Toch legde hij de gebruiksaanwijzing op tafel.

Domin bekeek het boekje van alle kanten. Plaatjes met instructies en veel cijfers. Die kon hij nog wel herkennen, maar de pagina's stonden ook vol met letters. Als twaalfjarige was hij al in de koperslagerij van zijn vader in de leer gegaan. Domin senior moest niets hebben van de strenggelovigen. Er was alleen een kerkschool in het dal. De Bijbel was het enige leerboek. De familie Domin werd door de dorpsoudsten met rust gelaten. De koperslagerij zorgde al generaties voor het dak van de kerk, de scharnieren van de deuren en de sluitingen van de kostbare gebedenboeken.

Domin gaf de gebruiksaanwijzing aan Anna. Juist op dat moment werd het donker in de kamer. Clemens verroerde zich niet. De koperslager streek een lucifer af en stak een paar kaarsen op een kandelaar aan.

'Toch wel handig dat ik rook. Ik hoef nooit naar die houtjes te zoeken,' zei Domin. 'Altijd in de rechtervestzak.' Hij maakte van de gelegenheid gebruik om een pijp op te steken.

Anna streek met haar hand over het papier. 'Er lijken rimpels in te zitten. Het is zeker al heel oud?'

Clemens zweeg. Zijn hersenen maalden langzamer dan de raderen van de kerkklok. Moest hij de Domins vertellen over zijn ontdekking? Zou hij de koperslager eerst om de hand van Anna vragen, of kon hij dat beter op een ander moment doen?

Anna hield het boekje op ooghoogte en keek de bezoeker met een toegeknepen oog over de pagina's heen aan. Als een timmerman die controleert of een balk recht is, dacht Clemens tevreden.

'Wat zijn dat voor putjes die in het perkament zitten?' vroeg Anna.

De blik van Clemens leek vastgelijmd aan haar mond. Als ze lachte krulde haar fijngesneden bovenlip aan één kant iets meer op. Clemens had nooit gedacht dat die asymmetrie hem zo zou opwinden. Misschien moest hij ook eens een kast maken die een beetje uit het lood hing.

'Hier, voel zelf maar,' zei Anna.

'Ik weet het,' antwoordde Clemens zonder op te kijken.

Haar ogen waren kooltjes die door hem heen leken te branden. Toen Anna nog schoonmaakte, kookte en samen met zijn vrouw breide, was het Clemens niet opgevallen.

Anna deed de bovenste twee knoopjes van haar blouse open, als wilde ze de aandacht van Clemens ergens anders op vestigen. Ze was erg tevreden over haar borsten. Niet te groot en zeker niet te klein. Alleen haar tepels waren aan de forse kant. Er ontsnapte haar een hinnikend lachje. Dat ze nu net recht tegenover Clemens aan zijn bedlegerige vrouw moest denken. Het arme mens was pas een paar dagen koud. Wat hadden ze gelachen toen Anna's hard geworden tepels de net gebreide eierwarmertjes met gemak hadden gevuld. 'Het is een strenge winter,' had Clemens' vrouw tussen de uithalen door geroepen. 'Alles is stijf bevroren.'

Anna legde de gebruiksaanwijzing op tafel, deed haar haren los en boog naar voren. De zwarte kooltjes en de scheve mond verdwenen achter de haarsluier.

Clemens haalde diep adem.

Het haarbandje legde Anna naast het boekje: een bruut afgerukt leeslint. Het krulde zich in de vorm van een grote C. 'Met mijn haar in een knot kan ik niet goed nadenken.'

Geen wonder, dacht Clemens, als zulke dikke strengen aan je hoofdhuid rukken. Hij volgde het golvende rode haar van Anna's kruin tot aan de punten die half over haar borsten hingen. Het maakte hem aangenaam duizelig. Zo moest een matroos zich voelen op een woelige zee. Overgeleverd aan het water, maar onder de hoede van de heilige Clemens, de schutspatroon van marmerzagers, steenhouwers, hoedenmakers, kinderen en zeelieden.

Anna las een passage voor uit het boekje. Ze trok haar schouders een paar keer op, haar borsten veerden zachtjes mee. 'Van de meeste woorden heb ik nog nooit gehoord.' Haar haren waren uitgewaaid en bedekten nu ook de gebruiksaanwijzing. Straks zouden haar vurige ogen de letters nog verzengen. 'Lux, lumen!' riep ze plotseling terwijl ze haar rode manen in de nek wierp. 'Dat heeft met het licht te maken.'

'Nocturna in lumina,' fluisterde Domin.

Clemens was berekend op zware lichamelijke arbeid. In de hoek lag zijn riem met beitels en hamers. Tegen de muur stonden de spade en het pikhouweel. Hij voelde in zijn zak. Het flesje met grafiet had hij natuurlijk thuisgelaten.

'Je moet tussen de regels lezen,' zei Clemens. 'Daar hebben we alleen een fijn poeder voor nodig of een potlood.'

'Ik heb alleen meel in huis,' zei Domin. 'En natuurlijk koperslijpsel. Jij bent timmerman, die gebruiken toch altijd van die grafietstiften?'

Anna pakte een bord van tafel en liep naar de kachel. Ze trok de asla open en schepte er met beide handen wat sintels uit. Het vuur kon wel wat nieuwe kolen gebruiken. Ze opende het deurtje en schudde een jutezak half leeg. Ze nam weer plaats aan tafel. Haar hoofd, hals en borsten zaten onder het gruis, asgrauw, alsof niet Clemens maar zij in de rouw was. Alleen de kleurige blouse deed Clemens nog steeds zeer aan de ogen. Hoe was ze aan de stof gekomen? De klederdracht van de vrouwen was grijs met hier en daar een witte strook. Getrouwde vrouwen kregen een donkerblauwe omslagdoek. De mannen droegen altijd zwarte pakken, of ze nu in de rouw waren of niet. De wol waarmee werd gebreid was natuurgrijs. Er was nog nooit iemand geweest die iets anders wilde. Waarom zou Clemens dan de boel gaan verven? Dat leverde hem alleen maar meer werk op. Bovendien wist hij niet waarmee hij dat zou moeten doen. Zijn gerst en zijn hop waren bleek, het gras en de bladeren aan de bomen waren eerder grauw dan groen. Op de velden stonden alleen witte bloemen. En de onbewolkte hemel kon hij moeilijk naar beneden halen en in een tonnetje stoppen.

Er was een keer een zwart lammetje geboren toen Clemens twaalf jaar oud was.

'Een slecht voorteken.' Zijn vader zou het diertje meteen verdronken hebben in de put. Maar vader zat aan de toog in het café en wist niet eens dat de ooi moest lammeren. Clemens was erop uitgestuurd om hem te waarschuwen, maar in plaats daarvan bleef hij bij het schaap. Hij nam het zwarte lammetje na de geboorte mee naar de zolder en zorgde er daarna een tijdje voor. Vanwege het donkere vachtje noemde hij het 'Kooltje'. Al had hij het ook 'Nacht' of 'Donderwolk' of 'Blik van vader staat op onweer' kunnen noemen. Midden in de nacht liet Clemens Kooltje dartelen in de weide. Dan viel het diertje tenminste niet op. Zo ging het maanden goed.

'Wat spook jij daar rond?' klonk het vanuit de struiken. De stem van zijn vader. Het was pas twee uur 's nachts. Rond het middaguur had de jonge Clemens hem met een steen op een trekkar naar het knekelveld zien lopen en in de vroege avond van het café naar de koperslager. Daar bleef hij altijd tot ver na zonsopgang.

Terwijl Kooltje nooit mekkerde, ging het vetgemeste zwarte schaap ditmaal uitzinnig tekeer. Ook toen Clemens het ter geruststelling een aantal keer op de kop klopte, bleef het maar blaten. Het vreesde waarschijnlijk een duister einde.

'Waar komt die zondebok vandaan?' vroeg Clemens' vader.

'Uit de ooi,' zei Clemens met zachte stem. Hij wist zo gauw niets beters te verzinnen.

Zijn vader lachte niet. Clemens had het althans nooit meegemaakt. Vader was een man die gewend was om graniet en marmer te zagen en stenen in de juiste vorm te hakken. Toch meende Clemens hem in die bewuste nacht te horen grinniken. Of was dat de hik, afgewisseld met een kuchje en een hoestje?

'Het is goed dat je dat beest in het donker hebt gehouden. Doe er je voordeel mee. Een man heeft zijn nachtelijke activiteit nodig.'

Weer meende de jonge Clemens hem te horen grinniken, al kon het nog steeds de hik zijn, afgewisseld met een kuchje, hoestjes en een enkel boertje van een glas bier.

Zonder verder nog acht op zijn zoon of het schaap te slaan verdween hij weer in de bosjes. Clemens bouwde de volgende dag tussen de bomen een hok met een omheining; zijn eerste echte timmerklus. Hij had er duidelijk handigheid in. De wol verkocht hij aan de koperslager. De enige die geen bezwaar had tegen de kleur. Sterker nog, hij betaalde er een goede prijs voor. Kooltje werd heel erg oud, voor een zwart schaap dan.

Het was toch nog niet zo gek, dacht Clemens, een stuk van de wereld helemaal alleen voor jezelf afgebakend. Zodra het zomer werd zou hij weer eens bij het hok van Kooltje gaan kijken. Hij was er na de dood van zijn laatste schaap niet meer geweest – elke keer als er een zwart lammetje werd geboren bracht hij het, nu meer uit gewoonte, naar het aparte veldje toe. De laatste paar zwarte schapen gaf hij geen naam meer. Ze vraten alles kaal, hun mest verzuurde de grond. Clemens had ze moeten bijvoeren.

Kooltje had echt iets bijzonders gemaakt van haar stukje land: een kopie van de geblokte keukenvloer. Als Clemens het spel had gekend, zou hij de weide een groot schaakbord hebben genoemd. Om en om vrat Kooltje vierkantjes weg van het vrijwel witte gras. Het was een wonder dat haar wol niet lichter werd van dat dieet, maar misschien kwam dat omdat ze doorvrat als de diepzwarte bodem in zicht kwam. Na een paar dagen begon het gras weer aan te groeien. De mest van Kooltje deed wonderen. Ondertussen had het dier de sprietjes op de andere vierkantjes weer weggemaaid. Ze maakte strakke hoeken, alsof ze net als haar baasje een timmermansoog had.

Clemens moest straks toch eens vragen wat de koperslager met al die donkere wol had gedaan. Hij keek naar een beurse plek op zijn hand. Daar had hij een week geleden per ongeluk met een hamer op geslagen. In de versleten klompen aan de muur van het dorpscafé waren afgelopen zomer een paar bloempjes aangewaaid. Ze hadden er net zo uitgezien als de vlekken die nu op de rug van de hand van Clemens zaten. Misschien vergiste hij zich ook. Hij had net als de andere dorpsbewoners weinig ervaring met kleuren. Domin had daar meer verstand van. Zijn potten, bedpannen en fluitketels verspreidden een diepe gloed. Daarom verborgen de bewoners ze onder de breisels die Clemens leverde. Alleen het dak van de kerk was onbedekt. Het koper was door de kou en de hitte aangetast en lichtgroen uitgeslagen, maar dat vond men niet erg. De kerk moest juist opvallen.

Al na een dag waren de blaadjes uit de hangklompen weg. Waarschijnlijk uitgerukt door de spionnen van de dorpsoudsten.

Anna veegde met een stoffertje de as van haar armen en boezem. Het viel boven op de gebruiksaanwijzing. De kleur van haar blouse kende Clemens wel. Als hij zich in zijn vinger sneed, genoot hij van het trage druppen van het vocht. Het was nog feller van kleur dan de vlammen in zijn haard. Soms had hij de behoefte om te controleren of hij vanbinnen nog steeds hetzelfde was. Dan kerfde hij even in het eelt op zijn handpalm, net zo diep tot er een druppel naar boven kwam. Van het wondje zag je na een paar tellen niets meer. Nu had hij genoeg aan de blouse van Anna. Die zou je dus van bloed kunnen noemen.

Anna liep naar een kastje en haalde er een ganzenveer en een kussentje met een handvat uit. Ze veegde met de veer de as voorzichtig over de titelpagina van de gebruiksaanwijzing en drukte het er met het kussentje stevig in. Waar kwam dat schrijfgerei vandaan? Brieven werden hier niet bezorgd en er was ook geen mogelijkheid om ze te versturen. De voerman van de brouwerij wilde nog weleens berichten meenemen. Maar die kwam al tijden niet meer. Bovendien maakten de knollen bij het verlaten van het dal zoveel vaart dat de meeste enveloppen in de doornstruiken terechtkwamen. De spionnen van de dorpsoudsten vlogen er als kraaien op af. Daarna was het snel gedaan met de post. Het had geen zin om te schrijven als je alleen de woorden van de strenggelovigen mocht gebruiken.

'We zouden er ook kaarsvet of lak overheen kunnen druppelen,' opperde Anna. 'Er ligt nog wel een staafje in het kastje. Dan blijft het een tijd zichtbaar.'

Als verzegeld, dacht Clemens. Anna boog zich naar voren en begon de tekst te lezen.

Onder het kopje GEBRUIKSAANWIJZING CENTRALE BELICHTER 50 verscheen ineens in een slordig handschrift de tekst:

Een handleiding voor C B

En een stukje daaronder:

A D De tijd is altijd rijp.

Anna fronste haar voorhoofd. Er verschenen twee rimpeltjes aan weerszijden van haar neus, bijna niet waarneembaar. Wanneer Clemens bedenkelijk keek was zijn gezicht van boven tot onder bedekt met diepe groeven, als waren ze ingesleten door het steengruis van jaren namen in hoofdstenen beitelen en de wolken zaagsel van het schuren aan duizenden klompen. Als hij niet fronste trouwens ook.

'Wat is er?' vroeg Domin aan Anna. Een dergelijk gezicht had ze volgens hem nog nooit getrokken, al maakte hij geen studie van gelaatsuitdrukkingen. Daarvoor zag hij zichzelf te vaak vervormd in het glanzende koper. Er ging geen dag voorbij dat hij er niet met plezier een paar flinke tikken op gaf. Alsof hij zijn eigen uitgerekte tronie weer terug in het gareel wilde slaan.

'Het is,' zei Anna, 'net alsof ik mijn naaimand opendoe en er ineens de dubbele hoeveelheid wol inzit. Zonder dat er iemand in de buurt is geweest.'

Clemens dacht aan zijn keukenkast. Toen hij een paar dagen

eerder de la opentrok was er ineens die prop papier uitgeschoten. De inhoud van zijn kasten had hem vertrouwen geschonken. Zijn hele inboedel stelde hem gerust. Sinds hij alleen in huis was, bleef alles op dezelfde plaats. Hij wist precies wat er op de derde plank lag in het huwelijksgeschenk en de keukenla hoefde hij niet te openen om de rangschikking te weten: links twaalf messen, rechts twaalf vorken, boven twaalf lepels en onder een kurkentrekker, niet veel meer dan een krom geslagen lange nagel in een knoestig handvat. Als er iets zou ontbreken zou hij boos worden. Als er iets was verplaatst zou hij zich alleen afvragen of hij dat gedachteloos misschien zelf had gedaan. Maar als er twee messen meer in de la zouden steken, zou hij ook verwonderd zijn. Misschien zelfs een beetje angstig. Hij had een steeds grotere behoefte om te weten wat hem te wachten stond.

'Misschien is het onduidelijk,' zei Clemens, 'omdat het aan mij is gericht.'

Mijn initialen staan er toch ook bij, dacht Anna. 'Het is eerder wonderlijk,' zei ze. En een beetje om de rillingen van te krijgen. Maar dat hield ze voor zich. Ze was immers de dochter van de koperslager. Zag ze zichzelf al aan de zijde van Clemens? Over een paar dagen was zijn rouwperiode voorbij. Kan een doodgraver eigenlijk wel verdriet voelen? Als steenhouwer had hij honderden namen in het gladde marmer gebeiteld. Voor het geld en natuurlijk ook omdat de bewoners van de lijken af moesten.

Het huis van Clemens kende ze goed. En zelfs zijn echtelijke bed, al had ze daarop alleen maar aan het voeteneinde zitten breien. Ze had hem vanuit haar ooghoek gezien terwijl hij net te lang door het raam staarde als hij terugkwam na een timmerklus, het dichten van een gat op het knekelveld of het oogsten op zijn akker. Ze had niets laten merken, haar ogen strak op haar naalden hoewel haar vingers elk patroon vanbuiten kenden. Anna was vertrouwd met Clemens' gewoontes. Ze wist hoe hij een pijp stopte, de kachel soms met zachte, dan weer met harde hand aanspoorde en dat hij zijn vrouw van top tot teen waste, al had ze dat nooit gezien. Maar hoe kon de bedlegerige vrouw anders al naar zeep ruiken voordat Anna kwam?

Clemens kon zelf wel een handleiding gebruiken. Wat had dat wonderlijke boekje aan Anna verteld? Zou hij gebruikmaken van de gelegenheid en voor haar op de knieën vallen? Waar haar vader bij was? Die zou hem vast voor gek verklaren en hem het huis uit jagen. Kon hij haar wel elke dag om zich heen verdragen? Zouden die ogen, die lippen, die borsten en weet wat nog meer hem niet verlammen? De gerst en de hop zouden op het veld verdorren, iemand anders zou kuilen moeten scheppen voor de lijken. Graven zonder hoofdstenen.

De dorpsoudsten zouden de dieren van zijn erf halen. Maar Anna zouden ze geen haar krenken. Want Domin repareerde het dak van de kerk en zorgde voor de scharnieren en de sluitingen van de gebedenboeken. Bovendien had hij een zelfgemaakte donderbus in huis, dubbelloops.

'Even een hartversterker en dan aan het werk.' Domin pakte een koperen dienblad en zette er drie glaasjes op. Van achter een pilaar haalde hij een grote mandfles, drukte deze tegen zijn buik en schonk de glaasjes vol tot aan de rand. Hij pakte een glas op en bekeek de inhoud aandachtig.

Clemens vroeg zich af wat daar nu aan te zien was. Het goedje was volmaakt doorzichtig.

'Nog gekregen van de oude kroegbaas,' zei Domin terwijl hij op de buik van de fles klopte. 'Nu ja, eerder afgedwongen. Een distillatieketel tegen een vriendenprijs en elk jaar een deel van de opbrengst.' Domin boog zich naar Clemens en fluisterde in zijn oor: 'Het was een beste vent, maar zo zuinig als wat. Het zou me niet verbazen als dat hem uiteindelijk fataal is geworden.' Hij hield het blad uitnodigend voor de twee omhoog.

Anna en Clemens pakten tegelijkertijd een glaasje.

'Proost, dochterlief. Proost, mijn zoon,' galmde de koperslager. Zelfs zijn stem was koperkleurig.

Clemens was vergeten hoe groot het vertrek was. De kaarsen verlichtten alleen hen drieën, de tafel, het dienblad met de kelkjes, het schrijfgerei en de gebruiksaanwijzing. De mandfles was alweer achter de pilaar verdwenen.

'Gezondheid, vader,' antwoordde Clemens net zo luid, maar natuurlijk wel zonder veel kleur. Hij keek Domin vragend aan.

Maar de koperslager was niet goed in het onderscheiden van gelaatsuitdrukkingen. Daarvoor had hij te veel naar zijn eigen koperen spiegelbeeld gekeken.

Domin gooide de inhoud van het glas ineens naar binnen, roffelde op zijn buik, sloeg zich tweemaal op de dijen en stond op.

Hij pakte de kandelaar, hield deze boven zijn hoofd en belichtte zo het gereedschap van Clemens. 'Kom, we gaan. Vergeet de spade en het houweel niet.' Zonder te wachten draaide hij zich om en liep naar de hoek met de deuren, Anna en Clemens in het halfduister achterlatend.

Een paar tellen bleven ze tegenover elkaar zitten. Toen tastte Clemens naar de gebruiksaanwijzing. Daarbij streek hij kort langs het haar en de wang van Anna. Hij stak het boekje in het gebreide hoesje, stond op en liep in de richting van waar hij zijn spullen vermoedde. Met zijn schouder knalde hij vol tegen de pilaar. Hij deed een stap naar links en tien naar voren, zijn armen gestrekt als een slaapwandelaar. Clemens stootte met zijn rechtervoet tegen zijn riem met beitels. Had hij zijn klompen maar aangedaan. Hij deed zijn koppel om, greep de twee stelen vast en beende met grote passen naar de deuropening. Hij liep zo snel door de hal dat de hangers van de kroonluchter elkaar op de schouder tikten.

'Er zit ergens een kink in de kabel,' zei Domin. 'Ik vrees dat we het met deze kaarsen moeten doen.'

Clemens had geen idee wat een kink was. En welke kabel bedoelde de koperslager?

Domin draaide zich om en liep de trap met twee treden tegelijk naar beneden. 'Waarom heb je eigenlijk die steek meegenomen?'

In plaats van zijn doodgraversspade sleepte Clemens een van de koperen bedpannen met zich mee.

'Je zult er wel een reden voor hebben,' besloot Domin. Hij rommelde wat onder zijn kiel en toverde een ring met sleutels tevoorschijn. Bij het kaarslicht leek de koperslager zelf op een ketel. 'Licht me even bij.'

Onbewerkt eiken, constateerde Clemens, zeker veertig jaar oud. Wat zat erachter? Een voorraadkelder? Er moest minstens nog één extra uitgang zijn, anders zouden de vlammetjes niet zo tekeergaan. Hij keek met een schuin oog naar de uitgehakte treden. Gewoontegetrouw had hij zijn stappen geteld. Ze zaten twaalf meter en tien centimeter onder de grond. De baarden van de sleutels leken allemaal op elkaar, toch had Domin gelijk de goede te pakken.

Pas een kwartier nadat Clemens met haar vader was vertrokken, stond Anna op van tafel. Zonder aarzelen liep ze in het donker door de woonkamer. Ze kende natuurlijk elke hoek, maar ze had ook jonge ogen. Het zwakke schijnsel achter het venster in de kachel was voor haar voldoende. Ze pakte uit haar naaimand twee breinaalden en een paar knotten wol. Natuurgrijs, wat anders. Tegen een nieuw patroon konden de strenggelovigen toch geen bezwaar maken? Er ging een rilling over haar rug. Zou het haar ook nu weer lukken om de breipennen roodgloeiend te krijgen? Het leek alsof de koude wind dwars door de muren heen ging. Hopelijk bracht haar vader van onder de grond nieuwe kolen mee, of anders een beetje van de warme wind.

Er hingen geen spinnenwebben, zoals Clemens had gedacht. Domin trok aan hendels en tikte tegen bolletjes die aan de wand hingen. Een paar harde knallen en lichtflitsen. 'Daar zat de kink in de kabel dus,' zei Domin.

Clemens knipperde een paar maal met zijn oogleden. De koperslager leek wel een meter groter. Sterker nog, hij zweefde boven de grond. Toen de ogen van Clemens aan het felle licht gewend waren, zag hij dat Domin boven op een doorzichtige doos stond met daarin allemaal raderen. In geen enkel uurwerk was Clemens zo'n soort binnenwerk ooit tegengekomen. Was de behuizing van glas? Hoe kwam die koperslager daar nu weer aan? Alsof hij driftig was, stampte Domin een aantal maal met zijn voet op het doorzichtige podium.

'IJzersterk spul, een nieuw soort kunsthars,' zei Domin terwijl hij om het te illustreren nog even opsprong. Domin had voor zijn gestalte opvallend grote voeten. De klompen maakten niet eens een krasje. Clemens had ze extra solide gemaakt, een zoenoffer voor zijn aanstaande schoonvader. 'En ook nog elastisch,' vervolgde Domin. 'Die kaarsen kun je nu wel doven.' Domin sloeg boven op zijn doorzichtige kist met een stuk koperdraad tegen zijn scheenbeen, als een dirigent die de maat slaat. 'Tegen open vuur kan het spul namelijk niet.' Hij sprong naar beneden, pakte een stukje van het doorzichtige materiaal van de grond, stak het op zijn dirigeerstok en streek er een lucifer onder af. Binnen een tel was het kunsthars verschrompeld. De stank werd door de tocht snel verdreven. 'Daarom zijn die bolletjes aan de wand van glas.' Domin tikte met het koper op een buis die tegen het plafond zat. Hij moest ervoor op zijn tenen gaan staan. 'Wel geschikt om de draden in te verpakken. Anders is het schrikken geblazen als je de leiding per ongeluk aanraakt.' Hij verdween schuddebuikend in een van de gewelven. 'Schrikdraad,' echode het.

Clemens pakte zijn gereedschap en de beddenpan en sjokte achter Domin aan.

In de woonkamer was het licht ook weer aangegaan. Anna legde haar breiwerk op tafel. Ze had het voorpand van de jas voor Clemens al klaar. Een vreselijke brandlucht zette de haartjes in haar nek overeind. Ze kneep haar neus dicht. Op de plaats waar de gebruiksaanwijzing had gelegen zaten allemaal putjes in het tafelblad. Had ze dat met haar roodgloeiende breipennen gedaan? Ze was er zeker van dat verbrand hout anders rook. Met de ganzenveer veegde ze de as naar de plek toe, drukte er het stempelkussen op en bekeek het resultaat goedkeurend, alsof ze net een belangrijke brief had geschreven.

Clemens had de grootste moeite om Domin bij te houden. De beddenpan bond hij aan zijn riem. Het ding kraste over de rotsachtige bodem. Zo zou hij in elk geval de weg terug kunnen vinden. Clemens sloeg de hoek om en botste boven op Domin. Daar liep de gang dood.

'Ho, ho, je kunt je kracht op deze wand uitleven,' zei de koperslager terwijl hij met een vertrokken gezicht over zijn borstkas wreef. Veel pijn kon de man niet hebben. Hij had een behoorlijk stootkussen. 'Clemens, je zult verbaasd zijn. Waarschijnlijk heb jij maar een paar klappen nodig.'

Clemens pakte zijn tienponder en de grootste steenhouwersbeitel. Waarom had Domin het zelf niet gedaan? Die moest als koperslager toch ook een paar goede tikken kunnen uitdelen?

'Dit stuk heb ik speciaal voor jou gelaten.'

In de hoek zag Clemens een fiets staan. Nóg een overhaast vertrokken inspecteur? Op deze zou je niet ver komen. Er zat geen voorwiel in en de achterkant bestond uit een vreemde grote klos. Daar zou heel wat wol op passen.

'Daar deden we het eerst mee,' zei Domin. 'Wel wat onpraktisch. Anna en ik konden niet tegelijk boven in het huis zijn.'

Wat raaskalde die man allemaal? Clemens haalde zijn arm naar achteren en liet de hamer met een doffe klap neerkomen op de beitel. Een groot stuk steen vloog over zijn schouder rakelings langs de kop van Domin. Clemens was een ervaren steenhouwer. Een fractie van een seconde nadat de hamer was neergekomen wist hij al dat hij de koperslager niet hoefde te waarschuwen.

'Je bent iets te vroeg, doodgraver,' zei Domin. 'Ik heb nog geen hoofdsteen nodig.'

Nog drie keer geselde Clemens de beitel. Bij de laatste slag viel een groot stuk steen boven op de voeten van Domin. De aanleiding voor een paar nieuwe lachsalvo's. 'Je hoopte zeker dat mijn klompen zouden breken. Aan mij kun je voorlopig niets slijten. Had je ze maar niet extra stevig moeten maken. Kijk, niet eens een krasje.'

Clemens stak zijn hoofd door het gat. In de hoek bolden zakken spookachtig op door het licht dat naar binnen viel. Hij zag twee vaten. Uit het ene stak een stok, naast het andere lag een pollepel. Het rook naar petroleum. Van de plank met haarstukken keek Clemens op. Hoe kwam de koperslager daaraan? Was Domin ook ongevoelig voor de dood? Of was het een geheime begraafplaats? Clemens zag nergens knoken liggen. In elk geval moest hij voortaan oppassen hoe diep hij de lijken zou begraven. Domin had een enorme kelder uitgehakt. Het was een wonder dat zijn huis niet was ingestort.

'Het huis Domin en het huis Bramzoon zijn nu met elkaar verbonden. Al is het dan alleen ondergronds.' De koperslager trok een plechtig gezicht. 'Een geheim verbond.' Hij kleurde langzaam rood. Het knarsen van zijn tanden galmde door het gangenstelsel. Daarom waren ze natuurlijk zo afgesleten. 'Onder de gordel,' zei Domin met een geknepen stemmetje. Hij sloeg zich opnieuw op zijn dijen.

Wat bezielde die man? Was het iets erfelijks? Had hij te veel koperdeeltjes ingeademd en waren die uiteindelijk net zo verkleurd als het dak van de kerk? Geen wonder dat Anna ingetogen was.

Domin bedaarde weer. 'Over een dag of wat moeten we het ook maar bovengronds bezegelen.'

Voor de zekerheid zou Clemens het luik van zijn kelder extra verstevigen. Er konden allerlei beesten ronddwalen in de kelder van Domin. Zodra hij thuis was zou hij ook de voorraden naar boven halen. Na de rouwperiode kon hij ze dan naar zijn werkplaats overbrengen.

'Voor vandaag is het wel genoeg geweest,' zei Domin. 'Voordat het buiten licht wordt moet je weer naar huis.'

Clemens gooide de hamer en de riem met beitels door het gat zijn kelder in. Die zou hij straks wel opbergen.

'Kom morgen om dezelfde tijd maar terug,' zei Domin. 'Ik zal de deur op een kier zetten. Een paar minuten maar, anders vriezen we binnen vast. Je weet de weg.' Hij legde zijn hand op de schouder van Clemens, ontblootte zijn stompjes en maakte een hoofdbeweging naar het gat. 'Tenzij je een nieuwe richting inslaat. Dan zie ik je hier. Laat dat pikhouweel maar staan.' In plaats van dat hij naar boven liep, bleef Domin even staan bij het fietswrak. 'Ik weet niet hoe laat het precies is, maar volgens mij hebben we nog wel even tijd voor een demonstratie.'

Clemens wist dat hij nog achtentwintig minuten had voordat het licht werd. Daar had hij geen horloge voor nodig.

Domin pakte het fietsframe bij de stang en sleepte het naar de overkant van de gang. Hij opende een poortje en ging naar binnen.

Clemens bleef op de drempel staan.

Met een paar trefzekere handelingen monteerde de koperslager het wrak op een installatie. Hij sprong op het zadel en begon, hoewel zijn buik in de weg zat, de pedalen snel rond te trappen.

Van de klos aan de achterkant kringelde rook op. De bolletjes in de gang gloeiden even fel op, om daarna met geknetter uiteen te spatten.

Het verblijf onder de grond viel Clemens toch tegen. Ineens was het weer aardedonker.

'Dat hadden we dus elke keer,' zei Domin hijgend in de duisternis. 'De aandrijving is heel moeilijk te doseren. Hopelijk gaat dat nu veranderen. Met de spoel van je vader.'

Gelukkig had Clemens het pikhouweel nog vast op het moment dat het weer donker werd. Hij haakte het achter de riem van Domin. Die begon met vaste tred te lopen. Ineens, Clemens begon zich zorgen te maken, ze waren al zesentwintig minuten onderweg, stonden ze in een luchtkoker. Het begon al voorzichtig licht te worden.

'Een oude put. Je zou dit de nooduitgang kunnen noemen.'

Clemens was een halfuur bezig geweest met het wakker porren van de kachel. Nadat hij thuisgekomen was, had hij allereerst zijn gereedschap uit de kelder gehaald. Uit voorzorg sjorde hij ook de zakken met aardappelen en uien naar de achterkamer. De potten met vruchtenjam van witte bessen stapelde hij op het aanrechtblad. Het vat met brandstof hield hij ver weg van de haard, de veelvraat zou op een idee kunnen komen. In een hoek van de kelder had hij nog een oude schep en een verroeste bijl gevonden. Hij voerde de stelen aan de kachel, gooide er een scheutje petroleum op en stak met zijn laatste lucifer de gedoofde fakkel weer aan. Pas toen hij de toorts aan de kachel voerde, vlamde deze weer op.

'Een man moet zijn nachtelijke activiteit hebben,' had zijn vader gezegd. Waarschijnlijk was hij hele nachten aan het hakken geweest. Hadden de dorpelingen het lawaai toegeschreven aan de dieren die ondergronds leefden? Ook de jonge Clemens had 's nachts was in zijn oren gekregen.

'Dat beschermt tegen de stemmen van de bergen,' zei zijn moeder. Maar dingen konden toch helemaal niet praten en je dus ook niet beheksen met hun stem?

Clemens ging aan de keukentafel zitten en legde het gebreide hoesje met de gebruiksaanwijzing voor zich neer. Zou hij het ding in het vuur gooien? Te veel woorden maakten het leven alleen maar ingewikkeld. Hij kreeg er een zware kop van. Liever was hij aan het hakken, aan het oogsten of aan het graven. Hij keek even naar de grote bijbel, die opengeslagen op een standaard in de hoek lag. Het boek zat onder de spinnenwebben. Daar zou die gulzige kachel wel een tijd zoet mee zijn. Hij was net met zijn hoofd op zijn armen in slaap gevallen toen er op zijn deur werd geklopt. Konden ze hem niet even met rust laten?

Net voordat Anna de tekst op het tafelblad wilde bestuderen, werd het weer donker. Vandaag was het licht wispelturig. Ze wachtte een paar tellen tot haar ogen aan de duisternis gewend waren en pakte daarna de naalden weer op om een nieuw stuk van het huisjasje voor Clemens te breien. Al na enkele minuten werd het geluid van haar naalden overstemd door een paar droge tikken op de voordeur. In dat hout zat een andere klank dan in alle andere deuren. Zo vroeg kwamen de klanten nooit. En zeker niet in de winter. Was het misschien koning Vorst die het eiken aan het werk zette? Met een paar laatste steken maakte ze de mouw af, stond op en liep via de hal, een paar gangen en de vestibule naar de hoofdpoort.

'Wie daar?' vroeg Anna. Ze hield haar mond minstens tien centimeter van het eiken af. Anders zouden haar lippen aan het hout vastvriezen. Het geluid was overgegaan van getik in een soort gekras. Testte een hongerig wild dier alvast de tanden of de nagels? 'Anna, doe open, ik ben het.'

Wat zijn beesten toch wreed! Het leek alsof haar vader sprak. Alleen was zijn stem niet sonoor, maar eerder piepend en krassend als van een kraai. Ze geloofde niet in de verhalen die de ronde deden. Dieren konden helemaal niet praten en je dus ook niet beheksen met hun stem. Al had ze die zwarte vogels weleens mensen horen imiteren. Straks stond er een enorme raaf voor haar deur of de meest begaafde spreker van een leger kauwen. Ze waagde het erop. Uit nieuwsgierigheid en omdat ze niet bang was uitgevallen. Ze omklemde haar breinaalden. Een gemakkelijke prooi zou ze niet zijn.

Er stond een vreemde verschijning voor de deur. Het werd voorzichtig licht. Aan de voeten van de gestalte lag Domins hond opgekruld. Hadden ze dat arme beest al te pakken gekregen? De doodstraf voor onderwerping? Ze siste zijn naam. De reu reageerde niet. Was hij overgelopen naar een wilde bende? Was deze gigantische raaf de leider? Zou ze binnen een paar tellen door een roedel wolven worden verscheurd, waarna een zwerm zwarte vogels zich te goed zou doen aan de restjes? Had ze de donderbus van haar vader maar gepakt! De vreemde bezoeker trachtte de vlerken te spreiden. 'Die hond heeft me gered,' piepte Domin vanonder uit zijn keel. Hij probeerde zijn handen vanonder de buik van de reu vandaan te halen.

Hoe kwam haar vader buiten zonder zijn bontjas? Ze dacht dat hij in de keldergewelven was. En waar was Clemens? Het was al bijna licht buiten. Hij moest terug naar zijn woning voordat de spionnen van de dorpsoudsten langs zouden komen. Anna prikte even met de breinaalden in de arm van haar vader. Er kwam geen reactie. Ze pakte zijn bontjas van de kapstok en gooide die over hem heen. In één moeite door greep ze de hond in zijn nekvel. Het kraakte even, zoals wanneer je een stap doet in een pas bevroren plas water. Ze trok het beest naar binnen en sloot de deur. In de zijkamer deed ze haar berenvel en haar wanten aan en zette haar bontmuts op. Gelukkig was de sneeuwstorm al een paar uur eerder opgehouden. Ze zou haar vader naar binnen rollen en bij de kachel zetten. Het kon wel even duren, maar hij zou vanzelf wel ontdooien. Jammer dat de verlichting weer was uitgevallen. De bolletjes gaven ook behoorlijk wat warmte af. Ze zette een krukje dat ze van Clemens had gekregen op de kant en trapte de pootjes er stuk voor stuk af. Het kostte haar moeite. Een stevig werkstuk. Hij had er vast extra zijn best op gedaan. Het zitvlak was ingelegd met hartvormige motieven. Pas nu zag ze dat in een hoekje haar initialen waren ingebrand. Het restje kolen ging erbij. Met wat zou ze het vuur nog verder op kunnen stoken? Ze keek rond. Aan koper had je niets als je het koud had. Dan was een timmerman beter af. Ze besloot om ook de kaarsenstandaards op te offeren. Als ze haar vader moest geloven waren die binnenkort toch niet meer nodig.

Anna hing de donderbus om haar schouder en liep naar buiten. Ze keek even om zich heen. Was het Clemens die daar achter zijn keukenraam zat? Of was het de pop die hij gebruikte om de spionnen te misleiden? Haar kon hij niets wijsmaken. Clemens Bramzoon was voor Anna Domin volkomen doorzichtig. Zelfs gedachten kon hij niet voor haar verbergen. Zou ze hem om hulp vragen? Zijn beitels zouden nu wel van pas komen. Met de kolf van de donderbus ramde ze een paar keer op het ijs dat zich rond de voeten van haar vader had gevormd. Gelukkig waren de klompen die Clemens voor Domin had gemaakt extra solide. Anna zette haar schouder tegen haar vader aan. Er zat nog niet veel beweging in. Zou ze een schot op het ijs afvuren? Ze grinnikte. Alsof koning Vorst daarvan zou schrikken en prompt met zijn vazallen sneeuw, ijs en snijdende wind de aftocht zou blazen. Een flinke brandende fakkel zou meer indruk maken. Of een pan met kokend water. Ze pakte de bontjas van haar vaders schouders, liep ermee naar het huis van Clemens en bonsde op zijn deur.

Zonder te vragen wie er was, rukte Clemens zijn deur open. Desnoods zou hij dan maar ten prooi vallen aan de uitgehongerde dieren. Hoe lang had hij eigenlijk geslapen? Was het vale licht nog dat van de ochtend of begon het al te schemeren? Vlak voor zijn neus stonden twee beren. De ene was wat slapjes en werd onder-steund door de ander.

'Wil je me even helpen?' vroeg de beer met de stem van Anna. Wat zijn die beesten toch wreed! Als hij zich snel omdraaide kon hij de indringers met een paar potten jam bekogelen. Daar zou-den ze wel even zoet mee zijn. Clemens deed een paar stappen terug. Tot zijn verbazing droeg een van de beren een donderbus op zijn rug. Die beesten werden ook steeds slimmer. Hij sprong geschrokken opzij. De beer die zich slapjes had voorgedaan deed een uitval naar hem.

'Hier, trek dit aan,' zei Anna. Ze had de bontmantel van haar vader naar Clemens toegegooid. Hij had echt een bril nodig. Op een keer zou hij haar per ongeluk nog wat aandoen. Of zomaar een echte beer mee naar binnen nemen en uitnodigen voor een lekker glaasje kersenlikeur. 'Zo denken de spionnen dat je mijn vader bent,' zei Anna. 'We moeten wel opschieten. Ik weet niet wat jullie allemaal hebben gedaan, maar mijn vader staat vastge-vroren voor onze deur. Jullie waren toch in de kelder bezig? Je hebt ook je gereedschap nodig.'

Clemens deed de jas aan en schoot in zijn gevoerde laarzen. Hij trok zijn hoofd tussen zijn schouders en boog zijn rug. De riem met gereedschap zorgde ervoor dat de jas in de buikstreek be-hoorlijk opbolde. Als hij af en toe hol zou lachen en zich op zijn dijen zou slaan, leek hij vanuit de verte beslist op zijn aanstaande schoonvader.

Met drie tikken van zijn zware hamer sloeg Clemens het ijs rond Domin stuk. Hij grinnikte toen hij met een extra klap een van de klompen in tweeën brak. Niet meer dan twee tellen. Voor je het wist zat je in de winter aan een gelaatsuitdrukking vast.

Domin was het lachen vergaan. Een macabere grimas. Zo moest hij er ongeveer uitzien in de weerspiegeling van het koper, voordat hij zijn tronie met een paar rake klappen weer in het gareel bracht.

'Snel, naar binnen!' riep Anna ineens luid. Ze gaf de hurkende Clemens een zet. Die rolde met Domin zo de vestibule in. Anna schouderde het geweer en loste twee schoten. Door de tuitachtige vorm van de loop vloog de hagel alle kanten op. Het echode door het dal, alsof er tientallen jagers tegelijkertijd aan het werk waren.

Het was niet voor niets een donderbus.

De terugslag wierp Anna in de armen van Clemens. De wolven trokken zich jankend terug. Clemens bedacht dat hij voor de volgende winter de hokken van zijn dieren extra moest verstevigen. Hij schopte in een reflex de deur in het slot.

Het was maar goed dat Domin met zijn hoofd in een koperen ketel terecht was gekomen. Zo kon hij niet zien hoe Anna en Clemens op het dikke, zelfgehaakte kleed een voorschot namen op hun huwelijk. Al was de koperslager toch te verstijfd om iets te kunnen ondernemen. En horen kon hij het evenmin, want in de pot suisden zijn oren. Het rustgevende geluid van de golfslag van de zee. Aan de toog had Domin tegen Clemens gezegd dat hij een paar keer in de branding had gestaan. Clemens had geknikt en het glas van de koperslager opnieuw volgeschonken.

Nadat ze Domin hadden bevrijd van zijn eigen hamerwerkje zetten Clemens en Anna hem voor de kachel. Hij werd gestut met drie bedpannen met lange stelen. Anna legde wat breiwerkjes rond hem heen zodat hij zacht zou vallen als hij eenmaal ontdooid was. Het kon wel even duren. Voorlopig stond hij nog stram voorovergebogen, zo ver als zijn buik toeliet, als bestudeerde hij de aders in de natuurstenen vloer.

'Kom eens mee,' zei Anna tegen Clemens. Ze trok hem aan zijn hand achter haar aan. Anna bleef even onbeweeglijk bij de tafel staan.

Clemens wachtte op wat komen ging. Op een gebreide mouw na was de tafel volkomen leeg.

Anna boog zich naar voren en hield haar hoofd schuin. Had de wind de as verwaaid? Ze had het gruis toch stevig aangedrukt? Was het gekomen doordat de buitendeur te lang had opengestaan? Maar hoe was het te verklaren dat er geen enkel putje meer te zien was in het tafelblad? Alsof Clemens er dagen aan had geschuurd en er een paar nieuwe lagen lak op waren aangebracht.

Anna pakte de mouw van tafel. 'Kijk, ik ben een huisjas voor je aan het breien,' zei ze op iets te luide toon. Uit haar schort haalde ze haar breinaalden. Zo hadden haar handen wat te doen.

Clemens liep naar de kachel en klopte de koperslager tussen zijn schouderbladen.

Het bovenlichaam van Domin rechtte zich als een springveer.

Een enorme rochel verliet zijn geteisterde longen. Prompt viel hij neer op zijn rug. Had Clemens zijn toekomstige schoonvader de genadeklap gegeven?

Anna knielde bij haar vader neer. Clemens zat tegenover haar op zijn hurken.

'We waren net te laat,' zei Anna. Ze legde een van de bedspreien over Domin heen, kuste hem op het voorhoofd en dekte zijn gezicht toe. Misschien kon Clemens het goedmaken met een mooie plek op het knekelveld en een grote hoofdsteen die met extra zorg gebeiteld was.

Ze gingen aan tafel zitten. Hoe moest het nu verder? Ineens leken ze weer vreemden voor elkaar.

'Ik kan maar beter gaan,' zei Clemens. 'In de morgen kom ik terug. Met alle benodigdheden, bedoel ik.' Anders noemde hij altijd alles bij de naam: lijkwade, doodskist, begrafenisspade en hoofdsteen.

'Misschien maar beter, ja,' zei Anna. Ze keek naar de grond.

Er klonk gereutel bij de kachel.

'Zal ik later ... binnen een uur kan ik er een klaar hebben. Met koperen hengsels.' En vlammende nerven, aan de binnenzijde natuurlijk.

'Beter morgen.'

Opnieuw gereutel bij de kachel. Clemens wist dat er nog heel veel lucht in een lijk kon zitten. Zeker in dat met een pens als van Domin.

'... nog niet van me af,' klonk het gesmoord van onder de wol vandaan.

Anna rende naar de kachel en sloeg de bedsprei terug.

Domin draaide zijn ogen naar Clemens. 'Aan mij niets te verdienen. Voorlopig. Nieuwe klomp.'

Onder de sprei ging de hand van Domin omhoog, misschien een paar centimeter, om met een flauw klapje op zijn dij te landen.

Het duurde twee dagen voordat Domin weer helemaal ontdooid was. En ook daarna keek hij Clemens en Anna nog een tijdje niet aan. Eigenlijk vond hij het allemaal een goede grap, maar ze mochten nog even lijden. Zijn dochter had hem zonder bontjas in de vrieskou laten staan om op bezoek te gaan bij haar vriendje.

En Clemens had expres zijn klomp gebroken. Al na een dag had hij een paar nieuwe gekregen. Ze waren nog steviger dan zijn oude paar. Clemens had er niets voor willen hebben. Dat was pas een goede grap geweest.

Clemens hakte zijn tafel in stukken en nam zelfs de planken uit het keukenkastje en huwelijksgeschenk mee naar het huis van Domin. De kachel van Clemens floot hem uit. Het bakbeest moest er maar aan wennen. De huizen Bramzoon en Domin waren nu eenmaal met elkaar verbonden. Al een paar dagen ondergronds, als een soort verloving. En over enkele uren ook in de bovenwereld.

Vreemd genoeg had Domin erop gestaan dat ze in de kerk zouden trouwen. 'Laten we de schijn nu maar ophouden. Dan komt de klap later des te harder aan. "Uit de eigen gelederen" zullen ze vol verbazing uitroepen.' Domin kletste zich al weer met enige kracht op de dijen. Maar sinds zijn bevriezing had zijn stem minder kleur. 'Na de inzegening wordt het tijd om je in te wijden,' zei Domin.

Clemens was toch al getrouwd geweest?

De dorpsoudsten spraken in de kerk alleen maar lof. De telgen uit twee aan de gemeenschap en de Kerk toegewijde families werden in de echt verbonden.

Het hele dorp zou van die verbintenis profiteren. Domin wist dat hij er goed aan had gedaan. De vader zaliger van Clemens, zijn beste vriend, zou trots op hem zijn geweest. De strenggelovigen wilden kennelijk hun belangen alvast zeker stellen. Clemens was een handige jongen. Binnen een paar dagen zou hij hem de kneepjes van de koperhandel hebben bijgebracht. Dan beheerste hij bijna alle ambachten in de streek. De dorpsoudsten zouden hem nodig hebben voor de reparatie van het dak. Domin zou hem leren hoe je kon zorgen dat er af en toe een kleine lekkage ontstond. Als timmerman zou hij eens in de zoveel tijd balken en kerkbanken moeten vernieuwen. En over tijd gesproken: niemand was zo handig met uurwerken als Clemens. Het was de strenggelovigen er alles aan gelegen om de klok op tijd te laten lopen. Ach, en als steenhouwer en doodgraver was er rond het kerkgebouw ook altijd wel wat te doen.

Anna was handig met de breipennen en draad en naald. Binnenkort zou hij voor haar een weefgetouw regelen. Dan kon ze nog sneller kledingstukken maken. Ja, Domin was een man die vooruitdacht. Ergens in een gewelf had hij nog een grote voorraad wol van de zwarte schapen van Clemens. Wat had die jongen vreemd opgekeken toen hij hem er behoorlijk voor had betaald! Domin sloeg zich een paar keer zacht op de dijen, precies in de maat van een psalm die de strenggelovigen aanhieven.

Na het aanstaande echtpaar was de koperslager zelf aan de beurt. Hij kon zijn binnenpret nauwelijks verbergen. Die zweefde als een enorme rochel bijna hoorbaar in zijn borstkas rond.

'Met zijn koperwerk smeedt hij de gemeenschap tot een hechte eenheid.'

Ze moesten eens weten. Domin had voor de gelegenheid een verblindend tenue aangetrokken. Zijn vest bestond uit kleine rood- en geelkoperen vierkantjes. In elk stukje had hij aan de bovenzijde twee gaatjes gestanst. Anna had ze in een stief kwartiertje op een van zijn vesten genaaid. Als hij liep dan rinkelde het als het kopergeld in de collectezak. Wanneer hij eenmaal zat dan had hij wel iets weg van een van zijn beroemde koperen ketels. Binnenstebuiten als het ware. Het breisel zat hier aan de binnenkant.

Anna had haar vader ervan kunnen weerhouden om van een kleinere ketel een helm te maken. Het suizen van zijn oren was hem zo bevallen. De zee, de golven en de branding. Bovendien hoefde hij dan de toespraken van die zijige types niet aan te horen. Als alternatief had hij zijn oren met was volgestopt zodat de donderpreken omfloerst binnenkwamen, ontdaan van hun scherpte.

De sprekers negeerden de uitdossing van Domin. De strenggelovigen begluurden hem alleen vanuit hun ooghoeken. Een enkeling zei iets tegen de kerkganger naast hem of haar, de mond verborgen achter de hand of het gebedenboek.

Anna had de maten van Clemens goed geschat. Het huisjasje paste hem precies. Zoiets had hij nog nooit aangehad. In de spiegel in de hal zag hij dat zijn gezicht er heel vaal van werd. Bijna net zo bleek als van de lijken die hij op zijn knekelveld begroef. Alsof al het bloed uit zijn hoofd naar het vest was gestroomd.

Anna begreep ook niets van de kleur. Kwam het door haar roodgloeiende breipennen?

Domin pakte de handen van zijn dochter vast, draaide ze om en kuste de palmen. 'Vaardige vingertjes. Reken voorlopig niet op ons. We zijn wel een paar dagen bezig. Kom zoon, we gaan.'

Clemens stond al bij de voordeur. Zijn hoofd minstens tien centimeter van het eiken.

'Verkeerde deur,' zei Domin. 'Ik raad je aan om die bontjas en die muts uit te doen.'

Had Domin niets geleerd van zijn bevriezing? Juist de laatste dagen van de winter konden nog heel verraderlijk zijn. Toch luisterde Clemens en hing zijn bontjas aan de kapstok in de vestibule.

Domin draaide zich ouderwets energiek om. 'Je kent de weg.' Het vest met de koperplaatjes rinkelde vrolijk.

Clemens stal een kus bij Anna. Hij moest nog steeds wennen aan het idee dat hij weer getrouwd was. Feitelijk had zijn vorige huwelijk maar een jaar geduurd.

De werkkiel van Clemens lag over een stoel in de kamer. Anna pakte een hanger en hing het hemd op. Het gebreide hoesje met de gebruiksaanwijzing viel uit de binnenzak. Ze legde het op tafel, in afwachting van haar man. Nu ze getrouwd waren konden ze het boekje samen bestuderen. Vier ogen zagen meer dan twee.

De kachel likte zuinig aan een plankje. Er waren nog maar drie stukken hout over. Anna liep naar de hoek van de kamer en keek even uit het raam. Het was moeilijk voor te stellen dat het ijs zich over twee dagen al in de bergen zou terugtrekken. Ze pakte een bezem en veegde de vloer. Er lag bijna niets. Alleen wat koperslijpsel. Zou Clemens zijn boekje niet missen? Of had hij het expres voor haar achtergelaten? Anna ging aan tafel zitten. Voor het eerst sinds tijden had ze geen zin in een brei- of haakwerk. Ze trommelde wat met haar vingers op het hout. Zou ze alvast wat te eten klaarmaken? Dat was normaal het werk van Domin. Hij roerde graag over de extra dikke bodems van zijn eigen koperen pannenset.

Anna stond resoluut op. Ze had geen honger. Toch stak ze een stuk bleke schapenkaas in haar mond. Ze zou even bij de beesten van Clemens gaan kijken, al had ze dat een uur eerder ook al gedaan. Ze pakte haar bontmuts en berenvel en liep naar buiten.

Het ijs was inderdaad al beduidend minder hard dan eerder in de week. Het kraakte nauwelijks.

Anna liep tegen een man aan die de grote rand van zijn zwarte hoed met een touw om zijn oren had gebonden. De rouw was toch al afgelopen? Clemens en zij waren keurig in de kerk getrouwd. Wat deed de spion van de dorpsoudsten hier? Normaal waren de raven niet te betrappen.

Hij deed zijn handpalmen tegen elkaar. Dat had hij een paar dagen eerder buiten niet moeten doen. Dan waren ze misschien wel voorgoed aan elkaar blijven zitten. Al zou dat niet veel uitmaken voor een strenggelovige.

'Ik wil graag uw man spreken,' zei het zwartpak. 'Er is … een dode gevallen,' zalfde hij er snel achteraan.

'Mijn man is even bezig. Een naar klusje. Onder de grond. Begrijpt u wel?' Feitelijk had ze daarmee geen leugen verteld.

'Nee, vertelt u eens,' drong de spion aan.

'Zoals u wilt. Eens in de zoveel tijd moet er geruimd worden. Daarvoor gebruiken ze een grote bottenkraker.'

'Ik was net op het knekelveld. Daar heb ik uw gemaal niet kunnen vinden.'

Hij was niet de enige volhouder. 'Ze moeten vaak heel diep graven,' zei Anna.

'Is hij niet alleen dan?' vroeg de man. Nu ineens een en al oor. Het touw was van zijn hoed gesprongen. Die spionnen zagen ook overal spoken. Maar wat graag zou hij een samenzwering melden aan zijn superieuren.

'Mijn vader, koperslager Arno Domin, is met mijn man mee.'

Dit was iets te hoog gegrepen voor de spion. Een jonge vrouw en een doodgraver kon hij nog wel aan, maar de koperslager was van een andere orde. Hij lichtte zijn hoed, deed een paar stappen naar achteren, draaide zich om en verdween in looppas.

Anna stapte naar binnen in het huisje van Clemens. Feitelijk was het ook haar huis, maar ze voelde zich voorlopig nog steeds een bezoeker, de voormalige hulp van zijn eerste vrouw. Gelukkig was de deur niet afgesloten. Het zware eiken van haar ouderlijk huis had Anna in het slot laten vallen. Haar vader was de eerste bewoner van het gehucht die zijn deuren op slot deed. Alleen bij de dorpsoudsten moest je ook aankloppen.

De grote haard hield zich doodstil. Wanneer ze voorheen de deur opende, begroette de bruut haar met een vijandig gesis, als een kat in het nauw. Ze opende de grote klerenkast en pakte er wat gebreide sokken, vier hesjes, een stapel handdoeken, zes washandjes, een bedsprei en een stel eierwarmers uit – ze glimlachte weer. Waarom had haar vader haar niet meegenomen?

Ze slenterde wat rond door de twee vertrekken, veegde met haar vinger over de tafel en de tegels van de haard. Die was er echt geweest. Ze tikte even op het reservoir van de olielamp. Die had ze straks wel nodig. Misschien dat Clemens in de kelder nog wat petroleum had. Anna opende het luik en moest even haar hand met gespreide vingers voor haar gezicht houden. Voorzichtig daalde ze af in de helverlichte ruimte. In de achterwand van de kelder zat een groot gat, een onverwachte uitweg. Ze nam de treden met twee tegelijk naar boven, deed de breisels in de sprei, greep haar berenvel en daalde de trap weer af. Ze sloot het luik zorgvuldig. Waarschijnlijk zouden de spionnen ditmaal ook het huis van Clemens binnendringen. Anna hoefde niet te bukken om door de achterwand te stappen. Ze had alleen nog iets nodig om het gat mee te bedekken. Het moest stevig, donker en ook lichtdicht zijn. Ze liep naar een van de gewelven van haar vader en trok een stuk leer weg. Twee balen zwarte wol zouden wel voldoende zijn.

De dorpsoudsten waren met spoed bij elkaar gekomen. Een van de spionnen kwam buiten adem bij de kerk. Het duurde even voordat hij verslag kon doen. De voorzitter van de kerkenraad tikte ongeduldig met zijn staf op de grond.

'Van doodgraver Bramzoon niets te bekennen. Al sinds het huwelijk met de dochter van de koperslager niet meer.'

'De laatste paar diensten was hij er met zijn hoofd niet bij,' zei een van de prelaten.

'We hebben de hele omgeving afgezocht,' vervolgde de spion. 'Niemand gevonden. Wel een omheind stuk grond met een schuur. Tussen de bomen verscholen. Niet aangemeld.'

'En koperslager Arno Domin?' vroeg de voorzitter.

'Geen spoor van hem, noch van zijn dochter.'

'Iedereen heeft de vreemde uitdossing van de koperslager bij de huwelijksvoltrekking kunnen zien,' zei een lid van de kerkenraad. 'Hij trekt zich van niemand meer wat aan.'

'Is er misschien een andere mogelijkheid voor de dakbedekking van de kerk?' vroeg een ander raadslid vertwijfeld. 'Een dak van leisteen of eentje van ijzer. Leeft de smid eigenlijk nog wel?'

'Die is allang in het bezit van de doodgraver,' antwoordde de voorzitter. 'En daar zie ik het grootste probleem. Laten we niet vergeten dat hij ook de klompenmaker, timmerman, horlogemaker en steenhouwer is. Dat leistenen dak kunt u dus wel vergeten.'

'Straks gaat de klok achterlopen.'

'En breken onze klompen.'

'Of zakken de balken door.'

'De banken rotten weg.'

'Het sluitwerk van de gebedenboeken wil niet meer open.'

'En uiteindelijk komt de koperen hemel op ons neer,' zei de voorzitter. 'Kalm nu, heren. We moeten iets bedenken. Een permanente oplossing. Vanmiddag wil ik alle dorpsbewoners in de kerk verzameld zien.'

De spionnen zouden de boodschap overbrengen.

De situatie was ernstiger dan de meeste dorpsoudsten vermoedden. De voorzitter dacht aan het pamflet dat een paar dagen eerder in de kerk was opgedoken. GRENZEN SCHEIDEN, MAAR DE NATUUR VERBINDT. Wie bedacht zulke perverse teksten? Waar kwam dat stuk papier vandaan? Moest hij de drukker van het kerkblad ondervragen? En hoe waren ze naar binnen gekomen? Voor de ramen zaten tralies en de poort was altijd op slot. De kerkbewaarder had de ene sleutel, de andere hing om zijn eigen hals.

Een week eerder waren een paar strenggelovigen zich bij hem komen beklagen. In hun bijbels hadden ze vreemde bidprenten aangetroffen. Ansichtkaarten van het dorp. Gekleurd! Uit de tijd dat de seizoenen het nog voor het zeggen hadden. Bloedrode kersen aan de bomen en vergulde velden. Vol afschuw had de voorzitter ze ter vernietiging in beslag genomen. Eentje bewaarde hij er. Voor de zekerheid in een gebreid hoesje.

Domin stond in de kelder te wachten boven op de doorzichtige doos met raderen. Hij knoeide wat aan een leiding. 'Kijk, dat is ook een voordeel van dit materiaal. Het geleidt niet. Ik kan het koperdraad zonder problemen vastpakken.' Hij liet zich op de grond zakken. De leiding was tussen een paar plaatjes van zijn vest blijven steken. Er ging een siddering door hem heen en hij maakte een voor zijn leeftijd ongebruikelijk hoge sprong. 'Schrikdraad. Ik heb het je gezegd. Als je ook even niet oplet. Wel een opkikker.' Domin schoot vooruit. 'Loop even met me mee.'

Clemens deed de bovenste knopen van het huisjasje open. Hij was alleen een ruime kiel gewend.

Domin begon te zingen. Hij was inmiddels weer bij stem. Schijnbaar zonder veel moeite baande hij zich een weg door de rotsachtige klei. Alsof op de tonen van zijn bariton het gesteente week werd. 'Nog eventjes en dan ben ik er,' zei Domin. Hij ontblootte een stenen trapje en ging zitten. 'Hier is het allemaal begonnen.'

Clemens leunde op zijn pikhouweel. Die had hij alleen nog maar op zijn schouder gedragen.

'Ik vertelde aan mijn kroegvrienden dat ik mijn koperslagerij naar de kelder had verplaatst. De zaken gingen goed, dus ik hakte een paar extra gewelven uit in de berg. Jouw vader was direct enthousiast. Die wilde ook ondergronds. Dat zat hem natuurlijk in het bloed als grafdelver. Maar de rest deed er een beetje lacherig over. Bierpolitiek.'

Clemens ging zitten. Hij pakte wat van de klei in zijn handen. Nu begreep hij waarom Domin zo snel te werk had kunnen gaan. Het was voornamelijk zwarte wol.

Domin pakte zijn zakflesje en nam een slok.

Nog nooit had Clemens hem de flacon zien bijvullen.

Clemens moest denken aan de eerste keer dat hij het flesje zag. Hij leverde net een groot aantal breisels af, toen een klant zich beklaagde over deuken in een beddenpan.

'Beste doodgraver,' zei Domin. 'Je komt als geroepen. Leen me je hamer.'

De klagende dame maakte een afwerend gebaar, een angstige grimas op haar gezicht. De koperslager deed zijn riem af en legde het leer op de gedeukte deksel. Hij aaide er een paar keer met de zware tienponder overheen. Slaan kon je dat niet noemen. Hij scheurde een reep van zijn hemd af, haalde een flesje uit zijn binnenzak, spoot een beetje van de inhoud op de lap en wreef over de bovenkant van de beddenpan. Voordat hij de flacon weer wegborg nam Domin zelf ook nog een slok. Dronk hij koperpoets? Hij kneep zijn ogen dicht en schudde even met zijn hoofd. 'Als nieuw,' zei hij terwijl hij op zijn buik klopte.

'Dat moet ik beamen,' zei de klagende dame. Ze vertrok, maar niet voordat ze een gebreide hoes had gekocht.

'Hoe onbeleefd van me,' zei Domin. Hij haalde het flesje weer uit zijn zak en hield het Clemens voor. Die bedankte voor de eer.

'Je bent niet de enige met eigen stook,' zei Domin. 'En deze is niet van die bleke vruchtjes. Daarom wordt mijn roodkoper zo mooi kersenrood.' Hij stopte zijn pijpje en stak er de brand in. Kon dat eigenlijk geen kwaad met de hoge temperaturen in de gewelven?

'Je vader en ik zijn aan het eind van die avond gelijk naar beneden gegaan. De kroegbaas stelde een leeg wijnvat ter beschikking. Die ton was zo groot dat je er rechtop in kon staan. Ik althans. We zaagden een stuk uit de achterkant en je vader begon gelijk te hakken. Die nacht zijn we zeker een meter of vijf opgeschoten. Het heeft ons een halfjaar gekost voordat we bij mijn koperslagerij waren. Toen zijn we aan wat zijtakken begonnen. Eerst eentje naar de smidse. Maar de smid kwam vroegtijdig te overlijden. Achteraf gezien was dat maar goed ook. Niet voor hem, het was een beste man, maar zijn vrouw was zo vroom dat ze ons beslist had verraden. Vlak voordat we bij jullie huis zouden doorbreken legde ook je vader het bijltje erbij neer. Ik ging alleen verder.'

Het was een wonder dat niet het hele dorp in de aarde was verdwenen.

'Ik had toch kunnen helpen,' zei Clemens.

'We maken nu het werk af. Dat is toch ook mooi? Ik wist niet of ik je kon vertrouwen. Anna vertelde me dat je thuis nooit meer in die bijbel keek. Dat de spinnen er een web omheen hadden geweven. Maar in de kerk zong je op 't hardst mee. Als ik erlangs rende, hoorde ik je boven iedereen uit.'

'De teksten kende ik uit het hoofd.'

'Zonde van de ruimte.' Domin klopte zijn pijp leeg.

'Omdat ik ze vanbuiten kende, kon ik ondertussen afdwalen. Clemens, de schutspatroon van zeelieden.'

'Ach ja, het ruisen van de branding.' Domin drukte de was in zijn oren een beetje aan. Hij sloeg zich een paar keer op de dijen.

Ditmaal ter aansporing. Hij lachte ook niet. Hij tikte met de hamer van Clemens een aantal maal op de wand. 'Het is een tijdje geleden.' Domin maakte een metalen ring vrij en trok eraan. 'Kom maar mee, je zult verbaasd staan.'

Clemens schouderde het pikhouweel.

Domin opende een deurtje. Clemens veegde het stof van het hout. Eiken. Gevlamd, ondergronds maakte dat natuurlijk ook niet uit.

In de kelder van het café zaten bijna alle mannen van het dorp verzameld rond een paar biervaten met kaarsen erop. Hadden de koperslager en zijn schoonzoon een geheime bijeenkomst gestoord?

'Er was weer een oproep van de kerkenraad,' zei een van de mannen. Hij trok daarbij zijn nek in en hield zijn handpalmen naar boven. Een boer die de regen afwoog. 'We wisten zo snel niet waar we ons anders moesten verschuilen voor de spionnen.'

'Daar hebben jullie goed aan gedaan.' Domin trok zijn harnas recht.

'We hebben er genoeg van!' riep een jongen. 'We willen ondergronds!'

Wat zou er in de buitenlucht van deze jeugdige bravoure overblijven?

'Dat komt goed uit. Geef ons een paar uur.' Domin stapte het lege wijnvat in. Voordat Clemens het deurtje dichtdeed en de wijnzak aan het kraantje vastmaakte, hoorde hij een van de mannen zeggen: 'Domin is de aangewezen man.' Instemmend gemompel. 'En de doodgraver als zijn rechterhand.'

'Nog een laatste klus.' De koperslager trok Clemens mee aan zijn mouw. 'Maar dat is wel de belangrijkste. Daarbij moeten we zachtjes te werk gaan. De dorpsoudsten zijn de laatste tijd op hun hoede. Als ze een psalm zingen kunnen we er flink op los hakken.'

Zoals in bijna alle dorpen was de kroeg, tot ergernis van de strenggelovigen, niet ver van de kerk. Waarschijnlijk hadden ze maar een halve dag nodig.

'Bramzoon, de tijd is nu gekomen dat ik je nog iets anders geef.' Domin was er in het grote lege wijnvat over gestruikeld. Hij overhandigde een grote doos. Clemens blies over het deksel. Er stond een tekst op in een sierlijke krulletter:

'Vanaf hier ben ik verdergegaan met hakken,' zei Domin. 'Je kunt het verschil wel zien met het werk van je vader.'

De wanden waren gladder. Domin was natuurlijk gewend om butsen uit het koper te slaan. 'Ik heb altijd eer gesteld in mijn werk. Het liefst had ik de hele gang met geelkoper beslagen. Kun je je voorstellen hoe dat zou stralen?'

Clemens had al moeite genoeg met de weerkaatsing van Domins vest.

Gelijk om de bocht stond een grote handkar beladen met koperwerk.

'Dat is het mooiste wat er is,' zei Domin. 'Ik haal dat koper bij die lui. Smelt het wanneer nodig, buig het, hamer er een beetje op, doe er een hengsel of een steel aan vast en verkoop het voor honderd keer de prijs van het ruwe materiaal aan hen terug.' Sinds Domin zijn blinkende tenue droeg, leek het hem beter te gaan. Het koperen vest hield hem overeind. 'En dan niet voor dat geld dat bij ons in het dal rondgaat. Dat is in de buitenwereld niets waard.'

Hoe zat het dan met het dak van de kerk en met al die ketels en beddenpannen in het dorp waarvoor Clemens breisels had verkocht?

'Je hebt het handig aangepakt,' zei Domin. Hij klopte zijn schoonzoon op de schouder. Al moest hij daar wel een sprongetje voor maken. 'Ruilhandel is in het dal het beste wat je kunt doen.'

Was de helderziendheid van Anna misschien erfelijk?

'Al zullen na verloop van tijd de bewoners niet veel meer in de aanbieding hebben,' vervolgde Domin. Hij bleef even staan en wreef een paar maal over zijn kin. Dat moest hij al vaak hebben gedaan. Zijn kaak glinsterde van het koperstof. 'Daar is nu een mooie taak weggelegd voor ons samen. Maar eerst nog een laatste klus hier beneden.'

Het gesteente onder de kerk leek wel harder.

'Een oeroud fundament,' zei Domin. Tegen het lawaai van het vallende gesteente duwde hij wat van de zwarte wol tegen de muur. Ze konden geen pottenkijkers gebruiken. 'Al zullen die strenggelovigen niet zo snel afdalen naar de hel. Die bidden gewoon wat harder als het rommelt onder de grond.'

Domin stond erop dat hij zelf het allerlaatste stukje wegtikte. Met de kleinste beitel van Clemens ging hij aan de slag. Hij nam grote tussenpauzes om te luisteren. Nadat hij het laatste stuk had weggehaald, stuitte hij op iets vreemds. Hij tikte er met zijn knokkel op. 'Probeer jij eens,' vroeg hij aan Clemens,

'Eiken,' zei de timmerman in de doodgraver. 'Ja, beslist eiken, zeker twintig jaar oud.'

Hadden de dorpsoudsten nog een laatste barricade opgeworpen? Vermoedden ze toch dat de toorn niet uit de hemel kwam, maar van onder de grond vandaan?

'Ik herken de nerf,' zei Clemens.

Hoe was dat nu mogelijk?

'Van een boom die ik zelf gerooid heb. Daar heb ik alleen kisten van gemaakt. Het moet een grafkist zijn.'

Gooiden de strenggelovigen nu hun voorvaders in de strijd?

'Misschien als we samen duwen,' zei Domin.

Ze zetten hun schouders er tegenaan. Het geluid van ongeoliede wieltjes. Gelukkig leek het op het piepen van muizen. Domin liet zijn schoonzoon voorgaan.

'Dacht ik het niet,' zei Clemens. 'De kist die ik voor de vorige dorpsoudste heb gemaakt.'

Domin kroop nu ook door het gat. Hij pakte zijn zakflesje en spoot wat van zijn koperpoets op de roestige wieltjes. Beter kon het niet. Ze waren achter in de crypte doorgebroken. Als ze weggingen, hoefden ze om de ingang te verhullen alleen maar de kist achter zich dicht te trekken.

'Die prelaat draait zich om in zijn kist,' zei Domin. Ooit zou hij ook in deze gewelven hardop kunnen lachen. 'Kom, we kijken even boven. Het is erg stil. Misschien staan ze achter de deur te wachten om ons op het hoofd te timmeren.'

Clemens hield zijn pikhouweel gereed. De grote deur ging zonder een enkel kraakje open. Werden de crypten nog veel gebruikt? Hun klompen hadden ze achtergelaten onder de hoede van de dode prelaat.

Domin schoof voorzichtig het gordijn achter het altaar een paar centimeter opzij. 'Wat denk je, zijn ze op de vlucht geslagen?' Waarschijnlijk had hij de strenggelovigen het liefst op hun eigen terrein een lesje geleerd. 'Ik zie zelfs die oerlelijke kerkbewaarder niet,' fluisterde hij. De koperslager voelde in zijn kiel. Zou hij alweer een slok van zijn eigen stook nemen? Domin pakte er kleurige ansichtkaarten van het dorp uit, zwaaide het gordijn opzij en liep naar de kerkbanken. In elke bijbel stopte hij een plaatje. 'Kijk maar eens naar dít bidprentje,' prevelde hij. De bejaarden zouden zich de goede tijd nog wel herinneren. En de jongeren zouden benieuwd zijn. Nieuwsgierigheid is een goede eigenschap van de jeugd. De ondergrondse beweging kwam nu pas echt goed op gang. Domin zou Anna vragen om een hoop doeken te weven. Hij zou ze persoonlijk in allerlei kleuren verven, al had hij nog geen idee hoe hij dat precies moest doen. Daarna zouden ze die overal in het dorp ophangen. Domin en Clemens hadden nu hun eigen hulptroepen. Een onverwachte ontwikkeling.

Ze dekten het gat naar de crypten af met wat van de meegebrachte zwarte wol. Voor de zekerheid schepten ze er wat aarde tegenaan. Zodra ze weer in de kerk moesten zijn, waren ze met twee klappen binnen. De volgende dag zouden ze gewoon bij de jaarlijkse boerenmarkt hun stalletjes bemannen. Alsof er niets was gebeurd.

'Er is aardig wat volk,' zei Domin. 'Heb je al iets kunnen slijten?'

Clemens schudde zijn hoofd en schaafde verder aan een klomp.

'Leen me even je hamer. Ik zal wat vuur in dat publiek slaan.' Domin deed zijn riem af en legde het leer op de met koper beslagen houten wielen. Ditmaal hamerde hij er stevig op los. De vonken sprongen in het rond.

Zelfs zonder bril kon Clemens zien dat deze mensen nooit hun handen gebruikten tijdens hun werk.

Hij had de klompen klaar en wilde aan een nieuw paar beginnen toen iemand een plaatje marmer voor zijn neus legde en zei: 'Op het bordje staat dat u ook steenhouwer bent. Kunt u voor mij een tekst beitelen?' De man gaf Clemens een papiertje.

'Excuus, ik vrees dat ik daar een bril bij nodig heb.'

'Dan bent u bij mij aan het juiste adres. Staat u mij toe dat ik u een van mijn monturen schenk.'

'Dat kan ik niet aannemen,' zei Clemens. 'Mijn verjaardag is al weer een tijdje terug.'

'Dan beschouwt u het toch als een betaling voor het werk. Een enkel montuurtje kan ik wel missen. Ik ben het hoofd boekhouding van een brillenfabriek.'

Clemens zou extra zijn best doen op de tekst.

Als Sint Andries onder sneeuw moet bukken
Zal het volgend jaar geen koren lukken

Domin keek meewarig naar het marmeren plaatje. 'Die kerel spot met ons oude volksgeloof,' siste hij in het oor van Clemens.

'Het is prachtig, maar er ontbreekt nog iets,' meende de brillenkoker. 'Misschien kunt u mijn initialen en mijn geboortedag erbij beitelen.'

*AD * 30 november †*

Uit gewoonte had Clemens er ook alvast een kruisje achteraan gebeiteld. Onbedoeld was het zo een grafsteentje geworden. De boekhouder, eigenlijk gewoon schrijfklerk, keek een beetje teleurgesteld. Kon hij dit wel ophangen? Clemens had een zak gevuld met breisels en dodemanspruiken. Misschien kon hij de boekhouder opbeuren met een mooie sjaal, wat eierwarmers of een paar washandjes. Hij hield een keurig grijs haarstuk in zijn eeltige knuist.

'Een goede keus, mijnheer,' zei Domin snel. 'Een dergelijk fijn haarwerk geeft u meer statuur, zeker gezien de kleur. Een wereldwijs soort grijs.' Domin haalde zijn flesje uit zijn kiel, spoot wat van de inhoud op een koperen ketel, nam zelf een slok en bood de verbouwereerde boekhouder de flacon aan.

Die nam gedachteloos een teug.

'Ja, die tegelwijsheden gingen vroeger misschien wel op,' zei Domin terwijl hij het koper met zijn mouw opwreef. 'Toen we nog echte seizoenen hadden. De dag van Sint Andries is ook een lotdag. Die weerspreuk was vroeger aardig, maar nu ligt er op 30 november altijd een dik pak sneeuw.' Hij pakte de hamer van Clemens weer op en sloeg een paar maal op de rand van het koperen wiel.

De meeste mensen bedekten hun oren. Het lawaai van handwerk kenden ze niet meer. De fabrieken waren keurig elders in het land gegroepeerd. En hadden bovendien dikke muren en hoge schoorstenen.

'Is er verder nog iemand op een merkeldag jarig? Mijn zoon Clemens tikt zo voor u een leuke wandtegel. Iemand op 2 november? Allerzielen zonder vuur, spaart geen brandhout in de schuur.'

Er werd schuchter geklapt.

Domin raakte op stoom. 'Veel noten op het hout, maakt de winter hard en koud.'

Het applaus werd al luider.

'Is de aard met Valentijn in 't wit gehuld, dan zijn d'akkers daarna met vreugd gevuld.'

Er klonken aanmoedigingen.

'Als het regent in mei, is april al voorbij.'

Clemens trok zijn schoonvader aan zijn vest. 'Waar moet ik dat allemaal in beitelen? Er zijn hier toch geen marmerstenen?'

'Als het sneeuwt in november, valt de kerst in december.' Domin, een echte koopman, liet zich niet van de wijs brengen. 'Ik weet een oplossing. Laat de mensen de teksten maar opschrijven. Ik ben zo terug.' Hij liep naar het uiteinde van de boerenmarkt. Bij een kraam waar niets te doen was bleef hij even staan. 'Het wil niet erg vlotten,' zei Domin tegen de jongen achter de stal.

Dat was geen vakman. Hij had de verkeerde klederdracht aan en zijn handen waren die van een kantoorbediende. Zijn producten waren uit een fabriek. Geen handwerkman kan zulke perfect gelijkende dakpannen maken.

'Ik neem de hele handel over voor vier koperketels en twee beddenpannen.'

De jongen veerde op. Al dat koperwerk voor een paar van die plakken klei. Op de volgende boerenmarkt zou hij die goed kunnen verkopen. Hij bekeek Domin van top tot teen. Dan moest hij ook zo'n vest hebben met van die koperen plaatjes erop. 'Ruilhandel is de beste handel,' zei de jongen.

'Jij hebt het koopmanschap in je bloed,' antwoordde Domin. Hij liep met volle armen terug naar het oploopje bij hun eigen kraam.

De rest van de middag beitelde Clemens spreuk na spreuk in de dakpannen. Wel heel voorzichtig. Het was tenslotte geen steen maar klei. Domin verzon de teksten.

Een van de bezoeksters, de vrouw van een of andere hoge pief, kon er geen genoeg van krijgen. Zij wilde van elke wijsheid van

Domin een tegel hebben. Op het laatst had ze genoeg voor een dak op een flinke schuur.

In de grote woonkamer van het huis van Domin opende Clemens de doos die Domin uit het oude wijnvat in de cafékelder had gehaald. Er zat een mooie machine in. Hij dacht aan de woorden van zijn vader in het boekje dat in het gebreide hoesje op zijn borst rustte.

Op een of andere manier ben ik ervan overtuigd dat jij de gebruiksaanwijzing van de C B als enige onder ogen krijgt. Die zul je nodig hebben als je haar hebt gevonden. Ja, ze is vrouwelijk. Je zult versteld staan van haar rondingen en de manier waarop ze straalt. Was je ouwe vader toch nog ergens goed voor

Clemens haalde de gebruiksaanwijzing uit het hoesje en legde haar op tafel. Waren ze hier nog wel veilig? Konden ze het niet beter allemaal onder de grond bekijken?

Alleen jij, Clemens Bramzoon, kunt met behulp van dit door mij aangepaste document haar vinden. En haar op juiste wijze bedienen.

Domin kwam binnen. Zijn koperen vest zat binnenstebuiten. De vrouw van de hoge pief had in zijn kraam op haar man gewacht. Hij was pas laat in de avond gekomen. Domin pakte de doos op. 'Ik was uit alle macht bezig aan het hakken. Het werd tijd om ons te bevrijden van de kleurlozen. Toen ik niet oplette, stootte ik per ongeluk een grafkistje stuk. Het was ongeveer ter hoogte van de dode eik op je knekelveld. Er zat geen kinderlijkje in, maar deze doos. Ik ben later nog op de begraafplaats geweest, zogenaamd om het graf van mijn vrouw zaliger te bezoeken. Ik weet zeker dat je vader in dat boekje aanwijzingen heeft gegeven.'
Waarom had Bramzoon senior niet alles in de koperslagerij gestald? Misschien was hij bang dat Domin met een paar glazen eigen stook op het geheim zou verraden?
'Toen je me voor het eerst de handleiding gaf, herinnerde ik mij zoiets eerder te hebben gezien.' Weliswaar was Domin niet zo'n

begaafde lezer, maar de krulletter en het nummer waren hem bekend voorgekomen.

Ineens begreep Clemens wat zijn vader had bedoeld met de laatste zin in het boekje.

Denk aan de witte muis en je weet waar ik haar heb verstopt.
Daar vind je ook onze geschiedenis.

Nadat zijn vader in de kelder was geweest om de muizen te doden had hij de spade in de hoek gezet, het vergiet als grap op zijn hoofd gedaan en de jutezak met de lijkjes in een kindergrafkistje gegooid.

In de morgen zou Clemens naar zijn knekelveld gaan en in het hoekje onder de dode eik de kindergraven openen. Het werd toch tijd dat die geruimd werden. Niemand kwam ze meer bezoeken. Alleen Clemens zorgde dat de hoofdsteentjes er goed bij bleven staan.

Clemens haalde het apparaat uit de doos en zette het op tafel. Nu begreep hij ook de schetsen in de gebruiksaanwijzing. Met behulp van het licht van Domin zou het ding wel aan de praat te krijgen moeten zijn.

'Ik heb het verhaal over het licht nog te goed,' zei Clemens.

Domin zette de mandfles op tafel, pakte zijn pijp en zijn baaltje tabak en begon zijn relaas. 'Op een gegeven moment kocht ik een grote hoeveelheid koperdraad op. Ik sloeg het op in mijn eerste uitgehakte keldergewelf. Toen er een keer een fiets achterbleef – van een overhaast vertrokken inspecteur, meen ik – heb ik als tijdverdrijf een dynamo op het achterwiel gemonteerd. Ach, je hebt het resultaat natuurlijk gezien. Ik gebruikte het koperdraad om de stroom naar boven te geleiden. De dosering was lastig. Of ik fietste te zacht en dan had Anna nog geen licht, of ik trapte te hard en dan kwam er vuurwerk. Anna wist altijd precies het juiste tempo aan te houden. Die heeft heel wat uurtjes getrapt als ik aan het hakken was onder de bergkam.'

Ineens schoot het Clemens te binnen dat de mannen van het dorp nog steeds in de kelder van het café op Domin en hem zaten te wachten. 'Dorst zullen ze niet hebben, maar door de rouwsluiting is er nog geen stuk droog brood te vinden.'

Domin was net lekker op dreef. Eindelijk kon hij zijn verhaal een keer kwijt. Hij schonk nog een glaasje uit de mandfles. 'Ik ben zo klaar, dan gaan we daarheen. Het is tijd dat we ze het ondergrondse netwerk laten zien.' Hij trok een paar keer aan zijn pijp. De kamer hulde zich in nevels. 'Ik wist dat de dorpsoudsten, die dertig zilverlingen, zelf over stroom beschikten. Op een maanloze nacht heb ik een leiding gelegd. Sindsdien heeft domicilie Domin elektriciteit. En binnenkort zet ik het hele dorp onder stroom. En sluit ik het kerkbestuur af.' Domin kletste zich op zijn dijen, sloeg snel nog een glas achterover en stond op. 'Tijd voor onze eigen discipelen. We nemen een rol koperdraad mee. Dan sluiten we jouw huisje en het café gelijk aan op het netwerk. Vergeet de belichter niet.'

De mannen uit het dorp zaten nog steeds in de kelder van het café. De kaarsen waren bijna op en in plaats van drie stonden er nu vijf lege vaten in hun midden. Een paar mannen lagen in de hoek op wat jutezakken te snurken, een hing voorover op een krat, ook al leeg, en een ander zocht houvast bij een mandfles waarin nog een bodempje klotste.

'Mannen, de tijd is gekomen.' Domin pauzeerde om het moment gewicht te geven. 'Ik ga jullie mijn levenswerk laten zien.' Hij wees naar Clemens, die met de doos met de belichter achter hem stond. 'Zijn vader, de vorige kroegeigenaar, de smid en ik zijn er jaren geleden mee begonnen. Jullie wilden ondergronds? Volg ons maar.'

Domin had een iets enthousiastere reactie verwacht. Maar de mannen waren zoveel overvloed niet gewend. Twee stonden er met moeite op en gaven de snurkers een paar schoppen. Tien minuten later was Domins leger min of meer klaar voor vertrek. Moest hij daarmee de oorlog winnen? Van het licht in zijn gangenstelsel zouden ze wel opknappen. 'Laat het apparaat maar hier,' zei Domin tegen Clemens. 'Dat hebben we later nog nodig. Ga jij maar gelijk naar het knekelveld. Met een beetje geluk vind je alles wat we nodig hebben. Ik ga met deze getrouwen op pad. Waar is Anna trouwens? Zij moet kleurige lappen voor ons weven en de vrouwen onder haar hoede nemen. Geloof me, die heeft zo een goed verhaal gebreid.'

Clemens schouderde zijn spade en liep naar de dodenakker. Gewoontegetrouw had hij zijn bontjas aangedaan. Buiten gooide hij het vel direct in de kruiwagen. Het ijs had zich al teruggetrokken in de bergen. Een dag eerder dan zijn knieën hadden aangegeven. Dat was een goed teken. Hij opende het hek van de begraafplaats. Ook zijn werk als doodgraver zou een stuk minder eentonig worden. Nu stonden er alleen maar grijze hoofdstenen. Domin had hem verteld over praalgraven met veelkleurig marmer, met metershoge beelden en in koper geëtste foto's. 'Als het zover is,' zei Domin, 'moet je dat als eerste invoeren. Ik heb nog bergen plaatwerk liggen. Moeilijk zal het niet zijn, ze lijken hier allemaal op elkaar.'

Clemens liep naar de dode eik. Hij bleef even stilstaan bij het graf van zijn vrouw. Er was zo weinig van haar over dat hij haar bij de kinderen had begraven. Hij zette zijn spade in de grond bij het volgende grafje. Hij haalde het hoofdsteentje met één hand weg. In vergelijking met een volwassen zerk, woog het bijna niets. Ook het afdekplaatje legde hij aan de kant. Het deed hem even denken aan het stuk marmer dat hij voor de brillenkoker op de boerenmarkt had gebeiteld. Zou het nu boven diens bureau hangen?

Met vier scheppen van de enorme spade bevrijdde hij het marmeren kistje. De schop was zo groot dat hij er bij een vuurtje achter zijn huis ooit wel twee kilo aardappels tegelijk op had gepoft. Dat moest hij binnenkort ook eens met Anna doen. Rond een vuurtje zitten, bedoelde hij. Zomaar in de buitenlucht. Het begon met dat soort kleine protesten. De kerkenraad had open vuur verboden. In de kachels lieten ze het oogluikend toe.

'Alleen het vuur van het geloof is zeker toegestaan,' had Domin schamper gezegd terwijl hij zich op de borst klopte na een slok van zijn koperpoets. 'Stelletje schijnheilige geesten.'

Clemens trok, wederom met één hand, het kistje naar boven en zette het in het bergje grijze aarde dat hij net had geschept. Zou een aangespoeld bootje er zo uitzien? Hij gaf een klapje met zijn handpalm op zijn beitel. Het dekseltje verschoof een stukje. Wat zou hij erin vinden? Tientallen muizenresten? Of toch een kinderskeletje? Het was het laatste grafje dat zijn vader had gegraven.

Zulke vreemde dingen zag Clemens voor het eerst. Wie begroef er nu van die grote zilveren wielen? Hij tikte er even op met zijn steenhouwernagel. Het klonk dof. Hij opende de jutezak en stak de vier dingen erin. Wat moest hij met deze erfenis? Hij zou zijn vondst later aan Domin laten zien. Die wist vast wel raad. Zou hij alle andere kindergraven ook openen? Hij was nu toch bezig en de grond was lekker zacht. Binnen een uurtje zou hij klaar zijn. Wie weet wat hij allemaal nog zou aantreffen?

Clemens legde de jutezak met de grote schijven naast de belichter op tafel in het huis van Domin. Er zat niets anders op dan te wachten op zijn schoonvader. Wat was de koperslager eigenlijk van plan? Wilde hij de kerkenraad te lijf gaan? Hij wist toch dat de spionnen grote messen hadden en dat ze daar goed mee om konden gaan?

Clemens schrok op van hard gekletter. Hij had de zak te dicht bij de rand gezet. Een van de wielen was op de grond gevallen, rolde een metertje en sprong open. Er zat een blaadje in en een vreemde rol. Clemens pakte zijn bril uit zijn koker en las de getallen op het stuk papier. Dat waren jaartallen. Van ver voor zijn geboorte. Hij haalde de rol uit de doos. Op dat moment flikkerden de lampen in de kamer even fel op. Zat Domin weer op zijn fiets? Het licht scheen dwars door de rol heen. Clemens deed een sprong naar achteren en belandde bijna met zijn rug in de scherpe punten van de koperen sierplanten. Hij had mensen gezien. Ook al waren ze dan heel klein, ze bewogen nog wel. Had zijn vader de rollen daarom in een marmeren kist verstopt? Waren dit boze elfen van ver voor zijn geboorte? Hij kon maar beter op Domin wachten.

De rol deed hij terug in de schijf. De jutezak bond hij voor de zekerheid dicht met een stuk koperdraad. Hij legde er al zijn beitels, zijn zware hamer en twee koperen ketels op. Wie of wat het ook was, ze mochten niet ontsnappen voordat Domin en Anna terug zouden komen. Niemand zou hem anders geloven.

Als afleiding zou hij een paar klompen gaan snijden. Zijn handen trilden te veel om het horloge van de koperslager te repareren. Dat lag al een tijdje op hem te wachten.

Domin deed het geheime deurtje open van het lege vat en stapte naar binnen.

'In een wijnvat volgen we u met plezier,' zei de jongen met bravoure. Hij stapte energiek achter de koperslager aan. Dat soort zonen had de ondergrondse nodig. 'Dit hebben de strenggelovigen jullie dus altijd onthouden,' zei Domin. Hij wees naar de lampjes. Ze gloeiden extra op, alsof ze zich schaamden om in het middelpunt van de belangstelling te staan. Iedereen behalve de jongen met bravoure hield een hand met licht gespreide vingers voor zijn gezicht. Sommigen ondersteunden tegelijkertijd hun zware hoofden. Had die knul eigenlijk al een leerschool? Domin kon wel een gezel gebruiken. En Clemens kon er met al zijn vaardigheden wel een stuk of vijf aan.

Ze liepen naar de gewelven van de koperslagerij. De gangen waren zo hoog dat niemand hoefde te bukken. Toch liepen sommige mannen uit het dorp gebogen, als waren ze bang om de berg op hun kop te krijgen. Ze hadden natuurlijk als kind ook jaren met was in hun oren geslapen. Begon die reus straks niet te grommen en te donderen uit protest?

'Neem allemaal twee koperen ketels aan de arm,' zei Domin.

Clemens stootte met zijn voet tegen zijn verjaardagscadeau. Hij pakte de klos op, legde deze op tafel en sloeg de gebruiksaanwijzing van de belichter open. Hij bestudeerde de tekening van de uitsparing. Zekerheidshalve wikkelde hij een gebreid kleedje om zijn hand. Met zijn blik afgewend drukte hij de spoel vast. Een felle streep licht bescheen een paar van groot naar klein gestapelde koperketels in de hoek. Op de muur verscheen een schaduw die wel wat weg had van Domin in zijn vest met koperplaatjes.

Na een paar tellen werd het weer donker. Clemens rommelde nog wat aan de knopjes, maar er gebeurde niets meer. Via de voordeur verliet hij huize Domin. Hij vond het niet koud. Zag hij daar nu knopjes ontspruiten aan de bomen en de struiken, voorzichtig lichtgroen? Clemens keek om zich heen. Nergens een spion te zien. Daarom dorsten de planten het waarschijnlijk aan.

Zou hij naar zijn café lopen? Misschien was het beter om daar via de ondergrondse gang heen te sluipen. Hij ging zijn huis in en opende de klerenkast die hij voorheen 'het huwelijksgeschenk' noemde. Clemens was nu immers voor de tweede keer getrouwd. Voor Anna had hij een kaptafel gemaakt. Domin had Clemens een glanzend opgepoetste geelkoperen plaat geleverd als spiegel. Daarvoor verlangde de koperslager het muntgeld dat Clemens op de boerenmarkt had gekregen. 'Anders is het geen echt cadeau.'

Clemens haalde een schoon hemd onder uit de kast. De planken waren immers gebruikt om de kachel op te stoken voor de halfbevroren Domin. Hij durfde het hemd nooit aan te doen. Zijn moeder had het nog voor zijn geboorte op de groei gemaakt, van een fleurige lap stof die ze ooit van haar moeder had geërfd. Het paste wonderwel bij zijn rode huisjasje, de broek met de gallon die hij van Anna had gekregen en de klompen die hij gemaakt had van een dikke tak die Domin hem had gebracht. Het hout was exotisch, roodachtig met een vrolijke nerf, bijna een verjaardagsslinger.

Clemens kreeg zin om een sprongetje te maken. 'Desnoods in de tijd,' zei hij grinnikend. Je kon wel merken dat hij steeds meer met zijn schoonvader omging want hij sloeg zich op zijn dijen. Het deed zeer. Geen wonder met die eeltige klauwen van hem.

Op de plank in de kelder waar hij het dodemanshaar had opgeslagen, lag nog één pruik. Het was een vuurrood haarstuk met een zwarte hoed er nog aan vast. Hoe Clemens voor de begrafenis ook aan de hoed had gerukt, het hoofddeksel had niet los willen laten. Wat wil je ook na een leven lang dezelfde haardos? Clemens zette het geval op zijn hoofd. Zo was zijn gedaanteverandering wel compleet. Hij liep naar het café.

De biervaten in de kelder klonken hol. Hij schopte ook tegen wat kratten. In de flessen klotsten alleen nog wat bodempjes. Zag hij daar nu een witte muis wegspurten? Waar waren de mannen naartoe? Hadden ze zich alleen maar te goed gedaan aan zijn drank en liepen ze nu weer gedwee in het gareel? Clemens liet het bordje met GESLOTEN erop hangen. Op het moment dat hij over de drempel stapte, openden zich juist de knopjes van de aangewaaide bloemetjes in de klompen aan de gevel.

Hij ging aan zijn grijze dodenakker voorbij. Aan de doodgewaande eik zaten nieuwe twijgen. Een paar blaadjes hadden zich al geopend. Voor je het wist zou zijn eerste vrouw lommerrijk rusten. Bij de kerk huiverde hij even. Daar zou hij later terugkomen. Het liefst met Domin en zijn apostelen. Weliswaar gaf zijn nieuwe kostuum hem kracht, maar hij miste zijn hamer, zijn bei-

tels, het pikhouweel en de grote begrafenisspade. In geval van
nood kon je met de laatste ook een behoorlijke doodsklap uitdelen. Zijn nieuwe klompen maakten bijna geen lawaai, zo soepel
waren ze. Naar zijn idee danste hij bijna over de kasseien. Het
hout uit het dorp was in de loop der jaren steeds moeilijker te
bewerken geweest. Je zou kunnen zeggen dat het lomp was. 'Alles
in het dorp is murw gebeukt door die strenggelovigen,' had Domin een keer bij de maaltijd gezegd. 'Mensen, dieren en planten.
Dan kun je nog zo'n dikke bast hebben.'

Bij de oude smidse trok Clemens de rand van de hoed voor zijn
ogen. Hij wilde de vrouw van de smid zaliger niet laten schrikken. Ook al was zij, zo begreep hij van Domin, absoluut de
strengste van de strenggelovigen. De rode pruik en de hoed hadden aan haar man toebehoord.

'Haast vastgeklonken,' zei Clemens tegen zichzelf. Normaal bewogen de gehaakte gordijntjes van het woonhuis naast de verlaten smidse als er iemand langskwam. Ook al hoefde de vrouw
alleen maar te luisteren om te weten wie er passeerde. De dorpsbewoners klosten min of meer in dezelfde maat op de klompen
van Clemens. Domin schraapte vaak met een bedpan of een koperketel over de grond. De voorzitter van de kerkenraad was te
herkennen aan zijn tikkende staf, de rest van de dorpsoudsten
aan hun rinkelende beurzen. Zelfs de spionnen, ook al waanden
ze zich onzichtbaar, waren voor de oude bes te herkennen aan
hun slepende gang.

Het was een wonder, want praten kon je niet met de weduwe
van de smid. Ze leek stokdoof. Misschien dat het kwam doordat
haar grijze slierten in een strenge knot bij elkaar werden gehouden. Daarboven was haar hoofd ook nog bedekt met de grootste
kap die Clemens ooit had gezien. Zo werden je gedachten vanzelf
in het gareel gehouden.

Het zag ernaar uit dat hij alleen was in het dorp. Voor de zekerheid zou hij toch ook nog onder de grond kijken, in het gangenstelsel, welteverstaan. Toen hij terugliep langs het knekelveld zaten bijna alle takken van de dood gewaande eik vol met kleine
blaadjes. De stam van een andere boom schilferde onder zijn
ogen af. Onder de grijze bast was voorzichtig groen zichtbaar.
Misschien moest hij de bergkam beklimmen. Zouden de struiken
daar hun doornen verliezen?

Domin liep zijn woonkamer in. Wat een geluk! Clemens had zijn beitels, de zware hamer en de doodgraversspade laten liggen. Wat was dat voor zak op tafel, dichtgebonden met koperdraad? Hij trok de jutezak open. Een groot zilveren wiel viel op de grond en rolde tegen de pilaar aan. Het deksel sprong ervan af. Domin nam een slok van zijn smeermiddel. In de zak zaten nog drie zilveren schijven. 'Als de wielen van de hemelse wagen.' Precies wat hij zocht. Met een sleutel van zijn bos opende hij de grote kast, een geschenk van Bramzoon senior. Daar borg hij zijn vondst zorgvuldig in weg. Hij pakte de steenhouwershamer en sloeg een keteltje plat. Hij zou een tekst achterlaten voor zijn schoonzoon. Het beiteltje vormde de letters haast vanzelf. Dat was maar goed ook, want Domin was al op zijn twaalfde van school gegaan.

In een ransel deed hij een paar potten met ingelegde paddenstoelen, een bleke worst, een stuk boter en twee broden. En natuurlijk een fles eigen stook. Hij gordde de koppelriem van Clemens om, hing er een paar rollen koperdraad aan en smeerde zijn stem met een slok uit het flesje koperpoets. De kinderen konden beter weer was in hun oren stoppen.

De groep strenggelovigen besteeg de bergkam. Naast de dorpsoudsten en de kerkbewaarder hadden de spionnen zo snel alleen maar een hoop vrouwen, kinderen en een enkele bejaarde man kunnen optrommelen. Opvallend veel sterke zonen van de gemeenschap waren onvindbaar, zelfs op de akkers. En aan die op het knekelveld hadden ze natuurlijk niets. Die zouden de missie hoogstens in de geest bijstaan. Voor de gelegenheid had een van de spionnen zelfs even om de hoek van de deur in het café gekeken. Met ingehouden adem constateerde hij dat de kroeg leeg was. Naar binnen ging hij niet. Zeker niet naar de kelder, hij had angst voor de onderwereld.

De voorzitter van de kerkenraad stak zijn hand op. Het hoofd van de spionnen overhandigde hem een sleutelbos. De oudste der dorpsoudsten opende met een sacraal gebaar het hek. Onder aanvoering van de dorpsoudsten liep de groep naar beneden. In het midden van het terrein bleef de delegatie even wachten. Alleen de spionnen liepen met de dorpsoudsten mee.

'Allereerst moet er een permanente kracht worden aangesteld,' zei de voorzitter. Met ongenoegen had hij de gekleurde grassprieten gezien die het terrein ontsierden. Hij dacht aan de tekst op een pamflet dat een week eerder in het dorp was opgedoken: GRENZEN SCHEIDEN, MAAR DE NATUUR VERBINDT. Waar kwam dat stuk papier vandaan? Hoe was het in de gemeenschap terechtgekomen? Moest hij de drukker van het kerkblad aan de tand voelen? Of waren ze uit luchtballonnen gedropt? De voorzitter draaide zich om. Hij wilde de getrouwen toespreken. Die stonden op gepaste afstand. Hij was vergeten dat hij zelf had uitgevaardigd dat het niemand van de dorpsbewoners was toegestaan zich zonder schriftelijke toestemming van de kerkenraad in dit gebied te bevinden. Tegelijkertijd had hij roepen en zwaaien verboden. Ook van boven op de berg. De vijand had sterke verrekijkers. Wellicht konden ze daarmee ook lichtsignalen geven.

'Volg ons, kleurloze schapen,' zei de voorzitter. 'Jullie hebben de eer om met ons de bondgenoot van het geloof te gaan inspecteren. Uiteindelijk zal ik een van jullie de verantwoordelijkheid geven over dit hele gebied.' Hij keek de groep onderzoekend rond. Jammer dat hij geen enkele sterke zoon van het geloof zag. Tot zijn verbazing ontwaarde hij de dochter van Domin in het gezelschap. Het zou allemaal toch nog goed komen. Standvastigheid overwint altijd.

Anna marcheerde zonder problemen met de groep mee. Aan de exercitielessen bij de kerkschool had zelfs zij, de dochter van koperslager Arno Domin, niet kunnen ontkomen.

De oude vrouw naast haar had moeite met het tempo. Het zweet droop van haar af. Het mensje was natuurlijk al minstens veertig jaar geen warme wind meer gewend.

Anna haalde een haakwerkje uit haar schort en gaf het aan de bejaarde. 'Om even het voorhoofd af te vegen,' verduidelijkte ze. En om het geheugen op te frissen, dacht ze erachteraan. Anna had gefluisterd, alsof ze nog op school zat.

De vrouw haalde het haakwerkje over haar gezicht, tuurde naar de ingehaakte letters en las met luide stem voor: 'Grenzen scheiden, de natuur herenigt. Wat betekent dat?'

De voorzitter van de kerkenraad draaide zich om en zalfde: 'Laten we een mooie hymne aanheffen. Wellicht steekt men daar ook nog wat van op.' Hij wees over zijn schouder.

Anna gaf de stokdove vrouw van de smid een van de gekleurde ansichtkaarten van het dorp.

'Dáár slaat dat op!' riep Anna in het oor van de vrouw, beschermd door een hoge uithaal in het lied.

'Vroeger was alles bij ons een stuk fleuriger!' schreeuwde de oude vrouw dwars door de hymne heen. 'Dat kan ik mij nog goed herinneren.'

Om het niet uit te proesten van het lachen, sloeg Anna de maat van het lied krachtig mee op haar dijen. Ze hoopte alleen dat die raven het oude besje zouden ontzien.

Tot volle tevredenheid van de voorzitter zong Anna Domin boven alles en iedereen uit. Ze overstemde met gemak de dove oude heks die naast haar liep. Het was moeilijk voor te stellen dat deze jonge vrouw er ooit ook afgeleefd zou uitzien. De voorzitter streek zich over zijn kaken. Waarom ook niet? Het was erg vooruitstrevend. Een ijzersterke vondst. Het zou de gemoederen beslist kalmeren. Bovendien had hij daarmee de koperslager én de doodgraver tegelijk in de tang. Hij schraapte zijn keel en maakte een einde aan het lied.

'Aaaaaamen,' galmden de leden van de kerkenraad hem na terwijl ze boven op elkaar botsten.

De voorzitter was abrupt stil blijven staan. Vanuit zijn ooghoek had hij een paar grassprieten en een jong boompje gezien.

'De natuur herenigt,' mompelde de voorzitter. 'Over mijn lijk dan toch zeker.'

'Kom jij eens hier,' zei de voorzitter tegen een van de spionnen. De man was opvallend mager. Bijna alleen maar botten. 'Wat is je naam, mijn zoon?'

'Heinsius, o grote herder,' antwoordde de spion.

Er ging een lichte huivering door de groep getrouwen toen de man met een enkele zwaai van zijn zeis het boompje en de grassprieten wegkapte.

De voorzitter verzamelde de leden van de kerkenraad om zich heen. Als vanzelf namen de andere getrouwen afstand en keerden hun rug naar de dorpsoudsten toe.

De man die alles met zijn verrekijker volgde, deinsde terug. Wat waren die kraaien van plan? Wat had dat magere zwartpak net gedaan? Testte hij de scherpte van zijn zeis? Zouden er executies volgen? En wat deden die vrouwen daarbij? Waren die spades om een graf te graven?

De leden van de kerkenraad staken de koppen bij elkaar. Ze waren het erover eens dat het een gewaagd plan was, maar het had zeker kans van slagen.

De voorzitter schraapte zijn keel en nam het woord: 'Ik roep naar voren Anna Bramzoon, geboren Domin. Vrouw van grafdelver, steenhouwer, marmerzager, klompenmaker, timmerman en horlogemaker Clemens Bramzoon. Dochter van de weledele koperslager Arno Domin. Achterachterkleindochter van moederszijde ...' Hier stopte de voorzitter even om hoofd te rekenen. 'Achterachterkleindochter van een dochter van een van onze grondleggers.'

'Blijf hier!' siste de oude vrouw. 'We zullen ze eens wat laten zien. Dertig vrouwen met spades en pikhouwelen tegen een paar ouwe kerels en wat zwarte pakken.'

Ze hoorde niet alleen slecht, haar gezichtsvermogen was ook vertroebeld. De spionnen droegen allemaal grote messen. Eentje had zelfs een zeis. Die magere man kende ze helemaal niet. De kerkenraad bestond uit minstens dertig grijsaards – 'dertig zilverlingen', zei haar vader altijd – en er kwamen steeds meer leden bij. Uiteindelijk zouden alle getrouwen wel in de raad worden opgenomen. Wie zouden ze dan nog moeten besturen? Zouden ze onderling geen ruzie krijgen? Dan zou het probleem zichzelf oplossen.

Anna liep naar voren.

Een van de spionnen haalde met zijn mes uit naar een kleurige vlinder.

De man met de verrekijker slaakte een kreet. Dat verduivelde zwartpak had met een mes naar haar gezwaaid.

De voorzitter van de kerkenraad tikte met zijn staf op de schouder van Anna. Ze wilde bedanken voor de eer, maar bedacht hoeveel invloed ze zou kunnen uitoefenen als prelaat van deze strook. Ze bekeek het waarschuwingsbord dat de kerkenraad had geplaatst: wit met in grijze letters TERRA NULLIUS.

De voorzitter van de kerkenraad beval de voerman om een baal met grijze wol, een zak met cement en een vat met water van de wagen af te laden. 'Jij hebt hier de leiding,' zei hij tegen Anna. 'Wij hervatten de inspectie. Zorg dat het gat wordt gedicht. Als vrouw van een doodgraver neem ik aan dat je weet hoe dat moet. Zet die onnozele kwezels maar eens goed aan het werk. Als er meer zwakke plekken zijn dan brengt de voerman daarvan verslag uit.'

De voorzitter hief een hymne aan. De hoefijzers van het paard gaven de maat aan. De dorpsoudsten zongen de hoogste woorden, de spionnen basten erdoorheen.

Ze was net benoemd tot de grote nullius van deze strook. Er was geen enkele spion achtergebleven om haar te controleren. En deze groep vrouwen zou zich toch niet tegen haar keren?

'Ik neem aan dat jullie allemaal breipennen bij je hebben? Dan gaan we aan de slag. Volgens de kerkenraad zijn we toch nergens anders goed voor.' Ze pakte haar naalden uit haar schort, greep in de baal wol en gaf het goede voorbeeld door binnen een paar minuten een strook van een halve meter te breien.

Overal kwamen breipennen vandaan. Sommige vrouwen droegen ze als wapens in hun mouw, het oude besje had van haar grijze slierten haar een rolletje gemaakt en de pennen gebruikt om het vast te zetten.

'Gooit u wat cement in het watervat,' zei Anna tegen de bejaarde man. 'Een klein handje is voldoende.'

Binnen een halfuur hadden de vrouwen een grote lap gebreid.

Anna nam niet aan dat de voorzitter alle vijfenveertig kilometer 'van het bastion van het geloof' persoonlijk steeds maar weer zou gaan inspecteren.

Het hek op de top van de berg stond open. Wat deed Anna daar beneden? In het verboden gebied? Ze was bezig om het paard uit te spannen. Was dat de afgeleefde schimmel? Het beest zag er een stuk beter uit.

Clemens was op de fiets naar boven geklommen. Het pad was redelijk begaanbaar, al zouden de struiken nog wel een paar seizoenen nodig hebben om al hun doornen kwijt te raken. De meeste stekels zaten in de kuiten van Clemens. Hij was een onervaren fietser.

Clemens zag zijn vrouw op de rug van het ongezadelde paard springen. Wat een gratie!

Eén keer eerder had hij haar op een paard gezien. Ze was toen nog een kind en de voerman van de brouwerij had gemerkt dat zijn knollen rustig werden van haar. Een dorpsoudste betrapte haar toen ze een rondje reed. Zonder kapje op haar hoofd en met blote schouders en benen. Ook al was ze een dochter van Domin, hij had haar tijdens de exercitielessen op de kerkschool extra rondjes laten marcheren. Als de zilverling niet keek, trok ze haar benen hoog op, als een dartel veulen.

Ondanks het zwaaiverbod stak Clemens twee armen in de lucht.

De fiets had handremmen. Clemens werd opgevangen in de grote lap die de vrouwen hadden gebreid.

'Wat doen jullie hier?'

'We hebben hout nodig.'

'Maar, dit is verboden gebied.'

'Ik heb toestemming.'

'Er is alleen nog lomp hout.'

Clemens had de planken op de handkar gestapeld. Bovenop legde hij zijn timmermansgereedschap. Hij bond twee zinken emmers vast aan de achterkant van de kar. Hij had een rem nodig bij de steile heuvel. Hoewel Clemens alles ook nog met touwen had vastgesnoerd, viel op de bergflank toch het hele zaakje van de handkar. Wel zo'n beetje op een geschikte plaats.

'Je kunt zien dat je een timmerman bent,' zei Anna.

De planken waren exact haaks neergevallen. In feite hoefde Clemens ze alleen nog maar aan elkaar te spijkeren, er een dak op te timmeren en er een raam en een deur in te zagen. Dan was het wachthuisje voor Anna klaar.

De vrouw van de smid was de eerste die zich terugtrok in de blokhut. Ze had bekende voetstappen gehoord, neen, eerder gevoeld. De tikken van een staf.

'Een kerkelijke dependance. Prima,' zei de voorzitter terwijl hij achter Clemens en Anna opdook. 'Dat vraagt om een inzegening.' Hij hief een hymne aan.

Zonder erbij na te denken zong Clemens mee.

'Het is een goede zaak dat je je man hebt ingeschakeld. Een sterke zoon van het geloof, zo niet de sterkste. Ik laat meer cement brengen.'

Het paard zuchtte. Net als de as van de wagen.

'Misschien kan mijn vader de voorraden aanleveren?' bedacht Anna ineens.

'Ik vrees dat mijnheer uw vader ...' De voorzitter wreef over zijn kin. 'Laat ik zeggen, een voor onze beurs te goed product heeft.'

'Als ik hem toespreek, zal hij voor bijna niets leveren. Zeker gezien mijn huidige functie. Hij is erg trots op mij.'

De voorzitter deed voorkomen of hij heel diep moest nadenken. Hij wreef nog een keer of wat over zijn kin en trok een paar maal aan zijn oorlel. Alweer had hij een goede beslissing genomen. Met de benoeming van Anna had hij de twee belangrijkste mensen van het dorp volledig in de tang. 'Akkoord, ik schat dat een zak of dertig cement wel genoeg zullen zijn. Voel u vrij om de kwezels uit het dorp aan het werk te zetten.'

Dat zou Anna zeker doen. Vijfenveertig kilometer breiwerk was nog een hele klus. De eerste driehonderd meter zaten er al op.

Toen de voorzitter tussen de doornstruiken was verdwenen, werd Clemens op zijn rug getikt. Hij draaide zich om en keek naar links en rechts. Niets te zien. Toen werd er een stekel uit zijn kuit getrokken. Hij maakte een sprongetje en keek naar beneden.

'Ben je zo blij om me te zien?' sprak een trol met een lange baard. Hij schudde zich als een hond die uit het water komt. Het steengruis vloog in het rond. (De zwarte reu van Domin had Clemens al een tijd niet gezien. Zat hij nog steeds in de gebutste ketel of was hij vertrokken naar de schaapskooi? Een eigen omheinde plek is nooit weg.)

'Die voorzitter heb je hier niet voor het laatst gezien,' zei de trol.

Wat een vervelend orakelend opdondertje, dacht Clemens. 'Ach, na een paar keer geeft de voorzitter het wel op. Hij is immers de oudste van de dorpsoudsten.'

'Reken daar niet op. Die strenggelovigen zijn dol op doornen. En vergeet niet dat er dertig zilverlingen zijn, voor elke dag een ander.'

En die zullen maar wat graag bij zo'n jonge vrouw op bezoek gaan.

Elk kwartier was er een andere dorpsoudste gekomen om het werk van de nieuwe prelaat en haar man te controleren. De eersten kwamen helemaal naar de blokhut toe. Maar de aanblik van Clemens de doodgraver deed hen huiveren. Als dorpsoudsten waren ze normaal gesproken als eersten aan de beurt.

'Memento mori, wie moet er in de grond?' riep Clemens steeds als er een zilverling met bebloede pij voor hem stond. Hij verkeerde in de veronderstelling dat er een overledene was. Aan de zelfkastijding kwam snel een eind. Ze bleven boven op de berg staan, wierpen een blik en baanden zich een weg terug over het doornige pad.

'Ik heb een verrassing voor je,' zei de trol. Hij liet een bijna tot op het handvat versleten steenhouwersbeitel zien.

Van de grootste beitel van Clemens was niet meer over dan een spijker. De koperslager was zeker een kop kleiner en meer dan de helft magerder dan voor zijn vertrek onder de grond. 'Ik ben erin geslaagd. De grote doorbraak is gelukt.'

De gekrompen koperslager floot tweemaal op zijn vingers. Er kwamen mannen en vrouwen uit de struiken. En zelfs wat grote kinderen. Of waren dat trollen?

'Laat me jullie voorstellen,' zei Domin. Hij wenkte naar een man uit de groep. 'Dit is de steenhouwer uit het dichtstbijzijnde dorp, op toch zeker tien kilometer hakken en breken naar het noorden.'

'Vijf kilometer en tweehonderdvijftig meter, om precies te zijn,' zei de man. In zijn riem stak een hamer van een pond of tien.

'Dit is zijn eega,' zei Domin. Hij wees naar een mooie jonge vrouw, een kopie van Anna, maar dan met ravenzwart haar. 'Zij heeft het huisjasje van haar man gebreid. Mooi toch, dat paars?'

Een dik mannetje trad uit de schaduw. 'Wij komen de breinijverheid en het lompe hout uit ons achterland brengen.' Clemens werd verblind door het licht dat de man weerkaatste. 'Dit is de edelsmid van het dorp uit het zuiden. Toch zeker een kilometer of vijf graven.'

'Drie kilometer en tweehonderd meter.' Domin werd onderbroken door een tweede evenbeeld van Clemens, een lange man in een appelgroen huisjasje. 'De doodgraver,' verklaarde Domin. 'Hij heeft met zijn begrafenisspade het meeste werk verzet voor die tunnel.'

Domin veegde het stof van zijn koperen borstplaat en ging naast de edelsmid staan. Voor het eerst sinds tijden moest Clemens zijn hand met licht gespreide vingers voor zijn ogen houden. Het maliënkolder van de edelsmid schitterde misschien nog meer dan dat van de koperslager.

'Wil je weten hoe ik ze allemaal zover heb gekregen?' vervolgde Domin. Clemens kreeg geen tijd om te antwoorden. 'Allemaal dankzij die geniale vader van jou. Bramzoon senior was zijn tijd ver vooruit. En je grootvader staat ook aan de basis van dit succes. En JIJ, doordat je de gebruiksaanwijzing hebt gevonden.' En ik, Arno Domin, natuurlijk, dacht de koperslager erachteraan. Hij gaf zichzelf een klopje op zijn schouder. 'Je kunt er nu bij aanwezig zijn. Er zijn een paar nieuwelingen. En de getrouwen kunnen er ook nauwelijks genoeg van krijgen. Volg ons maar naar huis.'

Clemens en Anna sloten achteraan bij de bonte stoet.

Gelukkig was de woonkamer ruim genoeg.

'Binnenkort in elk theater in het land!' riep Domin. De edelsmid sloeg zich van plezier op zijn bovenbenen.

Clemens begreep er niets van. Wat had zijn opa ermee te maken? Clemens had de marmerzager nooit gekend, anders dan van de hoofdsteen bij de ingang van het knekelveld. 'Onze grondlegger,' zei zijn vader toen Clemens als kleine jongen met hem hand in hand bij het graf stond. Het leek alsof Bramzoon senior grinnikte, maar het kon ook zijn dat hij zijn verdriet verslikte, of last had van een kuchje of een bierboertje. Dat kon de kleine Clemens nooit onderscheiden.

Domin rolde een snoer uit en stak het uiteinde in de belichter. Na wat gefriemel viel een heldere lichtstraal op de wand.

'Clemens, doe jij even de gordijnen dicht,' zei Domin. Hij draaide zich om naar het publiek. 'Sinds de warme wind mondjesmaat toegang heeft is er een behoorlijke lichtinval van buiten.' Hij liep naar een grote kast in de hoek, pakte zijn sleutelbos van onder zijn harnas vandaan en opende de deur.

De kast speelde mee: de scharnieren piepten luid. Er ging een rilling door het gezelschap nieuwelingen. De getrouwen bleven doodstil om Domins voorstelling niet te verpesten.

Domin haalde de jutezak onder uit de la. Met weidse gebaren bevrijdde hij de vier grote zilveren schijven. Met de blikken onder de arm liep hij tot tweemaal toe tussen het publiek door, alvorens hij ze behoedzaam op de tafel legde.

Clemens had geen idee wat er zou gaan gebeuren. In zekere zin was hij de grootste nieuweling van het gezelschap. Domin klapte een paar houders uit de belichter. Dit deed hij extra vingervlug. Niemand mocht zien hoe dit precies in zijn werk ging. Domin opende het deksel van de eerste zilveren schijf, pauzeerde even en keek de zaal rond. Clemens hoopte dat de koperslager wist wat hij deed. Kwamen ze bijeen om de elfen en trollen door de kamer te zien dansen?

Domin greep in de doos en haalde een bruine rol tevoorschijn. Hij plaatste het geval op een van de twee uitsteeksels op de belichter. De nieuwelingen keken gespannen toe. Clemens had al een hele tijd de leuning van zijn stoel vast. De koperslager sloeg een roffel op zijn pantser en haalde een schakelaar over. De groep nieuwelingen kromp ineen. Clemens viel van zijn stoel. Op de wand dansten inderdaad elfen en trollen, al zagen ze er bedrieglijk menselijk uit.

'Toen onze streek nog vrij van strenggelovigen was, heeft de opa van mijn schoonzoon Clemens Bramzoon, daar ... ligt hij, opnames gemaakt van de dorpen in de omgeving. Hij heeft daarvoor als jongeman met een van de eerste kleurencamera's de bergkammen beklommen.'

Er waren beelden van de oogst, van kinderen die in de rivier aan het spelevaren waren en van een smid die lachend een paard besloeg voor een meisje in een bloemetjesjurk. Op de bergkammen waren nog geen doornstruiken geplant. Er groeiden kruiden en grote gele en paarse bloemen.

De tweede rol ging over het dorp van Domin en Clemens zelf. De bomen waren frisgroen, ze droegen rijp fruit, de dieren waren bont en de huizen hadden muren van warme baksteen. Op de velden zag Clemens ineens rode en groene kool. Onder de grond waren de uien, de bieten en de radijsjes waarschijnlijk net zo rood als de bessen in het mandje dat een kind trots voor de camera hield.

Na de derde rol liet Domin een fles eigen stook rondgaan. Nu kwam zijn klapstuk. Op de vierde rol waren beelden te zien van stadse lanen en van etalages.

'Kijk,' riep een jongen die al een beetje over de eerste indrukken heen was. 'Ze hebben daar geen gordijnen! Die lui staan open en bloot achter het raam!'

'Dat zijn winkels waar ze kleding verkopen,' doceerde Domin.
Bij de aanblik van de kades en de bootjes vielen alle toeschouwers stil. Tot nu toe had alleen Domin daar in de volle zeewind gestaan. En natuurlijk de opa van Clemens.
'Zo zal het land er binnenkort weer uitzien,' zei Domin. 'Maar alleen als we met ons allen iets ondernemen.'
Er ging gemompel door de woonkamer. De meeste mensen, zeker de mannen en vrouwen die jonger waren dan vijfenveertig, waren door de strenggelovigen geleefd.
Domin liet nog een paar flessen eigen stook rondgaan. Hij kon zich voorstellen dat ze zich moed in moesten drinken. De Kerk waartegen ze in opstand kwamen, had alles voor ze geregeld, van de wieg tot aan het graf. En de spionnen hielden iedereen dagelijks in de gaten.
Gesterkt door de twee borrels stond Clemens op van de grond en riep: 'Uit naam van mijn opa en vader Bramzoon en ter ere van het levenswerk van mijn illustere schoonvader Arno Domin roep ik iedereen op om ten strijde te trekken. *Nocturna in lumina!*'
Door zijn enorme lengte maakten de woorden van Clemens een onuitwisbare indruk op de groep. Hij trok zijn stoel rechtovereind en ging beduusd zitten. Waar was dat ineens vandaan gekomen?
Domin aarzelde slechts een moment. Dat had hij niet achter zijn bedeesde schoonzoon gezocht. Wat een ongekende kracht had dit nieuwe middel. 'Beelden zeggen meer dan woorden!' brulde Domin. Al moest hij toegeven dat ze zonder de gebruiksaanwijzing nooit zouden zijn geopenbaard. 'Nu nog de daden.' Hij roffelde op zijn harnas en zijn dijen. De edelsmid, de steenhouwer en de doodgraver uit de andere dorpen namen het over. Hopelijk waren er geen spionnen in de buurt van het huis van Domin. Hoewel ze dan waarschijnlijk alleen gerapporteerd zouden hebben dat er een illegale drumband aan het oefenen was. Want ook op het maken van muziek stond een straf van enkele jaren gevangenschap: eenzame opsluiting onder in de kerkelijke crypten.
'Dit is het plan,' zei Domin. 'Ik neem, met jullie welnemen, de leiding over onze groep. De edelsmid kan de rest aanvoeren. Clemens zal onder de grond jullie gids zijn.' De koperslager peuterde een vel perkament van onder zijn borstplaat vandaan en legde dat op tafel. De getrouwen vormden, op gepaste afstand, een kring

rond Domin, de edelsmid en Clemens. Domin keek even trots naar zijn schoonzoon, een echte Bramzoon. Eerst boog hij zich over de plattegrond en de data van de kerkelijke vergaderingen. Het plan van Domin was simpel. Tijdens het hakken en breken had hij tijd genoeg gehad om erover na te denken. Uit een kast haalde hij een paar extra donderbussen. Wanneer had hij die nu weer gemaakt? Ook de edelsmid had een paar ouderwetse geweren, natuurlijk met sierlijk ingelegde loop en kolf. Ze verdeelden het wapentuig over de sterkste zonen van de diverse dorpen.

'Eerst de wapens gewoon maar over de schouder hangen,' zei Domin. 'Waarschijnlijk hebben we ze niet nodig. Jullie moeten weten dat mijn dochter bij de strenggelovigen als spion is binnengedrongen. "Spionnen kun je het beste als spion bespioneren" heeft het wijze kind gezegd.'

De nieuwelingen begrepen er maar weinig van, maar na de film hadden ze een onvoorwaardelijk vertrouwen in hun nieuwe leiders.

Domin riep Clemens apart. 'Mijn rechterhand verdient een betere uitmonstering.' In het achterkamertje stonden twee koperen harnassen op een standaard.

'Speciaal gemaakt voor het grote moment,' zei Domin. 'Voor mijn dochter en haar man. Trek eens aan. En doe mij een plezier en neem die ander mee. Anna loopt nu waarschijnlijk in een grijze pij rond.'

Om zijn schoonvader te plezieren gespte Clemens de maliënkolder vast. Het was zwaarder dan hij dacht, maar het paste precies. En dat zonder dat zijn schoonvader hem ooit de maat had genomen. Domin had zijn timmermansoog goed verborgen gehouden.

'Een prachtgezicht. Zeker bij zo'n lange vent.' Domin klopte Clemens op zijn borstplaat. 'Hiermee verblind je op het slagveld iedereen. Zonder moeite kun je een heel leger op je speer spiesen. Hier, ik heb een speciale hamer voor je gemaakt.'

Volgens Clemens was het een voormalige beddenpan. In elk geval kon je er een behoorlijke doodsklap mee uitdelen.

Domin stapte met zijn apostelen de deur uit. Allereerst moesten ze de spionnen uitschakelen. Dat kon het beste van alle kanten. Dan hadden die raven geen kans om weg te vliegen om de spion-

nen van andere dorpen te waarschuwen. Over een stief kwartiertje zou er een grote kerkelijke bijeenkomst zijn. Alle dorpsoudsten waren daarbij aanwezig. Ook de voorzitters van de andere
dorpen zouden de kerk in het dorp aandoen. Een kans die maar
eens in de twee jaar voorkwam.

'Mijn dochter, de prelaat van niemandsland, zal er ook bij zijn.
Voor de vorm nemen we haar natuurlijk ook gevangen.' Domin
draaide zich om. 'Iemand die haar een haar krenkt, krijgt natuurlijk met mij en de doodgraver te maken. Ik bedoel haar man.'

Het was erg stil rond de kerk. Geen psalm of hymne te horen. Er
werden natuurlijk geheimen gefluisterd. Hoe het nu verder moest
met het kille land. De veranderingen in het klimaat, hoe klein ook,
konden de dorpsoudsten niet zijn ontgaan. En anders zeker de
spionnen niet. Hoe dichter ze de hoofdingang naderden, des te
kouder het werd. Als er al een boom of struik stond, was deze nog
steeds grauw en zonder uitloper of ook maar een enkele knop.

Vijf man posteerde Domin bij de zijuitgang van de kerk. Zekerheidshalve liet hij ook nog twee mannetjes op wacht staan bij het
hek van het knekelveld. Ook tegenstand in de geest konden ze
niet gebruiken. Zelf beklom Domin het dak. Dat was met zijn
ervaring heel eenvoudig. Daar zou hij wachten totdat een eerste
zonnestraal over de muur op zijn borstplaat zou vallen. Dat zou
het teken zijn.

Clemens was ondertussen met de edelsmid en zijn volgelingen
bij de ondergrondse ingang van de crypten aangekomen. De koperen hamer die hij van Domin had gekregen werkte bijzonder
goed. Met één klap sloeg hij de aarden versperring weg. De hamer had wel gelijk een andere vorm. Clemens duwde de prelaat
in de eiken kist op wielen weg en ging de verzetsgroep voor naar
binnen. 'We hebben nog even tijd totdat de eerste zonnestraal
valt,' zei Clemens tegen de edelsmid. 'Tien minuten en dertig seconden, om precies te zijn.'

'En achttien, zeventien, zestien ...' verbeterde de steenhouwer
uit het andere dorp, die met het paarse huisjasje.

Ach, dacht Clemens, je bent toch zeker twintig jaar, vier maanden en twee dagen jonger dan ik. Probeer het over twee decennia
nog maar eens.

'Vier maanden, één dag, acht uur en achttien, zeventien, zestien …' zei het jongere evenbeeld van Clemens. Niemand begreep de twee, behalve de doodgraver met het appelgroene huisjasje.

De groep doorzocht de crypten en gewelven van de kerk. Er waren heel wat verborgen ruimtes. Met een klap van zijn hamer sloeg Clemens steeds de sloten open. Het maakte weinig lawaai. Koper is nu eenmaal meegaand. In de laatste cel zat in het halfduister iemand tegen de muur. Er hingen grote kettingen rond zijn polsen en enkels. Het was een man, zoveel was wel duidelijk want hij had een baard die tot zijn opgetrokken knieën reikte. Zijn kop was helemaal kaal.

'Zie ik dat goed?' kraakte de stem van de bebaarde. 'Natuurlijk, want ik heb kattenogen gekregen in dit hol. Is het daadwerkelijk Bramzoon? Ben je eindelijk tot de kerk doorgedrongen? Hoe vaak heb ik al je voornamen aangeroepen, maar niemand hoort je hier.'

Clemens was een paar tellen verbluft. Wie was dit? Hij liep naar de gevangene toe. Het was onmiskenbaar de smid. 'Aan de muur vastgeklonken met mijn eigen ketens. Was ik maar bij je gebleven die dag. Ik wilde te veel en begon onder de smidse met een eigen tunnel. Ik begrijp nog steeds niet hoe die spionnen dat gehoord kunnen hebben. In mijn smidse hamerde ik ook altijd.'

De smid zag Clemens aan voor Bramzoon senior. Wie had Clemens eigenlijk begraven? Van welke schedel had hij het rode haar en de hoed gerukt?

'Ik ben de zoon van mijn vader,' zei Clemens.

'Dat zijn we allemaal,' antwoordde de smid.

'Ik ben Clemens en heb iets voor u.' Hij plukte de hoed met het rode haarstuk van zijn hoofd en gaf hem aan de smid.

'Waar komt die nu vandaan? Niemand wist dat ik een pruik droeg. Als ik alleen aan het werk was, met gesloten deuren, zette ik dat ding soms op een paal in de hoek.'

Clemens wreef over zijn kaken. Welke dode hadden de dorpsoudsten hem met de pruik en de hoed op voorgeschoteld?

'Maar ik heb nooit gepraat,' zei de smid. 'Pas na tientallen jaren waren ze ervan overtuigd dat ik alleen had gehamerd.'

De steenhouwer in het paarse huisjasje tikte Clemens op zijn schouder en zei: 'Achttien, zeventien, zestien …' Alsof Clemens dat zelf niet wist. De edelsmid liet twee mensen achter bij zijn ijzeren collega. Het zou enige tijd kosten om de oude man van zijn boeien te bevrijden.

Boven op het koperen dak van de kerk gezeten, zag Domin de zonnestraal naderen. Een boomtak deed een uiterste poging om het licht te bereiken.

'Achttien, zeventien, zestien …' Domin telde af. Het kon hem nu niet meer schelen of de prelaten binnen hem konden horen of niet. De term 'anno Domini' zou vanaf vandaag een andere betekenis krijgen. Dit was het jaar nul. Het begin van een nieuw tijdperk.

Met een meegebrachte beddenpan sloeg Domin de zwakke plek in het koperen dak stuk. Binnen een paar tellen zou hij in de kerk op het balkon staan. Beneden bij de hoofdpoort van de kerk trokken de volgelingen de deuren om. Van tevoren had Domin, nu eenmaal altijd ook verantwoordelijk geweest voor de sluitingen, de pinnen uit de scharnieren gehaald. Zijn flacon met kopersmeer was voor alles en iedereen goed.

Op het moment dat Domin op het balkon in de kerk verscheen, stormden Clemens en de edelsmid aan de andere kant vanachter het altaar binnen. De spionnen trokken gelijk hun lange messen. De verzamelde voorzitters stonden klaar, hun staf als een speer in de aanslag. Het was duidelijk dat ze zich niet zonder slag of stoot zouden overgeven. De dorpsoudsten konden desnoods hun zware geldbuidels als slagwapen gebruiken. Midden tussen hen in zag Domin zijn dochter staan. Het deed hem even aarzelen. Er waren misschien wel honderd in plaats van dertig zilverlingen in de kerk verzameld, en vanuit de andere dorpen waren ook spionnen meegekomen. De kerkelijke groep bewoog langzaam naar een zijbeuk, daar waar de nooduitgang was. De voorzitters begonnen in te spreken op de dorpelingen. De situatie werd hachelijk. Als ze nu zouden verzaken, dan zou dit land voor altijd kil blijven. Misschien had Domin toch de hulp van de stedelingen moeten inroepen. Die hadden er ook belang bij dat het geloof van de dorpsoudsten zich niet zou verspreiden.

Domin had zijn getrouwen voor vertrek elk een paar bolletjes was meegegeven. Dat gaf de doorslag. De preken kwamen ontdaan van hun scherpte binnen. Ook de vijf wachten bij de nooddeur bleven pal staan, hun donderbussen in de aanslag. Domin was trots op zijn soldaten. Zelfs toen de dorpsoudsten met munten begonnen te strooien, bleven de dorpelingen in het gelid. En dat terwijl het vergulde stukken waren van de buitenwereld. Daar zouden ze later mooi het herstel in het dorp van kunnen betalen. De spionnen waren zich bewust van de overmacht. Ze legden hun wapens neer. Gelijk op dat moment kregen ze al wat kleur op hun wangen, niet te veel, maar toch. Het waren natuurlijk eigenlijk ook alleen maar dorpelingen die voor een hongerloontje waren ingelijfd.

Anna maakte zich los uit de groep prelaten. Een van de volgelingen, haar evenbeeld met het ravenzwarte haar, gaf Anna het koperen harnas. Ze trok het aan.

Domin was naar beneden gekomen en zamelde de messen van de spionnen en de speren van de voorzitters in.

Toen het zonlicht voor de eerste keer door de open deuren de kerk binnen scheen stonden Domin, de edelsmid, Clemens en Anna naast elkaar. Alle kerkleiders trokken hun mijters over hun ogen en gingen plat op de grond liggen. Tegen zoveel verblindend licht hielp zelfs een hand met gesloten vingers niet.

'Met zulke harnassen heb je geen wapens nodig,' stelde Anna tevreden vast.

Domin had een beddenpan in zijn riem gestoken. Zo konden de soldaten hem goed horen in de tunnel.

'Zo direct gaat het in één lange lijn naar beneden,' waarschuwde Domin. Voor de zekerheid ging hij aan de zijkant lopen. 'Ik heb er weleens over gedacht om spoorrails neer te leggen. Dat zou enorm veel tijd besparen.'

Bij elke duizend stappen had Domin in deze tunnel, de belangrijkste, die hij *Tunnel van de eenheid* had gedoopt, met witte verf een kruis op de wand gezet. Hij rekende niet graag boven een mille. Zijn benen waren niet lang, dus had hij zo bedacht dat hij met een stap één meter overbrugde. Dan was de tunnel ongeveer tien kilometer lang. Nog een hele prestatie dat hij zonder kompas ongeveer op de juiste plaats was uitgekomen. Het zou een behoorlijk stuk spoorlijn zijn. Domin had geen verstand van ijzersmeden en koper leek hem te zacht. Het was een mooi idee geweest: een treintje onder de grond. Dat was volgens hem nog nergens vertoond. Zijn huis kon dan functioneren als ondergronds knooppunt. Wat een handel daar niet in zou zitten ...

'Ik heb tien kruizen geteld,' zei Clemens.

'Elk kruis is duizend stappen. Laat ik zeggen een kilometer.'

'Vierhonderdtwee meter,' zei Clemens.

'Vierhonderdtwee én een half,' zei de doodgraver in het paarse jasje.

'Jullie zullen het wel bij het rechte eind hebben.'

De groep nam een bocht. Het ging ineens steil naar beneden. Tegelijk ging het licht uit.

'Geen paniek, over een tijdje hebben we vast wel onze eigen centrale,' zei Domin. 'Of in elk geval een goede generator.'

De mannen hadden geen idee waar hij het over had. Ze waren gewend aan grauw, grijs en schemer, maar niet aan volledige duisternis onder miljoenen kilo's steen. Van jongs af aan was hen ingeprent dat de bergen 's nachts spraken en dat je je niet zomaar ongestraft op hun terrein kon begeven. De praatjes die Domin in het dorp had verspreid deden hun werk. Aan de verkoop van was verdiende hij bovendien een aardig centje. Helaas wel van die grijze duiten die in de buitenwereld niets waard waren.

Domin haalde een rol koperdraad van zijn riem. Gelukkig stond de jongen met bravoure direct achter hem. Domin gaf hem het uiteinde. 'Geef deze draad maar door. Daarna neem ik de leiding. Ik ken de weg hier als een mol. Aan het einde van de tunnel is weer licht.'

Het vertrouwen in Domin was al groot, maar toen gelijk nadat iedereen het koperdraad vastpakte de lampen weer aangingen, werd het onvoorwaardelijk. Wat er ook zou gebeuren, het koperdraad zouden ze niet meer loslaten. In ganzenpas liepen ze naar de uitgang. Op het moment dat Domin omkeek en voor de steile afdaling wilde waarschuwen, gleed de laatste van de groep al uit.

Het moet beslist een komisch gezicht zijn geweest hoe Domin en zijn discipelen als één man naar beneden denderden. De koperslager boven op de beddenpan, de edelsmid in een zilveren botervloot, Clemens op een gelooide huid, de andere doodgravers op hun spades en de jongen met bravoure half in een ketel. Iedereen bleef het koperdraad vasthouden. Als ze het loslieten ging misschien ook buiten het licht uit. De zon straalde juist extra die dag. Eenieder die naar Domins sneltrein keek zou ver-

blind worden. Lijdzaam wachtte de koperslager op de onvermijdelijke inslag. Ze denderden langs Anna's hut over de kale strook
land.

Tot zijn eigen verbazing schoot Domin met speels gemak dwars
door de muur heen. Wel met geknetter en een vonkenregen. De
veerkracht van koper werd door velen onderschat. Domin wist al
heel zijn leven dat het metaal mysterieuze krachten bezat. Hij
belandde met zijn bast tegen de stam van een boom. De hardste
klap werd opgevangen door zijn harnas. Een noot die uit de kruin
viel sloeg een behoorlijke deuk in zijn ketelhelm.
    'Vele noten op het hout, maakt de winter hard en koud,' mom-
pelde Domin. Hij had het anders heel erg warm. Ratelend kwamen alle apostelen tegen het harnas van Domin tot stilstand. De
stoom sloeg van hen af, hun haren staken rechtovereind en van
de handen waarmee ze het koperdraad waren blijven vasthouden
kwam een schroeilucht.
    Clemens keek vol verbazing tussen zijn licht gespreide vingers
door naar het gras, de struiken en de bomen. Zoveel kleur had hij
nog nooit bij elkaar gezien. Hij grabbelde in de jutezak, pakte er
een breisel van Anna uit en wikkelde de sjaal om zijn hoofd. Die
kon hij altijd nog voor zijn ogen binden.
    Anna hielp haar van alle kanten gebutste vader overeind.
    'Kijk maar hoe het met de mannen gaat. Ik had immers een
harnas aan.'
    'Dat is niet nodig,' zei Anna.
    Van alle kanten kwamen de vrouwen hun zonen en mannen te
hulp.
    'Ik zie dat je ze al hebt georganiseerd,' steunde Domin. 'Een
aardje naar haar kopervaartje. Wat is er eigenlijk gebeurd?'
    'Op het prikkeldraad boven op de restanten van de muur staat
stroom.'
    'Maar dat bastion was boterzacht. We gingen er zo doorheen.'
    'Zacht als wol. We hebben de muur grotendeels nagebreid.'
    De vrouwen van het dorp hielpen hun mannen en zonen over-
eind. Uit hun schorten haalden ze flessen wijn, ronde broden,
stukken geitenkaas en worst. Er was een mooi gebreid kleed over
om onder de boom te leggen. De etenswaren werden uitgestald.
Zelfs de bleke worst kreeg een kleurtje onder het groene gebla-

derte. De kinderen renden vrij rond. Al moesten ze daar wel steeds toe worden aangespoord.

'Vrouwen gaan altijd beter voorbereid op reis,' zei Domin.

De man met de verrekijker schreeuwde: 'Presenteeeeeer geweer! Liiiiiinks!'

Als één vent, ze waren nu eenmaal goed gedrild, draaiden de grenswachten hun hoofd in de richting van Anna.

'Mijn kleine mascotte,' fluisterde Clemens in haar oor.

Domin graaide in de jutezak. Waarschijnlijk om de commandant een vest of een sjaal te geven, dacht Clemens. Al had je zoiets hier met die warme wind niet nodig. 'Een cadeau ter verbroedering.' Domin had een haarstuk uit de zak gevist. Precies in de kleur van het uniform van de commandant. Mosgroen. Pas nu realiseerde Clemens zich dat ieder mens een eigen kleur heeft, ook al moesten de dalbewoners dat van de strenggelovigen verstoppen onder witte kapjes en zwarte hoeden.

De commandant verwelkomde de bezoekers door zijn pet te lichten. Hij kon inderdaad wel een haarstuk gebruiken.

Voordat het doek voor het geloof helemaal kon vallen, moest er definitief worden afgerekend met de dorpsoudsten.

'De zilverlingen zijn bang voor het licht,' zei Domin. 'Laten we ze maar snel naar hun crypten brengen.'

'We kunnen ze ook verbannen naar de Krim en ze daar met een anker om hun nek de zee ingooien,' zei Clemens.

'Hoe kom je daar nu weer bij?' vroeg Domin.

'En wat doen we met de spionnen?' vroeg Anna.

'Die schieten we neer met onze donderbussen.' Clemens haalde het geweer van zijn schouder.

'Ik stel voor dat we ze eerst toch maar een tijdje gevangenzetten,' meende Domin. 'Gangen en gewelven genoeg.'

Het hoofd van de spionnen zat vastgebonden in een hoek. Hij had meegeluisterd. 'Heer Domin, mag ik een voorstel doen?'

'We worden nog steeds afgeluisterd,' zei Anna kwaad. Ze maakte aanstalten om de man een schop te geven. Het hoofd spionage trok een verontschuldigend gezicht, al leek hij te willen zeggen: sorry mevrouw, een kwestie van gewoonte.

Domin hield zijn dochter tegen en fluisterde: 'Misschien heeft hij nuttige informatie.' Hij draaide zich om en zei: 'Spreekt u maar.'

De hoofdspion schraapte zijn keel. 'Wij zouden graag weer eens iets met onze handen willen doen, in plaats van alleen maar met onze neus, ogen en oren te moeten werken. Laat ons bij de opbouw van de dorpen helpen.'

Zijn collega-spionnen knikten heftig.

En zo werden de spionnen aan het werk gezet. Natuurlijk was er nog bewaking. Onder leiding van de jongen met bravoure was een vrolijke militie ontstaan. Ze noemden zich 'Zonen van Dominicus'.

De voormalige raven hadden in hun zwarte pakken weinig kans om te vluchten. De vrouwen droegen nu bloemetjesjurken en de mannen vrolijk gekleurde huisjasjes. Het atelier van Anna had de handen vol aan de bestellingen.

De zilverlingen werden goed verzorgd tijdens hun gevangenschap. Clemens had er alleen op gestaan dat de gevangenen dagelijks verplicht vijf liter bier moesten drinken. Zo had hij een groot aantal proefkonijnen bij de hand. En bovendien zouden ze met drank op geen gevaar meer vormen, al waren een paar dorpsoudsten natuurlijk gewend aan behoorlijke porties miswijn.

Eens in de zoveel tijd stierf er een zilverling. Dan begroef Clemens de dode. Gewoon op een nette plaats op het knekelveld achter de kerk. Wraakzucht heeft geen enkele zin. Het enige wat hij niet kon laten was om op het graf een veelkleurige hoofdsteen te zetten, een behoorlijk zware ook.

De strook land die van niemand was, werd weer van iedereen. Het was alleen een kwestie van tijd voordat de seizoenen weer eerlijk waren verdeeld.

Je bent zelden getuige

Altmann klopte met de kwast het scheerschuim op. Het leek opnieuw langzamer te gaan dan in het begin van de week. Vroeger in de hotelkeuken verstijfde het eiwit al zodra hij met de garde in de buurt van de kom kwam. Hij had geen mixer nodig. Of welke andere keukenhulp dan ook.

'Voor mij geen pottenkijkers.'

De leerlingen konden bij de ketels van de souschef terecht.

Nooit eerder was Altmann zich zo bewust geweest van zijn beendergestel als deze ochtend. De vierenvijftig botjes in zijn hand, het polsgewricht, het spaakbeen, de ellepijp, het opperarmbeen en het schouderblad. Alsof zijn skelet zich krampachtig aan de resten van zijn vlees vastgreep. En dat terwijl dat gratenpakhuis hem zonder moeite zou overleven.

Hij hield het schaaltje een paar tellen ondersteboven en trok daarna met de kwast wat toefjes omhoog. *Een meringue, een omelet siberienne.* Hij wreef over zijn sleutelbeen. 'De loper ligt voor het grijpen. Waar is de poort van de duisternis?' mompelde hij tegen de beslagen spiegel. Een kwartier eerder had hij de warmwaterkraan boven het bad opengedraaid. Zijn grimassen hoefde hij niet te zien. Ditmaal zeepte hij niet alleen zijn kaken in, maar ook zijn schedeldak. Misschien moest hij zijn baard laten staan. Het schuim bedekte zijn pokdalige wangen. 'Als sneeuw op een veld met molshopen.'

Waar kwam die onzin ineens vandaan? Had hij met het verlies van het overgrote deel van zijn hoofdharen ook de bescherming tegen rare invallen verloren?

Altmann haalde het klapmes een aantal malen driftig over de slijpsteen. Daarmee scherpte hij ook de pijn in zijn gewrichten aan. Hij testte het lemmet uit op de nagel van zijn pink. Die viel gelijk op de grond. 'In elk geval scherp genoeg.'

Altmann graaide naar zijn bril op de wastafel. Hij keek naar het kale topje van zijn vinger. De huid was okergeel verkleurd. Gerimpeld ook. Hij tikte ertegen met het mes. Gevoelloos. Vanuit zijn ooghoek dacht hij de nagel te zien bewegen. Hij scharnierde zijn ruggengraat. Zijn heup- en heiligbeen klampten zich aan zijn handen vast.

'Een nieuwe trofee, een schild voor de koningin?'

Uit de kieren tussen de planken waren mieren tevoorschijn gekomen. In de keuken was hij gelijk gif gaan halen en lokdozen. Hier bleef hij staan kijken. Ook omdat hij alleen met veel moeite uit de hoek van negentig graden kon komen. De parade had iets triomfantelijks. Eerder in de week had hij ze ook al betrapt op het wegvoeren van de laatste grote plukken van zijn haar. Waren ze een nieuw nest aan het bouwen? Hadden ze zich in zijn huis teruggetrokken voor de komende winter? Altmann floot een stukje marsmuziek. Zachtjes, het waren uiteindelijk maar minuscule wezentjes, met heel kleine oortjes. Of hebben mieren geen oren? Verbeeldde hij het zich nu of hoorde hij ze met zijn deuntje mee neuriën? Hij draaide zijn hoofd een kwartslag om beter te kunnen luisteren. De hamer viel met een klap op het aambeeld. Het porseleinen bakje met scheerschuim spatte uiteen op de vloer.

De colonne verdween tussen de planken. Met moeite trokken ze het stuk hoorn door de kier naar beneden, een kleine zandverstuiving achterlatend. Stel dat hij hier nu ter plekke zou omvallen, hoelang zouden ze er dan over doen voordat ze hem helemaal onder de grond hadden? Of zou er rond zijn lijk een ware insectenoorlog ontstaan? Was het niet zo dat vliegen al binnen een dag in al je holtes eieren legden? Had hij de ramen wel dichtgedaan? Wie weet wat er op zo'n feestmaal allemaal aan kwam vliegen, zelfs nog in de herfst?

Altmann trok zich op aan de wasbak en veegde met een handdoek de spiegel schoon. Waren de twee helften van zijn gezicht vroeger ook al zo tegenstrijdig geweest? Zijn linkeroog keek streng de wereld in, koel, berekenend. Uit het andere straalde nieuwsgierigheid. Een laatste sprank levenslust, een kraaienpoot in de vorm van een pijl, als een wegwijzer. Hij pakte het scheermes en schraapte zijn kaken en hals schoon. Bij het strottenhoofd haalde hij zich open. Een nauwelijks zichtbaar druppeltje bloed liep langzaam in zijn hemd. Dat was natuurlijk ook een mogelijkheid. Altmann hield het mes onder de kraan, veegde het droog aan de handdoek en klapte het dicht. Voor een dergelijke daad had hij de lef niet. 'Veel te stellig.'

Het deurtje van het medicijnkastje klemde. Twee dagen eerder had hij de plankjes schoongeveegd. Jammer dat ook de potjes met pijnstillers in de afvalbak terecht waren gekomen. Was de vuilcontainer op de binnenplaats al geleegd?

Altmann trok de stop uit het bad. De afvoerleiding slurpte smakkend de kuip leeg.

'Kom eens een keer uit dat water!' riep zijn moeder in zijn jongensjaren vaak tegen hem. 'Straks weekt al het vlees van je botten.' Ze wierp een handdoek op de granitovloer van de badkamer, haar blik demonstratief afgewend. Na het afdrogen had hij een tijdje wantrouwig de gerimpelde huid van zijn handpalmen en voetzolen bestudeerd.

Altmann keek naar het bolletje aan het plafond, deed het licht uit en sloot zijn ogen. De ronde vlekken op zijn netvliezen vervaagden langzaam. Duisternis. Zou het zo ongeveer gaan?

Novak hing zijn badjas aan het haakje en draaide de kranen open. Het koude water, sterk en zelfverzekerd als hijzelf, stroomde direct krachtig uit de douchekop. De warmwaterleiding protesteerde luidruchtig. Die had elke dag last van ochtendziekte. Novak moest aan zijn vrouw zaliger denken. Hij stapte in de stortbak. Geen tijd voor gezeur. Hij was door de wekker heen geslapen. Zijn spieren trokken lichtjes samen onder de koele stralen. Hij pakte een washandje en zeepte zijn grote- en kleine borstspieren in. De deltaspier, de schouderbladheffer, de biceps, de kleermakerspier en de voetzoolspier. Hij eindigde bij de stem-, de trompetter- en de lachspier. Novak had arts willen worden.

'Het geld groeit ons niet op de rug,' zei zijn moeder. En zijn vader voegde eraan toe: 'In dit land kun je beter met je handen werken dan met je hoofd.' De jonge Novak had in gedachten alle rugspieren opgenoemd. Even speelde hij met het idee om te protesteren. Een dokter moest zijn armen toch ook uit de mouwen steken? Bij een bevalling, een gebroken been of een gescheurde spier bijvoorbeeld? En wat te denken van een arm uit de kom? Maar Novak zweeg. Hij had geen zin in de losse handen van zijn vader. Voor het examen blauwe plekken hoefde hij niet meer te studeren. Novak werd patissier.

'Een beroep voor halfzachte mannen,' had zijn vader boven de schuimkraag van zijn bier gemopperd, terwijl hij een hap nam van een gedroogde worst. Was die ouwe maar een keer komen kijken. De bakken die Novak in de fabriek heen en weer tilde waren minstens veertig kilo zwaar. Het moest zijn vader toch zijn opgevallen dat hij binnen de kortste keren heel stevig geworden was. Zijn onderarmen waren kolossaal. (Wat wil je, vijf spiergroepen, negentien strekkers, trekkers en draaiers.) Hij had een krachtige handdruk. (Elf musculi.) In het deeg dat hij dagelijks kneedde drupte heel wat van zijn zweet. Hij hield er rekening mee tijdens het zouten.

Zijn ouders hadden nooit veel op hem gelet. Novak vond het wel best. Op zijn veertiende ging hij werken bij een bakker in de hoofdstad. Vlak bij de grens. Als hij zakken met meel van de zolder haalde, daar waar ook zijn eenvoudige slaapplaats was, kon hij de mensen aan de andere kant zien lopen, daar waar alles anders leek. Na een paar dagen was hij gestopt met het afkloppen van zijn werkplunje.

Novak droogde zich af. Hij moest aan een nieuwe handdoek zien te komen. De vezels hadden watervrees gekregen. Misschien kon hij met een paar gebakjes wat lospeuteren bij de vrouw van de textielverdeling. Hij wist dat ze achter de stapels met grove doeken ook zacht badstof bewaarde. Voor 'de geprivilegieerden'. Hadden die lui dat nodig om hun hardvochtigheid in te verbergen? Hij zou een maanzaadkoek voor haar bakken. Een soepel stuk taart met een licht verdovende werking. Eerder had Novak het geprobeerd met een speciaal aan haar opgedragen gedicht. Er schemerde nog steeds schoonheid door in het gezicht van de vrouw. Ze was hoogstens een jaar of veertig. De hoofddoek maakte haar ouwelijk, ondanks het fijne materiaal en de bloemenprint.

Ze liet het papier met het sonnet meermaals door haar vingers gaan, draaide het om en rook eraan – hij was vergeten het te parfumeren, een gemiste kans. Zo testte ze ongetwijfeld ook de kwaliteit van haar textiel. Novak had haar kunnen vertellen dat het geschept papier was. Dat hij voor een pakje van vijftig vel bijna een weeksalaris betaalde.

'Een hoog percentage oude lompen,' had de verkoper hem verzekerd.

Met een blos op zijn wangen stond hij te wachten toen de kameraad textielverdeelster een knijpbril pakte en haar ogen over
de tekst liet gaan. Een schooljongen met een werkstuk voor de
onderwijzeres. Novak had een zwierig handschrift. Twintig jaar
ervaring met de decoratiespuit. Slagroom, alleen voor een naam,
meestal die van een kind. Chocolade, veel chocolade, wit voor
een trouwpartij, melk voor een verjaardag en bitter bij een uitvaart. Puur, donker als de wachtende aarde zelf. En dan nog uit
de losse hand diverse wensen. Met honing, achttien jaar, een hele
dame. Met zure stroop het jubileum van de jonge staat.

'Het is moeilijk geschreven,' zei ze na een tijdje. 'Bijna als een
geheimschrift.'

'Opgedragen aan u, kameraad depothoofd.'

Even keek ze hem schuin van onder haar hoofddoek aan. Toen
trok ze met een ruk de bovenkant van het papier af. Daar waar
haar naam stond. De rest propte ze met een kwade blik in Novaks
hand. 'Hier wil ik niets mee te maken hebben.'

Altmann opende de deur van de slaapkamer, schuifelde naar het
ledikant en ging zitten. Op de grond naast het bed lag zijn panta-
lon, opgerold als een trouw huisdier. Altmann keek er een tijdje
naar. Een maquette van twee kraters met slingerende spoorlijnen.
Hij omklemde zijn bovenbenen, dirigeerde zijn voeten in de opgestroopte pijpen en viste met zijn wandelstok naar de bretels.
Langzaam bracht hij ze naar zijn schouders. Het elastiek hielp
hem in zijn broek. Hij hield het handvat van de stok voor zijn
neus. 'O vraagteken. Zij die gaan opstaan groeten u.' Altmann
haakte de stok aan de hanglamp, trok eraan, wiegde zijn bovenlichaam een aantal maal heen en weer en schoot omhoog. Bijna
met zijn hoofd tegen de klerenkast. Er zat al een ster in de pas-
spiegel op de linkerdeur. Goed bekeken een vijfkantige. De rode
Russische ster. Handig als de Iwans alsnog de oversteek zouden
maken.

Toen Altmann de kast opende, stootten de klerenloze hangers
elkaar aan. Die wilden natuurlijk weten wanneer ze weer een lichaam kregen aangemeten. Een mooie lange jas, een hemd, een
driedelig grijs. Of desnoods een bloemetjesjurk. Hij negeerde
hun geklepper, pakte een trui van een plank en stak zijn hoofd
erin. De nauwe col bleef steken bij zijn jukbeenderen. Een paar

tellen hapte hij naar adem. Zou hij ook deze dag weer in de leunstoel doorbrengen, knikkebollend boven zijn boek? Op dezelfde pagina als waar hij al de hele week was blijven steken? In de hoek van de kamer lagen zijn pantoffels. Altmann keek naar de zolen. Beide hakken waren aan de buitenzijde vrijwel helemaal weggesleten. Hij draaide zich om op zijn o-benen. Kraakbeen, een toepasselijke naam. In de andere hoek van de kamer stonden zijn halfhoge schoenen. Met de neus naar de wand, als bestrafte kinderen. Stevig, bruin, zoals het grootste gedeelte van zijn garderobe. Aan de achterzijde van de rechterschoen ontbrak het lipje dat je gebruikt bij het aantrekken als je geen lepel hebt. Zouden zijn voeten het strakke leer nog kunnen verdragen? Altmann dacht aan de worstelwedstrijd die hij jaren eerder op de tv had gezien. Twee tegen twee.

In uw rechterhoek de robuuste uitdagers uit ...

Altmann viste met zijn stok een van de schoenen op en keek naar het label. 'De Verenigde Staten van Amerika.' Hij legde met zijn voet een van de pantoffels op de rug. 'En aan de overkant in de ring de regerende kampioenen uit het oosten. Ronde één.'

Zouden de slapjanussen het ook dit keer winnen? Ze waren er sluw genoeg voor.

Novak liet zich vallen en drukte zich twintigmaal op. Elke keer raakte zijn eikel kort de natte tegels. Vloerverwarming. Zijn lichaam zwol. Hij stond op, bekeek zichzelf kort van de zijkant in de manshoge spiegel en deed een paar spreidsprongen. De handdoek gooide hij in de hoek van de badkamer. Hij hoefde zich voor niemand te bedekken. Bovendien liet het ding zich nauwelijks meer buigen. Bordkarton. Misschien kon hij het later nog gebruiken om wat leuzen op te schrijven. Een protest met een sierlijke chocoladekrul. Daar zou de partij misschien minder snel aanstoot aan nemen. Gesuikerd net als hun slogans. Geen wonder dat de kameraad depotbeheerster zijn gedicht niet vertrouwde. De politici hadden de landstaal gestolen. Of in elk geval de betekenis van de woorden.

Novak liep naar de woonkamer en graaide zijn onderbroek van een stoel. Een lange tot op de enkels. Niet dat hij die nodig had – het vroor nog niet en bovendien was zijn doorbloeding overduidelijk meer dan goed – maar in al zijn andere ondergoed zaten grote gaten. De lange Jan was de minst slechte, al had de gulp geen knoopjes meer en zou het elastiek het snel begeven. Hij moest het ding zo hoog optrekken dat het eerder een hansop leek. Zijn borstspieren als spanners, zijn tepels bijna in de knoopsgaten.

De meeste vrouwen in de buurt waren voortdurend bezig met het bijeensprokkelen van het dagelijks eten. Soms letterlijk, als in het nabijgelegen bos de hazelnoten vielen. Of eerder in het jaar, wanneer de struiken bessen droegen. Het seizoen voor de paddenstoelen was bijna over. De gevaarlijkste tijd tussen de sparren en de dennen. De buurvrouw van Novak ging niet meer op zoektocht. Ze had door een wildklem een deel van haar voet verloren. Haar man, de kolendistributeur, was dol op fijne cantharellen en schnitzels van de grote boschampignons.

'Lekker lang een volle maag,' zei hij op de overloop een keer tegen Novak. 'Na gebruik even afspoelen, dan kun je ze zo nog een keer eten.' Daarna deelde hij met een van zijn kolenschoppen een klap uit op de schouder van de patissier. Het zwartberoete gezicht van de buurman was in een lach opengebroken. De man had opmerkelijk witte tanden. Waarschijnlijk geschuurd door het vele kolenstof. Zijn eigen gebit verborg Novak liever. Het was in slechte staat. Het deed hem denken aan het onvermijdelijke.

Novak lustte geen paddenstoelen. Alleen als hij die at, voelde hij zijn ingewanden. En na het eten van te veel kaas. Maar dat kwam zelden voor. De rijen voor de winkels met lege schappen werden steeds langer. Wanneer hij bij de buurvrouw kolen voor brood ruilde, gaf hij haar altijd iets extra's. Daarmee kon ze haar man in de late herfst rustig houden. Er was altijd wel iemand die een mandje paddenstoelen tegen een vloerbrood wilde ruilen. Novak had brood genoeg. En zoetwaren. Als hij meel nodig had dan hoefde hij alleen zijn overall of zijn werkjasje uit te kloppen. In de gangkast stapelde de zeep zich op. De kelder lag vol met kolen.

Alleen de vrouw van de textielverdeling viel niet voor zijn zoete woorden, zijn kadetjes of zijn borstplaat. Had ze soms iets met een 'geprivilegieerde'? Met zijn maanzaadkoek zou Novak het nog eenmaal proberen. Anders moest hij wachten op zijn nieuwe werkkleding. Pas in het voorjaar was hij weer aan de beurt. Waarschijnlijk was zijn maat dan opnieuw niet voorradig. Zat hij straks weer met hemdjes en broekjes net groot genoeg voor schoolknapen. Of anders van die ouderwetse hobbezakken met een gulp van een halve meter. Novak trok zijn werkkleding aan. De pijpen kwamen maar tot driekwart van zijn benen. En zijn onderarmen waren maar voor de helft bedekt. Maar dat maakte niet veel uit. Hij was gewend om zijn mouwen op te stropen. Zou de leiding van de fabriek een gedeelte van het textiel zelf houden? Twee hemdjes, twee onderbroeken, twee paar sokken, een overall en een broek en een jasje per jaar was toch wel erg weinig voor een arbeidersstaat.

Novak liep naar het raam. Vlak bij de ingang van de woonkazerne stond de enige lantaarn van de straat. Het meeste licht hadden ze natuurlijk nodig bij de grens. Er kwam een Tatra van de regering voorrijden. Vreemd genoeg niet geblindeerd. De bescherming van de nacht. Achterin zag hij twee mannen in kostuums zitten. Waarom waren die al zo vroeg op pad? De deur van de limousine ging open. Een wijnfles viel stuk op straat. Gedempt gelach. Alle kameraden zijn gelijk. Een vrouw stapte uit, sloeg de kraag van haar jas op en liep snel buiten het bereik van de lantaarn. Had ze een gebloemde hoofddoek op? Novak trok zijn sleetse duffel aan en sloeg de buitendeur achter zich dicht.

Toen Altmann zijn voet in de pantoffel stak, scheurde de stof af. Hij had juist besloten dat hij beneden de brievenbus weer eens zou gaan legen, of dat hij in elk geval voorzichtig door de klep naar de inhoud wilde kijken. Hij wierp een blik op zijn leunstoel en het opengeslagen boek. Vier trappen en tweemaal een overloop. Op een slof en een blote voet? Dat zou te veel zijn voor zijn hielbeen, zijn sprongbeen en de andere vijftig voetbotjes. Altmann rekende terug. 1939. Hij liet zijn vinger gaan over de kalender. Negen november. De vorige avond had hij er bij het afstrepen van de dag geen acht op geslagen. Het vierde kwartaal van het jaar was hem het liefst. Op misschien die vreselijke feestdagen na. Honderd dagen voor de eenendertigste december begon hij ermee, vastbesloten om in elk geval over die streep heen te gaan. Op de eerste januari stopte hij er direct mee, ervan overtuigd dat dit het tweede jaartal was dat achter zijn naam zou komen te staan.

Hij keek om zich heen. Wat zou er gebeuren met zijn schamele spullen? Misschien moest hij alles nu vast buitenzetten. Of láten zetten. Maar door wie? Op dinsdagochtend wemelde het in de buurt van morgensterren op zoek naar iets bruikbaars. Ze kwamen niet meer met de fiets of de handkar, maar met de bestelwagen. Altmann zou zijn stoel bij het raam schuiven en het licht in de kamer uitdoen. Dan kon hij de mensen goed zien. Misschien zou hij zelfs wel kentekens noteren. Al was het beter om over de nieuwe toekomst van zijn bezittingen te fantaseren. Zijn spiegel bij een ontluikende schoonheid, rimpelloos, met lange haren die dagelijks moesten worden geborsteld, de schilderijtjes aan de wand van een kunstminnend echtpaar, de klerenkast met ingelegde rozetten naar een herenhuis en de boeken bij een heldere geest. (Waarschijnlijk werd de lijst van de spiegel voor het koper verkocht, kwamen de vergezichten in een pandjeshuis terecht en eindigde zijn verzameling negentiende-eeuwse vertellers als toiletpapier, maar dit soort gedachten liet Altmann vandaag niet toe.)

In elk geval moest hij vandaag zeker naar zijn brievenbus. Je zag niet elke dag Abraham. Een broek en een trui had hij al aan. Het kon geen kwaad om de schoenen weer eens te proberen. Als hij het treetje voor treetje zou doen, was hij heen en terug hoogstens een halfuur onderweg. Bezoek kreeg hij al lang niet meer. Daar had hij zelf de hand in gehad. Op brieven reageerde hij niet en de telefoon had hij een halfjaar eerder al laten afsluiten. Het bakelieten toestel op het tafeltje bij het raam was van een irritante stoorzender veranderd in een mooi decorstuk. Als hij nu de hoorn tegen zijn oor drukte dan was er alleen stilte. Een dode lijn. Rustgevend. Zo zou het dus ook kunnen zijn.

Altmann deed de grendels van de buitendeur van zijn appartement zo voorzichtig mogelijk open. Toch galmde het naar zijn idee als in een kathedraal. Het heette hier dan wel het Vrije Westen, maar elke keer als hij zich in het trappenhuis waagde, dan hielden de spionnetjes in de woningdeuren hem in de gaten.

'Cyclopen van het fatsoen.'

Vooral voor de nieuwe benedenbuurman was hij beducht. Na de eerste ontmoeting was Altmann een week zijn huis niet uit geweest. Twee paar extra dikke winterkousen had hij aangedaan. Zelfs de zachte zool van zijn pantoffels kon zijn aanwezigheid

verraden. Het toilet trok hij niet door. Water wrong hij druppels-
gewijs uit de kraan. Hij sloeg een paar dekens om. De verwarming durfde hij niet aan te doen. De buizen zouden klopsignalen
kunnen geven. In de avond ontstak hij een enkele kaars, bang dat
iemand licht zou zien. Dat was vrijwel onmogelijk, want de ve-
loursgordijnen had hij aan de rand met breed plakband aan de
muur vastgeplakt. Geen kier te bekennen.

Altmann ging boven aan de trap zitten. De derde tree moest hij
overslaan. Die kraakte nog meer dan het leer van zijn Rocky
Mountains. Steunend op zijn armen ging hij tree voor tree op zijn
zitvlak naar beneden. Juist bij het appartement van de benedenbuurman maakte hij een inschattingsfout. Ondanks de dikke
kokosmat kwam hij met een duidelijk hoorbare bons neer op de
overloop. Altmann sloot zijn ogen. Ook van de straat kwam geen
geluid. Terwijl er op dat moment nog auto's en bussen moesten
rijden. En de cafés pas net begonnen waren met het uitspugen
van de laatste gasten. Zwalkende trottoirs. Alles en iedereen
stond even stil bij de hartslag van Altmann, het trappenhuis als
boezem.

Hij keek tersluiks naar de voordeur van zijn benedenbuurman.
Veel had de man niet gedaan of gezegd toen hij met zijn tassen de
trap op was komen klossen. Altmann was net naar beneden gekomen. Een eervolle terugtocht was onmogelijk geweest. Hij was
te diep in gedachten.

'Zo, zijn we niet aan het werk?' had de lomperik gezegd. 'Op dit
uur? Een vrije dag?'

Altmann lichtte zijn hoed en mompelde een verontschuldiging.
'Mijn aktetas vergeten.' Een stomme smoes om rechtsomkeert te
kunnen maken.

De buurman haalde zijn schouders op en was begonnen met
het fluiten van een lied. Nadat hij zijn voordeur had opengemaakt
draaide de man fluks zijn hoofd om. Het was zijn doordringende
blik die Altmann van zijn stuk bracht. Eén oog met een lichtgele
iris. Voor de andere kas zat een zwartleren lap. Een nek leek deze
man ook niet te bezitten. Zijn stekelhaar was opgeschoren en aan
zijn rechtervoet zat een schoen met een forse zool. Het zag er
bijna uit als een hoef.

Voorheen lette Altmann nooit op de geluiden van het trappenhuis. Er drong ook bijna niets tot zijn woning door – hij had twee

extra tussendeuren laten plaatsen, een in de hal en een in de gang – maar het vertrek en de thuiskomst van de buurman kon hem niet ontgaan. Het geselen van diens klompvoet op de treden klonk als de bouwplaats op de hoek van de straat. Pas over twee weken zouden ze met de pneumatische hamer ophouden.

Novak zwaaide zijn rechterbeen over het zadel. Een fietsklem had hij niet nodig. De pijpen van zijn broek kwamen immers niet verder dan zijn scheenbeen. Ook vandaag zou hij precies drie-honderdvijfenzestig keer trappen voordat hij zijn karretje tegen de achtergevel van de bakkerij zette. Zonder slot. In de heilstaat bestond geen criminaliteit. En ook geen werkloosheid.

'Weer een jaar ouder.'

Voor Novak was het een dag als alle andere. Al in zijn jeugd werd er niet veel aan gedaan.

'Hier heb je een tientje,' zei zijn vader. 'Of is het pas volgende week?'

Was het zo moeilijk om te onthouden? Broers en zussen had hij niet. Anderszins bevrijdde het hem op den duur van verplichtin-gen. Tijdens zijn huwelijk ging hij voor de zekerheid de hort op. De laatste maanden ook op gewone dagen. Zijn collega's lieten hem met rust, ook op zijn naamdag. Een nieuwe gezel maakten ze ter ontgroening nog weleens wijs dat een mooi stuk eigenge-maakt gebak speciaal voor de verjaardag van kameraad hoofdpa-tissier Novak de leerperiode zou bekorten.

Ditmaal zou Novak geen taart door de bakkerij keilen en de geschrokken leerling er niet met zijn neus induwen. Hij zou best zo'n mooie jubileumpop willen hebben. Wel een stevig gespierde. Het was vreemd, want ronde getallen interesseerden hem eigen-lijk niet. Bakplaten vol had hij er zelf van gemaakt. Duizenden jaren waren door zijn handen gegaan. Amandels voor de ogen en neuzen, gekonfijte schillen voor de monden – sinaasappels voor de mannen, citroenen voor de vrouwen – en hazelnoten voor de knopen. Vijf stuks voor elke pop. De helft van heel wat levens had hij met die noten afgesloten.

Altmann liet de sleutels bedachtzaam stuk voor stuk door zijn vin-gers gaan, als was hij bezig met een gebedssnoer. Zou het hem de-ren als er niets in de brievenbus zat? Hij had geen abonnement op een krant of tijdschrift en zijn penvrienden hadden het zo goed als opgegeven. Misschien stuurden ze hem wel verjaardagskaarten. Voorgedrukt. Een handtekening volstond. Daar hoefde je hoogstens eenmaal per jaar op te reageren. Daarvoor had Altmann een kalender. Vroeger postte hij de gelukwensen eens per week. De laatste keer had hij gelijk een heel kwartaal op de bus gedaan.

Het slot piepte toen Altmann het sleuteltje een kwartslag naar rechts draaide. Was het al zo lang niet gebruikt? Toen hij het deurtje op een kier opende, kreeg hij een tochtvlaag in zijn gezicht.

'De brievenbus als sluis naar de buitenwereld.'

Hij gaf zichzelf een bestraffende tik tegen zijn kaakbeen. Er ging een scheut door zijn ellebooggewricht.

De klep aan de buitenzijde stond halfopen. Er stak een koker uit. Altmann trok eraan. Er zat geen beweging in. Hij zocht met zijn vrije hand steun bij de kruk van de buitendeur. Voordat hij naar beneden ging had hij een jas aangedaan, een hoed opgezet en zijn aktetas gepakt.

Hij sloeg zijn sjaal om, drukte de kruk naar beneden en duwde de deur open. Het ging heel moeizaam.

'Zeker ook een zwaar leven.'

Lag het aan zijn afnemende kracht? Altmann wurmde zich door de opening. Met een klap viel de deur achter hem dicht. Hij zou even op adem moeten komen voordat hij weer met de dranger kon gaan armworstelen. Hoe lang zat de koker al in zijn brievenbus? En waarom had de bezorger niet aangebeld? Altmann ging met zijn vinger langs de huisnummers. Bij zijn woning ontbrak het naambordje. Hij drukte op het knopje. In de verte ging een zoemer. Moeilijk te zeggen waar precies. Een onbestemd pijnsignaal in een groot lichaam. Misschien had hij per ongeluk wel bij iemand anders aangebeld? Straks hing de benedenbuurman met zijn stekelkop uit het raam.

'Zijn we daar niet een beetje te oud voor?'

Altmann stak de koker snel in zijn aktetas en nam, voor zijn doen, een paar fikse stappen. Hij zette de tas tussen zijn benen, nam zijn bril af en probeerde de betrapte uitdrukking van zijn gezicht te vegen. Kon hij maar net zo onbevangen fluiten als de benedenbuurman. Straks was hij opgemerkt door een surveillancewagen. Een luidspreker zou schallen.

'Zijn we daar niet een beetje te oud voor?'

De buurt zou wakker worden. Een volksgericht. Altmann het mikpunt. Het zou geen zin hebben om tegen te sputteren. De plek naast de bel en het huisnummer was blanco. De woning stond niet op zijn naam. Zijn identiteitsbewijs was versleten. Hij leek niet meer op zichzelf. Zijn gezicht was dat van een buitenstaander, gevaarlijk vaalgeel.

Altmann schuifelde verder de straat in. Hij keek in een etalage. De verlichting van de modewinkel was uit. De ruit weerspiegelde zijn hoofd op een van de naakte paspoppen. Geen benen, geen armen, alleen een romp. Van ideale proporties, een buste voor in een museum of op een tombe. Maar daarvoor moest je grootse daden hebben verricht. Altmann had geen wetenschappelijke ontdekking gedaan, geen briljante muziekstukken gecomponeerd, geen literaire meesterwerken geschreven of de helft van een volk uitgeroeid. (Al dan niet met de beste bedoelingen.) Hij had alleen een nieuw gebakje gecreëerd.

'Een culinair hoogstandje,' had zijn baas gezegd. Hij vernoemde de taart naar zijn vrouw. En zo ging niet Altmann maar de hotel-eigenaresse de wereld rond.

Hij had zich er niet lang druk over gemaakt. Wie rijk is heeft vijanden, wie geen overdreven succes kent heeft vrienden. Wie had hem die onzin ooit in het oor gefluisterd?

Altmann sloeg de hoek om en steunde een moment tegen de gevel. Er kwam een voetganger zijn kant op. Hij was overdreven dik aangekleed: een bontmuts, een pels en rijglaarzen. Ongeveer twintig meter van Altmann vandaan maakte de man een knie-val. Hij rommelde aan zijn veters, stond weer op en stak de straat over. Opgelucht overwon Altmann nog een paar stoeptegels. In de goot lagen handschoenen. Waarschijnlijk verloren door de koukleum. Met zijn stok viste Altmann ze op. Hertenleer, een damesmaat. Hij deed ze aan bij een tiental kale takken die uit een haag staken. Dan was die struik ook voorbereid op de winter.

Novak zette zijn fiets tegen de achtergevel van de bakkerij. Er zat iets in de lucht. Of eerder: er ontbrak iets. Het zoemen van de motoren van de mengmachines en de lichtzure geur van beslag bijvoorbeeld. De schoorsteen rookte niet. De oven moest toch al lang zijn aangestoken? Nooit eerder had Novak de personeelsingang op slot aangetroffen. Ook niet wanneer hij als eerste aankwam. Hij ging de hoek om naar de grote poort. Daar zouden om deze tijd de bestelwagentjes al warm staan draaien. De meeste waren al net zo oud als de republiek, maar zagen er nog als nieuw uit. Geen kunst, een carrosserie van plastic. De chauffeurs zouden al rond een pot koffie zijn verzameld. Zelfgedraaide sigaretten tussen hun met olie besmeurde vingers. Ze hadden veel werk aan de motoren: tweetaktkoffiemolens.

'Die autootjes lijken stuk voor stuk op onze socialistische heilstaat,' had hij een chauffeur jaren terug eens horen mompelen. 'Een kunstmatige buitenkant, een motor die niet deugt en een stroeve transmissie.'

'En als je te veel tegengas geeft, dan knallen ze erop los.'

'Protesteren heeft geen zin. Er komt toch geen verandering,' voegde een ander toe.

Ze schrokken toen ze Novak met een kar met brood bij de deur ontdekten. Hoe lang had hij daar al gestaan?

Novak had het gesprek niet helemaal begrepen, maar de toon herkende hij wel. Hij was nog jong en kende niets anders dan de socialistische arbeidersstaat. Een paar dagen later zag Novak allemaal nieuwe gezichten bij de bezorgers. Hij had het voorval aan niemand verteld, voornamelijk omdat hij zich schaamde voor zijn eigen reactie. Verraad aan de natie. Hij had een zenuwachtige giechel maar ternauwernood kunnen onderdrukken. Zijn wangen kleurden rood. Alsof verklikkers gedachten konden lezen. Niets was onmogelijk. Je hoorde over de vreemdste experimenten.

De chauffeurs spraken bijna nooit met de bakkers, maar sinds de zuivering zwegen ze zodra er 'een meelworm', 'een judaskoek', 'een fruittaart' of 'een slappe deegslier' in de buurt was. Tegen de tijd dat Novak hoofdpatissier werd, was de zaak zo hoog opgelopen dat er nieuwe arbeiders in dienst werden genomen om de karren met brood en deegwaren naar de bestelwagentjes te rijden. En de lege weer terug. In de heilstaat bestond werkloosheid niet. De kameraden transportbegeleiders – meestal oud-politieagenten die geen knuppel meer konden hanteren of grenswachten met oogproblemen of afgerukte trekkervingers – hadden een eigen uniform. De bovenkant was wit als meel en de onderzijde zwart als olie. Dat veranderde snel. De chauffeurs wilden de bakkers niet boven zich hebben. Een paar transportbegeleiders werden vastgesnoerd aan hun kar, van top tot teen met olie ingesmeerd en met een flinke zet de bakkerij in getorpedeerd. De bakkers reageerden direct. Ze strooiden zakken met meel, rozijnen, amandelen en gekonfijte vruchten over de arme kameraden heen, bekeken even goedkeurend het resultaat (mooie levensgrote Abrahams) en stuurden de karren in volle vaart weer terug.

De leiding van de bakkerij riep een commissie in het leven. De kameraad directeur stelde de kameraad boekhouder voor. De kameraad boekhouder droeg de kameraad depotbeheerder voor. De kameraad depotbeheerder achtte de kameraad directeur een goede voorzitter. Met algemene stemmen – drie – werden de suggesties aangenomen. De vergadering vond achter gesloten deuren plaats. Een hele dag duurde het debat van de wijze mannen. Er werden kannen met wijn (kristal?) en grote schalen (zilver?) naar binnen gebracht. De bakkerij vulde zich met branchevreemde geuren: koteletten, stoofschotels, wildgebraad, paddenstoelen, uien en zuurkool. De deegknoedels waren uit eigen doos. De commissie besloot de overalls in de lengte te splitsen. Links zwart, rechts wit. Dit leidde weer tot hevige protesten bij de bakkers. Zij vormden het hart van de zaak, niet de bezorgers.

Ten einde raad vroeg de leiding van de bakkerij de partijleider van het district om advies. Een week later konden de transportbegeleiders hun uniform bij de textielverdeling ophalen: zwart-wit gestreepte pakken met bijpassende ronde petjes. (Het zwart was eerder donkerblauw, vaak ook lichtblauw verschoten. Een overschot van het vorige regime.) Passend, de transportbegeleiders zaten gevangen tussen de twee vijandelijke kampen. De bakkers bekogelden hen met meelbommen, deegresten en oude noten, de bezorgers spuugden nicotinefluimen voor hun voeten. De schoenen van de transportbegeleiders waren daardoor definitief overgegaan naar het kamp van de chauffeurs. De bakkers smeerden hun broden in met spekgladde gelei – hetgeen later een specialiteit van de streek is geworden – in de hoop dat de chauffeurs ze zouden laten vallen. De bezorgers gooiden koffieprut in de lege karren.

De kameraden transportbegeleiders waren meer bezig met schoonmaken, het zich doof houden voor verwensingen en het ontwijken van projectielen dan met het duwen van karren. Het deed enkele wat oudere arbeiders denken aan de toestanden van voor de tweedeling van het land.

De leiding van de bakkerij was tevreden. De twee partijen waren alleen nog indirect met elkaar in gevecht. En eerlijk gezegd kon het niemand wat schelen dat die karrenduwers de pineut waren. Die politieagenten en grenswachten hadden in hun vorige betrekking vast genoeg uitgehaald.

Vandaag had Novak zelfs graag een praatje gemaakt met een chauffeur, maar het terrein was verlaten. Er zat een ketting om de poort. Novak wreef zich een aantal malen over zijn kin. Had hij een memo van de leiding gemist? Was hij een feestdag van de republiek vergeten? Onmogelijk. Ten eerste waren die er op school klassikaal ingestampt, ten tweede was hij de aangewezen persoon om de jubileumkoeken en taarten met zijn decoratiespuit van de data te voorzien. Zou hij weer naar huis gaan? Hij had de laatste jaren geen werkdag gemist. En zelfs op zijn vrije zondagen was hij vroeg in de ochtend vertrokken. In de zomer ging hij kamperen bij een van de meertjes in de buurt. In de winter maakte hij boswandelingen. Met een van de buren geleende hond. Een man van zijn leeftijd alleen tussen de struiken was verdacht. Wat moest hij op deze tijd thuis? De ochtend begon al te gloren. Hij zou zich een ongenode bezoeker wanen. Novak kende zijn woning feitelijk alleen bij kunstlicht. Overdag sliep hij. Zodra hij klaar was met zijn dienst – en op de meeste dagen heel wat overuren – ging hij direct naar bed. De gordijnen in zijn slaapkamer waren al jaren niet meer open geweest. Voor slapen was het nu nog te vroeg. Bovendien moest hij daarvoor eerst zijn spieren hebben laten rollen.

Novak liep terug naar de personeelsingang. Vreemd dat er verder geen enkele collega was. Zelfs de vrouw van de kantine niet. Of zat zij als gewoonlijk binnen in haar kassahok? Het leek alsof ze daar woonde. Had hij iemand van de leiding beledigd en werd hij daarom ineens overal buiten gelaten? Kleine gebeurtenissen van de afgelopen weken kregen ineens een andere betekenis. Collega's die plotseling hun mond hielden als hij voorbijkwam. Een gezel die een andere bakker om advies was gaan vragen.

Hij wilde niet voor de deur blijven dralen. Hij zou wat rondlopen en over een halfuur nog eens terugkomen. Woonde een van de andere patissiers hier niet vlakbij?

Altmann had geen idee waarheen hij eigenlijk onderweg was. Eerst wilde hij alleen niet gezien worden bij zijn brievenbus. Daarna had hij zijn pas versneld, ondanks de stekende pijn in zijn wervelkolom en zijn knieschijven. Eigenlijk in al zijn botten. Er liep iemand achter hem. Met een klompvoet. In de maat van het gehamer op de bouwplaats.

Altmann was niet meer gewend aan de echo van zijn voetstappen. Zijn sloffen hadden de laatste tijd elk geluid voor hem weggemoffeld. Zijn linkerschoen kwam harder neer op het trottoir dan zijn rechter.

'Je zult maar etalagebenen hebben', had een man naast Altmann jaren eerder in de wachtkamer van de dokter gezegd. Altmann knikte en bracht voor de zekerheid de folder over vaatvernauwing dichter naar zijn gezicht. De man bleef doorkletsen. Over de mazelen, de bof en de waterpokken.

'Kinderziektes in vergelijking met wat je als volwassene allemaal te wachten staat.'

Hij begon over hartproblemen en longontsteking, huidziektes, nierinfecties en een vergrote prostaat. Tussen elke aandoening pauzeerde hij steeds een paar tellen, keek met samengeknepen mond even weg en sloeg zich vervolgens met de vlakke hand hard op zijn dijbeen, als betrof het een goede grap.

'Dat moest mij weer overkomen.'

Altmann nam aan dat het relaas van zijn buurman zou eindigen na de artritis, de staar en de botontkalking, ongemakken van oude mensen immers.

'Ik laat toch echt niet mijn sigaartje en borreltje staan.'

Een mooie slotzin.

'Daarbij moet ik altijd aan mijn opa denken.'

Altmann stond op, lichtte zijn hoed en liep naar de deur. De man schoof gelijk door. Eén stoel dichter bij een nieuwe ziekte die hij ongetwijfeld met een harde klap op zijn dijbeen zou begroeten.

Altmann was niet meer teruggegaan. Al twee jaar had hij geen witte jassen meer bezocht. Waarom zou hij ook? Ze draaiden allemaal hetzelfde liedje af, elk hoogstens in een andere toonsoort.

'Voorlopig kunnen we alleen de symptomen bestrijden.'

'De wetenschap staat niet stil, maar ...'

En dan schreven ze allemaal een recept uit voor een pijnbestrijdingsmiddel. Pillen, spuiten of poeders.

'Een echte oplossing is er niet,' had een plaatsvervanger bij het voorlaatste consult gezegd. Een pas afgestudeerde jongeman die zei waar het op stond, nog niet gepokt en gemazeld zogezegd. 'Voorlopig kan ik u alleen een gematigd leven aanraden.'

Altmann rookte niet. Naar drank taalde hij al enige tijd niet meer. In de hotelkeuken proefde hij graag van alle fijne likeuren en destillaten. Maar dat was beroepsmatig. Bij het eten dronk hij de huiswijn. Een enkele keer liet hij zich een bodem van een door een gast achtergelaten fles goed smaken. Grand cru. Hij hield zich nu niet meer bezig met wat er door zijn aders vloeide, voor zover die zich nog in zijn ledematen bevonden. Onder het perkament van zijn huid waren ze in elk geval niet meer zichtbaar.

De plotselinge knieval van de dik aangeklede voetganger had Altmann doen schuilen in de schaduw van de gebouwen. Hij had niets uit kunnen brengen. Zelfs het lichten van zijn hoed zou hem te veel zijn geweest. Toen de man overstak, vreemd genoeg niet gehinderd door het verlies van zijn handschoenen, zag Altmann zijn kans schoon om 'het blokje om' af te maken. Zo noemde hij het maar. Zou de koffiebar van het hotel al open zijn? Bestond het etablissement nog wel? Of was de eigenaar met zijn plompe vrouw stil gaan leven van de opbrengst van Altmanns creatie? Straks zouden ze nog denken dat hij verhaal kwam halen. Het werd langzaam licht. Een dikke ochtendnevel stelde Altmann gerust. Daarom herkende hij natuurlijk de etalages niet. De letters van de reclameborden leken allemaal eender.

Novak stak zijn handen in zijn zakken. Zijn fiets liet hij staan. Als er dan iemand kwam, wisten ze in elk geval dat hij voor de poort had gestaan. Iedereen kende zijn karretje. Hij was de enige met een vooroorlogs herenmodel: jasbeschermers van touw, een leren zadel met ringveren en een stuur met naar de wielrijder gebogen handvatten. Het was maar goed dat Novak altijd met opgestroopte mouwen rondreed. Ongemerkt gleden de rubbers zo in je manchetten. Bij de eerste de beste bocht lag je dan op je gezicht.

Nooit was een chauffeur, een karrenduwer of een ontevreden gezel aan zijn fiets geweest. Nog geen ventieltje hadden ze losgedraaid. In deze staat mocht men maar zo weinig zelf bezitten dat je op z'n minst de halve familie van je vijand moest omleggen voordat er iets werd uitgehaald met je privéspullen. Met de inventaris van de staatsbakkerij lag dat anders. Daarmee mocht naar hartenlust worden gesold. Behalve met alles wat gemechaniseerd was. En dan met name de mengmachines en de bestelbusjes. Novak zou het nooit hardop verkondigen, maar hij had een zwak voor de onverwoestbare kunststoffen bakjes met hun tweetaktmotoren.

Het exacte adres van de patissier wist hij niet. Daarvoor had hij de laatste jaren te veel drankfeestjes overgeslagen. Misschien moest hij binnenkort toch maar weer eens een uitnodiging aannemen. Er waren genoeg nieuwe gezellen. Die zouden toch ook wel smullen van zijn verhalen over de grote steden in het westen?

'Vertelt u nog eens over dat vermaarde gebakje.'

Waar maakte hij zich eigenlijk druk over. Hij was de enige die het wereldberoemde taartje had kunnen namaken. Hij trok zich twee dagen terug in de kantine. Niemand mocht hem storen. Alleen de kameraad directeur van de bakkerij en de kameraad partijleider van het district waren op de hoogte.

Eerst smoesde men alleen in de productiehal, daarna ook in de straat. Uiteindelijk had men het er in de hele stad over. 'In de bakkerij wordt een staatsgreep voorgekookt.'

In zekere zin had men gelijk. Als Novak erin slaagde om het gebakje exact na te maken, zou het zeker de verhoudingen op de wereldmarkt veranderen. Het taartje zou een machtig exportmiddel worden.

De ingrediënten had hij al snel gevonden. Het kwam zoals altijd aan op de juiste hoeveelheden. Meer dan twintig keer herschreef hij het recept. Uiteraard smaakten alle probeersels uitstekend, maar de betovering ontbrak. Het vergelijkingsmateriaal uit het westen dreigde op te raken. Novak maakte de laatste verpakking van het origineel open. Met lede ogen had de kameraad partijleider van het district de doosjes afgestaan. Wat hij daar allemaal niet voor had moeten doen. En voor had kunnen krijgen.

Toen Novak de schaar weglegde, wist hij ineens wat hem te doen stond. Hij had zelfs geen maatbeker nodig. Dat een dergelijk simpel bestanddeel zoveel uit kon maken. Hoe had hij het over het hoofd kunnen zien? Als in trance maakte hij het beslag. Alsof zijn handen niet meer aan hem toebehoorden.

'Een socialistisch hoogstandje,' had de kameraad directeur van de bakkerij gezegd.

'Revolutionair,' voegde de kameraad partijleider van het district eraan toe. 'Hoe gaan we dit nieuwe kind noemen?'

Over een ding waren de twee hoogwaardigheidsbekleders het direct eens: Novak was geen goede naam voor een dergelijk elegant stuk gebak. En ook hun beider vrouwen kwamen niet in aanmerking, al zouden ze die wel graag de wereld in zenden. Voorgoed eventueel.

'Ik dacht aan …' begon de directeur.

'Misschien …' zei de partijleider.

Ze barstten in schaterlachen uit en omarmden en kusten elkaar op de wijze van de Iwans. En zo kreeg het geraffineerde taartje de naam van hun beider secretaresse.

Novak sloeg de hoek om. Een behoorlijk dikke ochtendnevel. Nee, eigenlijk hoefde hij zich niet druk te maken. Ze hadden hem nodig. Het laatste bestanddeel had hij niet beschreven in het recept. Als ze eens wisten hoe simpel het eigenlijk was …

Het was druk. Alleen achterin was nog een rond tafeltje vrij, een krappe tweepersoons. Altmann legde zijn hoed en de aktetas met de koker op zijn lievelingsplekje. Het deerde hem niet dat het tafeltje vlak bij de toiletten en de klapdeur van de keuken stond. Op dit vroege uur waren er nog geen kelners. De keuze was beperkt tot koffie of thee. Op de bar stonden grote containers waaruit het publiek zelf onbeperkt kon tappen.

Altmann deed een scheutje melk in zijn kopje. Net zoals de Engelsen het doen, dacht hij. Hij liep voorzichtig terug naar zijn hoekje. (Alsof hij anders had gekund.) Voor de zekerheid had hij het kopje maar voor de helft gevuld. Al was zijn tremor nog niet heel ernstig.

Er was niets veranderd in het hotel. Naast de kannen met koffie en thee stonden de schalen met cake. Nog steeds hetzelfde gruwelijke fabrieksspul. De nieuwe chef had de baas dus ook niet kunnen overtuigen. Bah, begrafenisplakken.

'De gasten willen het zo,' had de baas tegen Altmann gezegd. 'Iedereen een exact even groot stuk. De straatveger, de nachtportier, de politieagent en de kleine ambtenaar, maar ook de dokter, de notaris en de stadsraad. In de vroege ochtend is iedereen gelijk.'

Je zou de hoteleigenaar verdenken van sympathie met de leer uit het oosten. Altmann wist wel beter. Klinkende munt was de enige afgod van die man. Om negen uur sloot de koffiebar. Bij de lunch was de balans weer hersteld. In die zin dat de weegschaal weer ver doorsloeg in het voordeel van de gefortuneerden.

Altmann trok de koker uit zijn aktetas en legde deze naast zijn koffiekopje. Hij had maar een paar wensen voor zijn begrafenis: geen koffie en geen cake. Liever een mooi glaasje en misschien een doos met zijn eigen gebakjes.

'In de klassieke vorm, niet die zerken die de fabriek ervan maakt', mompelde Altmann voor zich uit. En voor eenmaal moest zijn naam erop komen. Zou hij in staat zijn om de marsepeinen naamplaatjes zelf te maken? Hij bracht de thee naar zijn mond. Toen hij het kopje terug wilde zetten op het schoteltje, kregen de twee ruzie. Over en weer werden kleine, maar venijnige tikken uitgedeeld.

Novak dwaalde door de grauwe buitenwijk. Heel wat anders dan de brede lanen van de geboorteplaats van het wereldtaartje.

'Denk aan het cultuurgebouw van de partij. En dan zeker drie keer groter.' Elke keer als hij het beroemde hotel aan zijn gezellen beschreef, werden de Romeinse zuilen bij de ingang hoger en de ontvangsthal imposanter. 'Aan de deur een man in livrei met een hoge hoed, die je als een vorst welkom heet, je bagage met alle egards behandelt, ook al is het een afgetrapte koffer, met een riem dichtgebonden. Hij zet een gouden draaideur in beweging. Het aangenaam ruisen van de schoepen van een reuzenwatermolen. Had ik de fontein al genoemd? Marmer en tapijten in warme kleuren. De bel aan de receptie, die zich wonderwel mengt met de klanken van de pianist. Er zijn obers in jacquet die uit kristallen karaffen wijn serveren, kostbaar dat zie je zo.'

De gezellen hadden het waarschijnlijk niet in de gaten, maar rond de voeten van Novak ploften op dat moment de eerste stukken deeg en gekonfijte vruchten op de grond.

'En in het hart van het gebouw, zoals dat hoort, bevindt zich de keuken, ingericht naar de modernste maatstaven. Werkbanken, koelkasten, mengmachines, ovens, alles van roestvrij staal. En koperen pannen met de dikste bodems die men zich maar kan voorstellen. Onder die omstandigheden kan de juiste persoon een wereldtaartje scheppen.'

Hier pauzeerde Novak. De gezellen zwegen eveneens, verwachtingsvol. Geen bijster slimme groep ditmaal. Het was de vraag of daar een vaste kracht uit zou voortkomen. Een van de andere patissiers doorbrak uiteindelijk maar de stilte. 'Met arbeidsethos en liefde voor de staat kom je een stuk verder. Kameraad hoofdpatissier Novak heeft hier in onze eigen kantine een verbeterde versie van het edelgebak gemaakt. Zonder al die kapitalistische opsmuk. Zo brengen wij ons land hulde. Zo bouwen wij aan onze sterke natie.' En op gedempte toon, zodat alleen zijn directe collega's het konden horen, voegde hij eraan toe. 'Maar verder dan deze bakkerij is kameraad Novak nooit geweest. Zeker niet in een luxehotel in het westen.'

'Te veel eer, te veel eer.' Novak maakte een wegwerpgebaar.

Een fabriek elders in het land produceerde het gebakje nu op grote schaal. Novak had een keertje bij een uitstapje een verpakking gekocht. Met een muts op en zijn kraag opgeslagen. Alsof iemand hem herkend zou hebben. Het leek in de verste verte niet meer op zijn edelgebak. Dat was niet zo gek, er ontbrak immers een bestanddeel. Maar de bevolking was aan de smaak gewend geraakt. Waarschijnlijk vonden ze het origineel niet eens meer lekker. Alles wat succes had in de westerse wereld werd hier in het oosten gekopieerd. Of het nu frisdrank was, panty's, kleding, zonnebrillen, zoutjes of gebak. De socialistische heilstaat was een namaakland. Novak schrok nog steeds van dergelijke gedachten, maar niet meer zo erg als vroeger. Hij kon nu glimlachen wanneer hij wilde, breeduit, zelfs wanneer hij langs een borstbeeld van de eerste arbeiderspresident liep. Geen agent, geheim of niet, zou hem aanhouden wegens belediging van het voormalige staatshoofd, de grote voorvechter van het socialisme. Op de borst van Novak prijkte de grootorde van de republiek. Dat klonk imposant, maar de medaille was niet van eremetaal, maar van blik.

Een keukenhulp haalde de containers met koffie en thee weg. En gelukkig ook de schaal met de overgebleven plakjes fabriekscake. Zouden ze, net als in de tijd van Altmann, terug moeten in de verpakking?

'Dat spul blijft weken goed,' zei de baas met een scheve blik op een doos taarten. Altmann had in zijn tijd elke ochtend de over-

gebleven stukken van de vorige dag meegegeven aan de schoon-
maakster.

'Eén plakje per bezoeker,' vervolgde de hoteleigenaar. 'Met een
doos van die cake kan ik een week toe.'

Altmann vroeg zich af hoe het er nu in de keuken aan toe ging.
Bezuinigde de hoteleigenaar inmiddels op alle ingrediënten?
Moest de chef werken met halffabricaten en kant-en-klare sauzen?
Zou er nog steeds voor de lunch en het diner worden opgedekt?

Een ober deed de deur van de koffiebar op slot. Hij zette zich in
een van de gecapitonneerde fauteuils bij het raam, deed zijn
schoenen uit, legde zijn voeten op de bank ertegenover en sloeg
een krant open. Altmann staarde in zijn lege kopje. Had hij maar
een tweede genomen. Of zijn boek in de aktetas gedaan. Hoewel
hij heel nieuwsgierig was, leek het hem ongepast om de koker te
openen. Het zou ook te veel lawaai maken. Hij haalde zijn bril
van zijn neus, wreef even met duim en wijsvinger over de pijnlijke moeten en vouwde zijn handen ineen. Behalve de twee wijs-
vingers. Die hield hij gestrekt tegen elkaar voor zijn mond, net als
vroeger op de lagere school. Hij sloot zijn ogen.

Een frisse voorjaarsbries deed de lakens wapperen in de wind.
Altmann zat in de wasmand. Zijn moeder zong een lied met was-
knijpers in haar mond. Pas nadat het laatste hemdje en de thee-
doeken waren opgehangen was de tekst te verstaan. 'Zeg me waar
de bloemen zijn, waar zijn ze gebleven?' Altmann hielp zijn moeder met het dekken van de feesttafel. De hele familie zou langskomen om te toosten op de zilveren bruiloft van zijn ouders. Altmann was een nakomer. Zijn zus was meer dan twintig jaar ouder.

In het hotel zwaaiden de obers met damasten tafelkleden. De
kroonluchters waren aangestoken. Het zachte licht weerkaatste in
de glazen en in het bestek.

'Voor hoeveel personen moeten we dekken?' vroeg een ober.

'Er zijn vijftig couverts nodig,' klonk het vanachter uit de zaal.

'Een souper met vijf gangen, inclusief wijn, koffie en likeur. Een
mooi afscheid.'

Een lange, magere jongen zette bloemenvaasjes op tafel. 'Daar
heeft er een wat laten liggen,' zei hij terwijl hij zijn hoofd weg-
draaide van het tafeltje bij de keukendeur en de toiletten. 'Een
grote kartonnen koker en een bril.'

Altmann schrok wakker. Hij was tussen het tafeltje en de stoel gezakt. Waar was zijn stok? Hij greep de rand van de tafel vast met zijn knokige vingers. Met een paar rukken trok hij zich overeind. Er ontsnapte hem een langgerekte kreet van pijn, haast een doodsrochel. Maar die werd luidkeels overtroffen door de angstschreeuw van de leerling-ober. De vaasjes met bloemen vlogen door de lucht.

Een oude man met een paar kistjes wijn onder zijn arm hield stil bij het tafeltje naast de keukendeur en de toiletten. Hij klopte de jongen op zijn schouders. 'Wees gerust, het is een bekende.'

De schrikogen van de jongen werden nog groter. Was de man in de kist in de achterkamer niet dood?

Altmann zette zijn bril op. 'Lelies? Wie heeft dat bedacht,' zei hij. 'Het stuifmeel van die bloemen krijg je nooit meer uit het linnen.' Hij was blij dat hij een bekende zag. De sommelier werkte dus nog steeds in het hotel.

Novak naderde het centrum. Hij sloeg een hoek om. De bewoners van de straat hingen massaal uit het raam. Als op commando draaiden hun hoofden tegelijk in zijn richting. Hij maakte direct weer rechtsomkeert en leunde ruggelings tegen de gevel. De stenen drukten een ruitpatroon in zijn spieren. Waarom wezen de mensen naar hem? Had er eentje werkelijk zijn vuist naar hem gebald? Wat was er aan de hand? Novak had een glimp opgevangen van een stoet mensen aan het einde van de straat. Ze droegen spandoeken en scandeerden leuzen. Hij kon ze niet precies verstaan, maar de toon begreep hij wel. Daarvoor werd je direct opgebracht en ondervraagd. Voor onbepaalde tijd. Had de veiligheidsdienst zoveel cellen? Aan de overkant van de kruising werden ook ramen opengeschoven. Op twee hoog hing men de vlag uit. Dat mocht toch alleen op feestdagen? Een etage hoger waagde een vrouw haar leven door staand op de smalle balustrade haar ramen te lappen. Ze zong een lied, overdreven luid naar het idee van Novak. 'Zeg me waar de bloemen zijn, waar zijn ze gebleven?'

Een rare tijd om schoon te maken.

Novak had gehoord over de protesten. Maar alleen uit de tweede of derde hand. Een tv had hij niet en zijn transistorradiootje was niet bepaald een wereldontvanger.

Toen hij op een avond thuiskwam lag de bedieningsknop naast het toestel. Hij had er niets achtergezocht, ook al kon de frequentie niet meer worden veranderd. Hij had de bovenbuurman, een elektrotechnicus, gevraagd om er eens naar te kijken.

'Muurvast op de staatsradio,' had de buurman gezegd. 'Muurvast,' herhaalde hij een paar keer terwijl hij steeds harder begon te lachen. Hij moest met zijn zakdoek zijn ogen deppen. 'Vat je hem? Muurvast.'

En al deed Novak nog vaak moeite om de staatsuitzendingen te beluisteren, enig onderscheid in de jubel van de dag kon hij niet ontdekken. Misschien zonden ze gewoon berichten uit van een paar jaar eerder? Nadat de omroeper de datum en de uurtijd had opgelezen, hoorde je altijd een paar harde klikken.

Het meeste had hij opgevangen van zijn collega's. De patissiers vertelden elkaar moppen over de president en de partij. Novak durfde ze niet eens te onthouden. De chauffeurs zwegen niet meer, wie er ook bij hen in de buurt kwam. 'Binnenkort, als de Muur ...' Ze keken hem laatdunkend aan. Een nicotinerochel klaar in de mond.

Novak haalde een paar keer diep adem. Hij stak de straat over en bekeek zichzelf in een winkelruit. De etalage was leeg, zoals gebruikelijk. Ook aan hem was niets ongewoons te zien. Waarom werd er naar hem gewezen? Toch niet omdat zijn werkpak zo grijs was geworden? Was het misschien uit bewondering voor het ordeteken dat op zijn borst zat gespeld? Ze konden niet weten dat de grootorde van de republiek van blik was. Voor de zekerheid haalde hij de medaille van zijn borst en stopte deze in de zak van zijn broek. Hij prikte zich daarbij in zijn vinger. Er vormde zich een kleine rode ster in de stof, vijfkantig.

Altmann bracht schoksgewijs zijn hoed naar zijn hoofd. Op de bank naast hem lag zijn jas, opgerold als een trouw huisdier. Een maquette van twee kraters met een enkele slingerende spoorlijn. Hij stak een arm in de opgestroopte mouw. Met zijn stok trok hij de jas omhoog. Het handvat paste precies door het lusje. De riem kon hij tweemaal om zijn middel slaan.

'Ga toch zitten,' zei de sommelier. 'We zijn gesloten voor de lunch en het diner. De rouwgasten komen pas heel laat in de avond.'

Dat paste Altmann wel. Hij zou kunnen doen alsof hij een gast was op zijn eigen begrafenis. 'Maar de baas?' zei hij. 'Die vindt dat toch nooit goed?'

'Dus je hebt het nog niet gehoord?'

'Ik spreek niemand meer en ik heb geen telefoon, geen radio, geen tv.'

'Ook geen kaart gehad?'

Altmann legde zijn hand op de koker. 'Vandaag voor het eerst weer de brievenbus geleegd. Dit was het enige.'

De sommelier knikte met zijn hoofd in de richting van een zijkamer. 'Hij is achter.'

'Precies. Hij zal zo toch wel de ingedekte tafels komen inspecteren.'

'Dat lijkt me stug. Hij is zogezegd de hoofdmaaltijd.'

'Je bedoelt dat ...'

'Zijn vrouw is nu de baas.'

Altmann noemde de naam van zijn edelgebakje.

'Precies. Die zal ook wel schrikken als ze je ziet. Haar man was tientallen kilo's afgevallen op het eind. Jullie lijken nu op elkaar.'

Lijken, lijken, wat een flauwe woordgrap, dacht Altmann. Met de neuzen hoog zijn we allemaal even geel en uitgemergeld.

De sommelier liep naar de bar, boog eroverheen en pakte een tijdschrift. Hij kwam naast Altmann zitten, bekeek de inhoudsopgave, bladerde naar de juiste pagina en legde het magazine met een klap voor Altmanns neus.

'Dat is een oude foto.'

De sommelier keek omhoog en fronste zijn wenkbrauwen. 'Wij waren toen net vijf jaar in dienst.'

De hoteleigenaar keek met een strakke blik in de lens. Zijn wangen waren nog niet pafferig en hij had nog geen onderkinnen. Een succesvolle horecaondernemer. GROTE MAN ACHTER SUCCES VAN WERELDTAARTJE stond er in chocoladeletters boven het artikel. Altmann las de eerste paar alinea's. Hoe kwamen die journalisten toch zo snel aan al die informatie? Was er een speciale redacteur die risicolijstjes bijhield en foto's van bekende landgenoten bekeek? 'Deze ziet wat bleekjes. Diens necrologie zullen we alvast maar schrijven.' Kastenvol met schijndoden.

Voor het edelgebak was een halve pagina ingeruimd. Mooi gefotografeerd. Gelukkig hadden ze de klassieke vorm genomen.

De situatie verheugde en verontrustte Novak tegelijk. Hij spande zijn nek-, schouder-, rug- en armspieren, drukte zijn handpalmen vlak tegen de muur en zette zich af. Met zijn handen in zijn zakken liep hij naar het einde van de straat en sloeg de hoek om. Doordat hij naar de grond keek, zag hij niet direct dat ook hier nieuwsgierige hoofden uit opengeschoven ramen staken. Wel hoorde hij meteen de leuzen, alsof een echo van de eerste menigte in zijn oren was blijven hangen. Novak zocht naar een portiek, een winkel of een café om te schuilen. Tevergeefs, de ingangen van de huizen waren afgesloten met hekken, de luiken van het winkeltje zaten dicht en voor cafés was het nog te vroeg. Hij was ingesloten. Voer voor een onverzadigbaar beest. Straks kwam hij tegen wil en dank in de demonstratie terecht. Novak was niet bang voor de ordetroepen – een paar stokslagen konden zijn geharde spieren wel hebben – maar hij wist niet of zijn brein bestand was tegen een verhoor door de veiligheidsdienst. Novak rende naar het kruispunt. Met een beetje geluk kon hij het Plein van de Revolutie bereiken. Daar woonde in een zijstraat een tante van hem. Hij zou in haar appartement wachten totdat de ongeregeldheden voorbij waren. Lang kon dat niet duren. De militie had ruime ervaring met het schoonvegen van de straten. Als het erg lastig werd, hadden ze vast wel ergens een paar tanks klaarstaan. En er was altijd nog de grote vriend uit het oosten. Die schoot graag te hulp.

Altmann sloeg het tijdschrift dicht en schoof het aan de kant.

De sommelier maakte een van de wijnkistjes open, haalde de flessen eruit en veegde ze schoon met een doek. Hij hield er eentje onder Altmanns neus. 'Een fraai exemplaar uit het interbellum.'

De bordeaux was gebotteld in Altmanns geboortejaar. Het etiket was inmiddels gekreukt en vergeeld.

'Zullen we een glaasje nemen? Op de goede oude tijd?' Zonder het antwoord af te wachten schonk hij twee kristallen glazen tot aan de rand toe vol. 'Ik heb het een paar keer geprobeerd,' zei de sommelier. 'Je was net een jaar weg. Ik was op vakantie in Frankrijk. Veel meer dan een bouwval was het niet, maar ik had het bijna gekocht. De boerderij hing gevaarlijk scheef tegen een heuvel. Een van de muren was al ingestort. Er hoorde een lap grond bij met wijnranken, tegen rollende rotsblokken alleen beschermd met een paar tussen de olijvenbomen gespannen netten. Het water moest komen van een nietig stroompje even verderop en een put bij de boerderij. De boer die het perceel te koop aanbood was zo mogelijk nog knoestiger dan zijn ranken en stammen. Hij was een goede klant van zijn eigen product.' De sommelier pakte een glas vast bij de voet, hield het tegen het licht en liet de wijn dansen. Het was een langzame, ietwat droevige wals. 'Proost. Daar krijg je, excuus dat ik het zo direct zeg, weer wat kleur van op je wangen.'

Altmann toostte met zijn oude collega. Het kristal zong mee met de piano. De bel voor de laatste ronde. Iemand oefende de dodenmars.

'Er was al jaren niet veel meer aan het perceel gedaan. Ik bood een belachelijk bedrag. Meer als een grap. Een dun strohalmpje dat de halfverdronken boer maar wat graag vast leek te willen grijpen. Ik heb een hele dag getwijfeld. Vooral bij de grote wijnvaten en de bak waarin de druiven werden geperst. Maar toen zag ik mijzelf de laatste adem uitblazen terwijl ik de druiven van de eerste oogst tot moes stampte.'

Altmann wist dat de sommelier geen vrouw en kinderen had. En waarom zou je je voor een of ander ver familielid uit de naad werken? Van de gevoelens van de sommelier voor de hoteleigenaresse was hij niet op de hoogte.

'Ik zag van de koop af. Om het leed voor de wijnboer te verzachten, kocht ik negentig halve flessen ijswijn. Een paar jaar eerder nog op de ouderwetse manier gemaakt: door de natuur. Daar was geen vriescel aan te pas gekomen. De boerderij was niet aangesloten op het lichtnet.'

Een wijn die bij bruiloften en jubilea werd gedronken, wist Altmann. Een enkel glaasje, alleen voor de directe familie van het bruidspaar of de jubilaris.

'Ik heb ze allemaal opgedronken,' zei de sommelier. 'Op eentje na. Die bewaar ik voor een speciale gelegenheid.' Misschien zou hij hem vandaag na het begrafenisdiner opentrekken. Als de gasten, de koks en het bedienend personeel vertrokken waren en hij samen met de hoteleigenaresse nog een laatste ronde liep.

'Aan het begin van de slappe tijd ben ik nog eens een weekje naar de wijnfeesten in het zuiden geweest. Grote tafels met kannen met licht gistende most, vers brood, gebraad en bloedsoep van een pasgeslacht varken. Dieprood als deze bordeaux.' De sommelier goot zichzelf nog een keer bij. Altmann had zijn glas nog nauwelijks aangeraakt.

'En vaatjes met wijn. Alleen maar goede jaren. Daar heb ik ook nog eens tevergeefs op een lapje met wat wijnstokken geboden.'

Vroeg in de ochtend was hij met een zwaar hoofd afgedropen, geholpen door de ochtendnevel. Zonder rekening te houden met zijn magere spaartegoed had hij een genereus bod gedaan op een hele heuvel met een vervallen burcht en flanken vol met wijnranken. Hoe oud zou de wijnkoningin zijn geweest? Hoogstens zeventien, achttien jaar. Als hij eenmaal de heuvel had genomen, zou de edele vrouwe vanzelf volgen.

'Woon je nog steeds hier op zolder?' vroeg Altmann.

'Onder de balken. Met hetzelfde granito op de vloer, en de wasbak en het keukenblokje zijn ook nog altijd uit het stenen tijdperk.'

'Misschien gaat dat veranderen, nu zij alleen de scepter zwaait.'

De sommelier wist niet of hij genoeg had aan het halve flesje ijswijn. Zou hij vanavond ook weer in zijn leunstoel in slaap vallen met naast zich het tafeltje met de bloempot met de vruchteloze wijnrank? Met op schoot een van zijn plakboeken met afgeweekte etiketten? Wie had de fles gedronken? Hoe was de stemming geweest? Zo had hij gedurende de jaren in het hotel toch nog een uitgebreide wijncollectie verzameld.

Altmann dacht aan een terugkeer in de hotelkeuken. Eén moment slechts. Hij had een beverige slok genomen van de bordeaux.

Zonder te kijken rende Novak het kruispunt over. Zijn wangen kleurden. Nog nooit was hij overgestoken zonder groen licht te hebben gekregen. Een zwarte Tatra moest een scherpe bocht maken om hem te ontwijken. In de ogen van Novak een vertraagde actie. Geluidloos ook. Er was niet getoeterd. En ook niet met piepende banden gestopt. De deuren bleven dicht. Zelfs de gordijntjes voor de ramen van de achterbank bewogen niet. De limousine ging er in volle vaart vandoor. Op de motorkap ontbraken de vlaggetjes.

Op het Plein van de Revolutie bleef hij vlak bij de huizen. Hier waren een paar tuinen waar hij zich in geval van nood kon verschuilen, al waren de hagen en struiken grotendeels kaal en de sparren en dennen behoorlijk gesnoeid. Voor hij weg kon duiken waren de auto's van de ordedienst al voorbijgevlogen. Het traliehek van de arrestantenwagen stond open. Op de bankjes in de vrachtwagen zaten geen troepen. Het losgeslagen zeildoek zag zijn kans schoon en deelde rake klappen uit aan de lege laadbak. Novak wachtte tot ze om de hoek waren verdwenen. Twee auto's? Dat was bij lange na niet voldoende. Tenzij ze niet voor arrestanten waren, maar voor gewonden. Of doden, nog gemakkelijker te stapelen. Novak bevochtigde zijn vinger en stak die in de lucht. Er was hier altijd oostenwind. Gingen ze dan niet de verkeerde kant op? Hij haalde zijn schouders op.

In de tweede zijstraat telde Novak de portieken. De bordjes met huisnummers waren onleesbaar verroest. Ze waren net zo oud als de republiek. Bij het vijfde woonblok herkende hij een vaal teken dat op de muur van het portiek stond. Hoe oud zou hij geweest zijn toen hij de klungelige hamer en sikkel schilderde? Was hij toen al een pionier? Hij liep door de klapdeur naar binnen en belde aan bij de tweede etage. Hij meende tenminste dat tante daar woonde.

'Ik ben echt niet meer van de partij,' zei een man die de trap was afgeklost en de tussendeur opende. Hij was in hemdsmouwen en sprak met dubbele tong. In zijn hand balanceerde een bierfles. Zijn linkeroog was gezwollen en op zijn jukbeen, wang en kin zaten schaafplekken. Vers. Novak noemde de voornaam van zijn tante.

'Een banketbakker hebben we hier niet in de buurt,' sputterde de man. Hij wilde de deur alweer sluiten.

'Ik ben op zoek naar mijn tante. Ik ben haar neef.'

'Ben jij er dan een van Neumann of van de andere tak? Kom ...'

'Ik ben inderdaad een Novak.'

'Vooruit dan maar. Daar is de lift.'

De man draaide zich om en liep de trap op. Bij de derde trede moest hij zich even vastgrijpen aan de leuning. 'Ik waag me niet meer in dat onbetrouwbare ding.' Daarna mompelde hij nog wat onverstaanbaars. Met een verbeten trek. Waarschijnlijk een verwensing. 'Ik ben niet meer van de partij,' brulde hij door het trappenhuis.

Novak had zijn oom niet herkend. Hoe zou tante eraan toe zijn? De laatste keer dat hij haar opzocht, had hij een doos met zijn wereldtaartjes meegenomen. De echte, zelfgemaakt. 'Als schepper van dit edelgebakje mocht ik natuurlijk een naam verzinnen. Ik heb het naar u vernoemd.' Een leugentje dat hij wel vaker vertelde. Vooral aan zichzelf. 'Goed hoor, jongen.' Tante gaf hem een paar klopjes op de schouder. Toen ze zich daarna omdraaide knipoogde ze naar haar man. Iedereen wist toch dat het taartje uit de fabriek kwam. Ach, haar neef deed zijn best. Ze lepelde er met een brede glimlach twee naar binnen, ondanks de bijsmaak. Iedereen was goed in veinzen in deze heilstaat.

De sommelier stak de lege fles terug in de kist, sloeg zich op de knieën en tiktte tegen de kartonnen koker op het tafeltje.
'Wat zit hier eigenlijk in?'
'Iets voor mijn verjaardag,' antwoordde Altmann. Hij maakte geen aanstalten om de plastic dop van de koker af te halen. En de sommelier was te beleefd om door te vragen. Misschien was het wel de kalender van de banketbakkersschool. Dan waren ze er dit jaar vroeg bij. Hij trommelde op het tafelblad. Galopperende vingertoppen, gevoelloos als paardenhoeven. Hoe lang hield hij zichzelf eigenlijk al voor de gek?
De deur van de achterkamer klepperde. Een hoefijzer viel van de muur.
'Sensationeel wat er allemaal gebeurt,' zei de sommelier.
De charge van de cavalerie stopte abrupt. Altmann dacht aan de hoteleigenaar, slechts twee houten wanden van hen gescheiden.
'Aan de andere kant,' verduidelijkte de sommelier.
Een ziel? Het vagevuur? Een tunnel van licht? Altmann greep naar de bordeaux.
'Maar als je geen tv kijkt of een krant leest, heb je daar waarschijnlijk ook geen weet van.'
Hadden de journalisten het ultieme raadsel opgelost? Was er opnieuw een wonderbaarlijke wederopstanding geweest? Ditmaal in het mediatijdperk?
'Onze ambassades in de "broederlanden" zaten vol met Oost-

Duitse vluchtelingen. De situatie was onhoudbaar. Ze mochten naar het westen uitreizen met speciale verzegelde treinen. Over het grondgebied van de DDR. Stel je voor wat voor een angst die mensen moeten hebben doorstaan.'

Een mens lijdt het meest door het lijden dat hij vreest, dacht Altmann. Een tegeltje in de keuken boven het fornuis. Dat iemand daar ooit troost uit had gehaald.

Ze had de sleutels op het dressoir gelegd.

'Hoogstens zes maanden,' zei ze. Alsof ze een dokter was met het laatste oordeel. Misschien had ze wel gelijk. Ze had hem lang onderzoekend aangekeken. Een nieuwe onderhuurder, een vriend van een vriend.

Meteen nadat ze was vertrokken, had hij de wijsheid onder in een la gelegd. Samen met de kandelaars en haar fotolijstjes.

De sommelier aaide een rode kat. Het beestje gaf hem kopjes. Dieren kennen geen ontkenning. Die stappen direct overal overheen.

De afgelopen tijd zat Altmann elke dag al vanaf de ochtend in zijn leunstoel. Met op zijn schoot een boek, opengeslagen. Meestal kwam hij niet verder dan een pagina of een paar alinea's. Soms alleen een zin of een enkel woord. Hij had de zonwering opgetrokken. Gesloten gordijnen brengen praatjes in de wereld. Overal houden mensen elkaar in het oog. Van overheidswege of, het is de vraag wat erger is, alleen uit nieuwsgier of burennijd. Altmann had de bloembakken voor het raam laten weghalen. Eens per week kwam de glazenwasser.

De oom van Novak probeerde een paar maal de sleutel in het slot te steken. Driftige stappen in de gang achter de deur van het appartement.

'Nu heb ik er genoeg van,' zei een vrouwspersoon met een schelle stem. 'Je krijgt een schop onder je kont.'

Had tante oom soms zo bewerkt? De deur zwaaide open. Tante zag er gelukkig nog steeds goed uit. Ze opende haar armen voor haar neef. Daarbij ruimde ze haar man gelijk uit de weg. Ze raakte even zijn schouder aan, een duw kon je het niet eens noemen. Novak liet zich gewillig omarmen. Tenslotte scheelden ze maar een paar jaar.

'Wat is er met hem gebeurd?' vroeg Novak. Hij had oom tijd

gegeven om de gang uit te wankelen. Toch fluisterde hij.

'Later, later. Alsof ik wist dat je zou komen.'

Ze nam Novak bij de arm en troonde hem mee naar de keuken. 'Ga hier maar zitten. Ik schenk je zo wat in.'

Op een schaal stonden een paar wereldtaartjes. De fabrieksvariant. Dat zag Novak zo. Twee aan de ene kant van het bord, twee aan de andere kant. In het midden stond een halfje met een vorkje erin. De grenspost met een slagboom. Het stadswapen als contragewicht. Door tante glimmend opgepoetst. Ze hield een theedoek onder de kraan, wrong hem uit en liep naar oom toe. Hij zat onderuitgezakt op een bankje in de hoek. Zijn andere oog hing nu ook op halfzes.

'Leuk dat je bent gekomen. En ik maar denken dat het die rotkat van de buren was die aan de deur krabde.'

Ze kletste de theedoek op het hoofd van oom, greep zijn afhangende arm en hing die eroverheen. Alsof ze een zwengel bediende. Of een ouderwetse wringer. 'Een goeie lap vlees zou wel handig zijn. Voor dat oog en voor de maag. Misschien dat er nu snel verbetering komt. Je hebt het natuurlijk ook allemaal gevolgd?'

Novak knikte. In de richting van zijn oom. 'Wat is er gebeurd?'

'De mensen nemen het niet meer. Het regime is niet meer van deze tijd. Er wordt nu dagelijks in alle grote steden geprotesteerd.'

Tante hakte met het lepeltje in de taartjes aan de oostkant.

'Ik bedoel met oom. Hoe komt hij aan die gebutste kop?'

'Ach, die jongens weten niet dat hij er al een hele tijd geleden is uitgestapt.' Ze stak de grenspost in één keer in haar mond. Met de punt van haar vinger pikte ze de kruimels van het schaaltje. Vol overgave likte ze daarna ook nog het vorkje af. 'Wat zijn deze gebakjes toch lekker.' Ze zuchtte. Een snelle blik. Samengeperste lippen. 'Die van jou zijn natuurlijk ook verrukkelijk.'

Er was een stuk glazuur op het tafelkleed terechtgekomen.

'Zie je dat?' vroeg tante. 'Het lijkt precies op onze socialistische arbeidersstaat.' Ze zette er een glas overheen. 'Kunnen we er nog even naar kijken. Vanochtend kon ik mijn blik niet van mijn gekookte ei afhouden. De landkaart in het leslokaal van de pioniers. Er zaten zelfs spikkels op de plaats van Moskou en Kiev. Normaal pel ik mijn eitje, nu heb ik de bovenkant er afgeslagen. Met een ferme tik. Het zijn tekens, geloof me.'

De arm van oom gleed van zijn hoofd. Met een klap sloeg hij

een bijzettafeltje doormidden. De theedoek lag als een opgerolde pannenkoek op zijn buik.

De eigenaresse kwam de eetzaal binnen. Altmann zag dat ze dunner was dan voorheen. Al kon je nog steeds niet zeggen dat de zwarte jurk slank afkleedde. Ze had een sigaret tussen haar rechter wijs- en middelvinger. Haar andere hand hield ze onder het askegeltje. Alsof ze op wisselgeld wachtte.

De sommelier schraapte zijn keel.

Zonder hem aan te kijken gaf de weduwe hem de brandende sigaret en pakte haar bril die aan een kettinkje op haar boezem rustte.

De twee obers die achter haar stonden, hadden beter opzij kunnen springen. Er vlogen glazen door de lucht. Een enkele kreet. De eigenaresse werd bedekt met het restant van de lelies.

Een mooi doodsbed, dacht Altmann.

De sommelier schoof met zijn schoen wat gebroken glas aan de kant en pakte de eigenaresse onder de oksels. Hij trok haar overeind – een sterke kerel, een paar kratten wijn per dag – hield haar net iets langer dan noodzakelijk tegen zich aangedrukt, duwde zijn belangrijkste werktuig in haar nek, snoof hard alsof hij haar van alle geur wilde beroven, en zette haar in een van de fauteuils. Met zijn schort wapperde hij haar wat frisse lucht toe. Daaronder spande zich zijn broek.

Nog geen vijf minuten eerder was de eigenaresse bij haar man in de achterkamer gaan kijken. En ineens zat hij weer in de eetzaal in gesprek met de wijnkenner. Of begon ze spoken te zien? Zou alles alsnog mislopen?

Altmann had doodstil gezeten. Hij had zich niet durven bewegen.

De sommelier schonk snel een paar hartversterkers in en legde haar op zachte toon de situatie uit.

Het duurde een tijd voordat de vrouw, toch écht weduwe, naar Altmann durfde te kijken. Ze hield een hand voor de mond en fluisterde: 'Hij hoeft alleen nog maar zijn ogen dicht te doen.' Op haar voorhoofd zat een vlek van as. Een veeg teken.

Er klonken kreten van de straat. Tante stond op en schoof het raam open. Een van de vastgeplakte slierten op ooms schedel waaide over naar de andere kant. Zelfs hier droegen nog maar weinig mensen hun haar met een scheiding in het midden.

Tante ging op haar knieën zitten en steunde met haar onderarmen op de vensterbank. Ze draaide zich om naar Novak.

'Kom erbij. Anders mis je de helft.'

Alsof ze hem uitnodigde voor een goed theaterstuk. Misschien was het dat ook wel. Maar had hij recht op een rol? Had hij dan niet eerder op de barricade moeten staan? Liepen de demonstranten in zekere zin ook weer niet in het gareel? Meelopers in de hoop op beter.

'Ik ben niet meer van de partij,' klonk het vanuit de hoek van oom. Hij deed tevergeefs een poging om op te staan. Een flink aangeslagen bokser.

Zo had Novak zich ook gevoeld nadat ze bij hem op bezoek waren geweest. Een bescheiden klopje op de deur. Nietsvermoedend deed hij open. Hij werd resoluut aan de kant gezet. Tien, elf of misschien wel vijftien mannen liepen achter elkaar naar binnen, als een uitgetrokken accordeon, hun identieke regenjassen de plooien van de balg. De laatste stelde zich op bij de deur.

Toen Novak zich wilde omdraaien om achter de mannen aan te lopen, hield de sluitpost hem tegen. Hij bracht een gehandschoende wijsvinger naar zijn mond en siste. Er was anders nog geen woord gevallen.

Na een kwartier kwam een van de andere mannen de gang in en maakte een gebaar. Was dat de leider? De kraag van zijn regenjas was een stuk groter dan die van de sluitpost. Novak kreeg een duw in zijn rug. Midden in de woonkamer stond een van de keukenstoelen. De inhoud van de kasten, op aandringen van zijn vrouw door Novak zorgvuldig geordend, lag kriskras over de grond. Op de onderkant van een van de laden stond een schoenafdruk. De bank was zwaargewond, zowel aan de armen, de rug als, hoe compromitterend, aan het zitvlak. In de hoek gooide een van de mannen de sierborden van oma over zijn schouder. De operatie was tot dan toe geluidloos verlopen. Spek. Zolen en nekken.

De leider bladerde langzaam door een boek. Engelse recepten voor taartjes. Met kleurenplaten. Het lievelingsboek van Novak. Achter de keukenstoel stonden vier van de mannen opgesteld, als voor een groepsfoto. Scholieren met hun onderwijzeres. Trotse zoons met hun moeder. De vrouw van Novak ontweek de blik van haar man. Op haar rechterwang zat een bloeduitstorting. Uit de slaapkamer, het werkhok en de keuken kwamen de andere regenjassen. Ze schudden het hoofd ontkennend. De leider maakte een gebaar. Zonder een enkele toon verdween de lucht uit de accordeon. Vlak voordat de leider de buitendeur sloot, scheurde hij tergend langzaam voor de neus van Novak een aantal bladzijden uit het kookboek en stak ze in de binnenzak van zijn jas. Dat was de laatste keer dat de patissier de scones en de brownies zag.

Welke dienst was het geweest? Wat zochten ze? Zwijgend brachten Novak en zijn vrouw de kamer weer enigszins op orde. Een halfuur later zaten ze naast elkaar op de bank. Met zijn voet veegde Novak nog wat scherven onder de tweezits. De diepe halen in de zitting, de rug en de armleuning waren bedekt met een doek. Op de plek van de sierborden van oma hingen nu de twee lievelingsschilderijtjes van Novak. Al die tijd hadden ze onder in de la gelegen. Zijn vrouw vond ze foeilelijk.

'Koffie?' vroeg Novak. Er kwam zo snel niets anders bij hem op. In de keuken spoelde hij de kan om en deed een filter in de trechter. Drie scheppen koffie. De laatste maatlepel bleef hij afstrijken, alsof deze geen korrel meer mocht bevatten dan de andere twee. Het duurde even voordat Novak doorhad dat het water al enige tijd kookte. Hij was de fluit op de ketel vergeten.

Twee weken later, er waren nog steeds alleen woorden over het huishouden gevallen, werd zijn vrouw opgehaald. Novak ging naar zijn werk. Er was weer een jubileum in aantocht.

Hoe lang was ze ondervraagd? Op een avond, Novak had tot laat overgewerkt, stond ze ineens weer achter het fornuis. Hij kuste haar gewoontegetrouw in de nek, alsof er niet bijna negen maanden waren verstreken. Ze trok haar schouders in, pakte de pan van het vuur, draaide zich om en zette het avondeten op tafel. Hoe Novak ook zijn best deed om haar weer aan het zeuren te krijgen, na die dag kwam er geen klacht meer over haar lippen. Ze sprak helemaal niet meer. Zelfs niet toen hij weer overging tot haar strenge dagorde.

Anderhalf jaar later werd ze weer opgehaald. Ditmaal voorgoed. Horizontaal. In die laatste achttien maanden zat ze niet meer achter haar bureau. Zij, de verwoede briefschrijfster. Na de begrafenis zocht hij in lades en kastjes, bevoelde de zomen van haar mantels, scheurde haar drie hoedendozen open, wroette in de ton met zeeppoeder en klopte op de wanden en de houten vloer. Hij had op de zolder een oude paspop opengesneden en zich zelfs in het kolenhok door de berg antraciet heen gewerkt. (Viel mee, het was een strenge winter geweest en niemand had meer zijn brood willen ruilen voor kolen. Ook niet voor zeep of conserven. Men was hem uit de weg gegaan.) Haar correspondentie, die hij nooit had mogen lezen, kon hij nergens vinden.

Novak bleef aan de keukentafel zitten. Tante haalde haar schouders op en stak haar hoofd weer uit het raam. De kin van oom viel op zijn borst. Novak zou het uitzitten. Zo lang kon het toch niet duren? Hij stroopte zijn mouwen op en keek naar het litteken op zijn linker onderarm. Door een onhandigheid van een van de leerlingen had Novak een paar jaar terug een deeghaak in zijn arm gekregen. Hij had een scheut rum over de wond gegooid en er een theedoek omheen gebonden. Verder besteedde hij er geen aandacht aan. Vijf dagen later zat hij bij de bedrijfsarts met een arm als een reusachtig worstenbroodje.

'Daar had u eerder mee moeten komen,' zei de dokter. 'Dan had ik het goed kunnen ontsmetten en hechten.'

Het had lang geduurd voordat de wond genezen was. Er was wild vlees overheen gegroeid. In de vorm van zijn wereldtaartje, vond Novak. Tot zijn spijt de fabrieksvariant.

Tante schudde Novak wakker. Ze torende als een enorme matrone boven hem uit. Op haar hoofd droeg ze een muts én een hoed. Twee shawls hielden haar nek warm. Ze had naar het scheen minstens drie mantels over elkaar aan. Vanonder de zomen van haar jassen piepte een stukje van een jurk. Een dun stuk textiel met een bloemetjespatroon. Eerder iets voor de zomer. Ze had ook nog een broek aan: het denim waar oom zo trots op was dat hij het nauwelijks durfde te dragen, bang om het te verslijten.

Het was wel bijna winter, maar zo koud was het toch nog niet?

'Je moet me helpen,' zei tante tegen Novak. 'Ik blijf hier geen seconde langer dan nodig.'

Pas nu zag Novak de hoedendoos en de drie koffers. Eenvoudige, bordkartonnen exemplaren, dichtgebonden met een paar riemen en iets wat leek op bretels. Oom zat nog steeds in zijn stoel met de kin op de borst. Zijn broek was afgezakt tot op zijn dijen. 'Waarmee moet ik helpen?' vroeg Novak. Hij rekte zich uit. Jammer dat hij uit zijn droom werd gehaald: hij was eregast bij een vorstelijk banket. Een gong kondigde net het dessert aan. 'Ik vertel het je buiten wel.' Tante ademde gehaast. Ze pakte de hoedendoos en, niemand zou haar een slapjanus noemen, de grootste koffer van de set, draaide zich om en liep de keuken uit. 'Neem jij de rest van de bagage mee.'

Het was geen vraag.

'En hoe zit het met oom?' vroeg Novak. Hij was naar de gangdeur gesneld. 'Kunnen we die wel zo achterlaten?'

'Vergeet de aktetas niet,' galmde het in het trappenhuis.

In het hotel lieten de rouwgasten op zich wachten. De chef-kok had zijn hoofd al een aantal keren om de hoek van de keukendeur gestoken. Bij de eerste keer omklemde hij zijn hakmes stevig, want Altmann zat nog steeds onbeweeglijk aan het tafeltje in de hoek. De sommelier had de weduwe naar haar kamer begeleid. Hij was al zeker drie kwartier weg. Altmann reikte naar zijn hoed, maar verder dan een paar centimeter kreeg hij zijn hand niet van de tafel omhoog. Het trillen was wel opgehouden.

'Lijkstijfheid,' mompelde hij. Doorgaans lag hij in bed wanneer zijn gewrichten echt dienst weigerden. Er klonk rumoer op straat. Altmann keek met een schuin oog naar de klok. Hij kon net de kleine wijzer zien. Sloten de cafés de deuren al? Er kwam een gast binnen, een jongeman, ietwat verwilderd. Hij keek in het rond, zag alleen Altmann zitten en verdween weer.

'Wat een dooie boel,' hoorde Altmann hem in de deuropening zeggen. 'Net een wassenbeeldenmuseum.'

Hij moest eens weten. Een kijkje in de achterkamer misschien?

De sommelier verscheen achter de bar. Zijn vest was verkeerd geknoopt en er hing een stuk van zijn overhemd onderuit. Er zat een frivole knoop in zijn das. Hij pakte een glas uit het rek, goot het vol met cognac en sloeg het in één keer achterover. Daarna schonk hij zich nog eens bij. Niet zoals het hoorde. Hij walste geen warm water door het glas en legde het bolletje ook niet op de zijde voor de juiste maat. En dat voor iemand die gebrand was op traditie.

'Het souper is afgeblazen,' zei de sommelier. Zijn anders zo kalme stem sloeg over.

'Een verkeersopstopping? Is de weduwe onwel? Een ramp in de keuken?'

Met zijn kaakgewricht had Altmann geen moeite. Misschien omdat hij de laatste jaren zoveel voor zich uit mompelde.

'Je kunt rustig blijven zitten. Ik heb de obers weggestuurd. Zou jij de chef ...? Misschien dat hij van zijn voorganger ...? Een artiest, begrijp je?'

Altmann wilde zijn schouders optrekken. Er ontsnapte hem een pijnkreet. De klapdeur van de keuken zwaaide open. De chefkok met een opgeheven arm, in zijn hand een hakbijl. De sommelier dook achter de toog.

Natuurlijk verloop, dacht Altmann. De strijd van de sterkste. De roep van de jeugd om de guillotine. In mootjes gehakt door zijn opvolger. Onvoorzien, maar mooi. Daar zou hij wel in kunnen berusten.

Novak moest flinke stappen nemen om zijn tante bij te houden. De koffers had hij op zijn schouders genomen. Na de eerste honderd meter was een handvat afgebroken. Wat had ze allemaal ingepakt? Waar ging ze heen? Het busstation was de andere kant op. Reden er op dit tijdstip nog wel bussen? Zou ze soms haar broer willen bezoeken? Die woonde op heel wat uren sporen in de plaats bekend van de halve bollen. Maar daar was het toch te laat voor? Zodra tante even inhield zou hij op zijn horloge kijken. Ze sloegen de hoek om in de richting van de hoofdstraat. Er waren opvallend veel mensen op de been. Een voorbijganger sloeg Novak amicaal op zijn schouder. Zoveel verbroedering was hij van de kameraden niet gewend. Zelfs niet van aangeschoten lui. De man had een halflege fles Krimwodka in zijn hand. Luid toeterend passeerde een Trabant. Uit het raam stak een stok met de nationale driekleur eraan vastgemaakt. Er ontbrak iets, Novak kon alleen zo snel niet zien wat. Tante maakte nog meer vaart. Ze werd bijna opgeslokt door de menigte. Een groep jongens had van de vlag een poncho gemaakt. Daartoe hadden ze het landsembleem met de korenaren, de passer en de hamer eruit geknipt. De onbezonnenheid van de jeugd. Dat was vragen om flink wat problemen.

Op de grote verkeersader raakte Novak zijn tante kwijt. En in het gedrang ook een van de koffers. Die waar het handvat nog aan zat werd van zijn schouder gegrist. De aktetas had hij gelukkig onder zijn jas in zijn broeksband gestoken.

'Jij bent er snel bij,' zei een man naast Novak. Hij wees op de koffer. 'Je hele hebben en houwen alvast meegenomen? Heel moedig. Ik heb rekening te houden met een vrouw en drie kleine kinderen.'

Was tante in hetzelfde tempo blijven doorlopen? Dan was ze nu al dicht bij de verboden zone. Drie jassen over elkaar zouden niet helpen tegen de schietgrage grenswachters, ook al was de buitenste een loden mantel en de onderste van linnen zo stijf als een plank. Novak keek over zijn schouder. Er leek niet echt een weg terug. Waarom was hij ook zonder tegenstribbelen achter tante aangelopen? Nu was hij alsnog midden in een demonstratie terechtgekomen. Hij probeerde zich naar de rechterkant te dringen. Over vijftig meter was er nog een zijstraat. Novak botste tegen een van zijn collega-koekenbakkers op. Die zette zijn handen in zijn zij en liep achterwaarts voor de hoofdpatissier uit. De kerel was zeker een kwade kop groter.

'Nu hoef ik eindelijk mijn mond niet meer te houden. Mijn bananenbootje had meer verdiend. Iedereen houdt toch van de combinatie banaan, honing en chocola. Ik ga mijn geluk beproeven aan de andere kant.'

Met moeite onderdrukte Novak een lach. Hij keek de jongen voor het eerst goed aan. Een langwerpig, ietwat gelig gezicht, een donkerbruin kapsel en een paar stroperige draden op zijn kin. In de kleur van lindebloesemhoning. Het hoofd van die knaap had wel iets weg van zijn eigen creatie. Babyprak, kindersnoep. De schuit van die jongen ontbeerde elke finesse. Veel te duur ook. Bananen waren moeilijk te krijgen. Novak wilde hem nog vragen waarom de staatsbakkerij niet open was gegaan, maar de koekenbakker draaide zich abrupt om. Misschien een vraag naar de bekende weg. Novak herkende een paar bezorgers, de pet ferm op het hoofd. Ze waren te voet. Met hun tweetaktkoffiemolens waren ze onherroepelijk vast komen te zitten. En de menigte was zo uitgelaten dat ze misschien hun vreugde wel op de bestelwagentjes hadden botgevierd. Van de karrenduwers geen spoor. In hun gestreepte pyjama's zouden ze ook te veel opvallen. Tenslotte waren het voornamelijk ex-politieagenten en afgekeurde grenswachten. De mensenmassa was inmiddels ook de zijstraat gepasseerd. Novak had geen kans gezien om uit de stoet te ontsnappen. Hij liet zich maar meevoeren. Waar zou hij zich ook druk om maken? Meer dan de twee lege busjes van de ordedienst had hij niet gezien. De enige geüniformeerden die op straat liepen, waren buschauffeurs, postbodes en tramconducteurs. Al zei dit niets, verklikkers waren niet te herkennen aan hun kleren. Novak verplaatste de koffer naar zijn andere schouder en voelde in zijn broekzak. Ze naderden de verboden zone. Daar zou de demonstratie vast en zeker met harde hand worden beëindigd. Hij kon alles uitleggen en bovendien had hij zijn medaille van verdienste nog. Maar wat zat er in de koffer? En in de aktetas? Tante had hem op straat nadrukkelijk nog een paar keer gevraagd of hij die bij zich had gestoken.

Er was geen tijd meer om het te controleren. Ze hadden de sperzone bereikt. De huizen langs de route waren al decennia geleden ontruimd. Op last van de hoogste partijorganen. Allereerst de panden het dichtst bij de versperringen. Met ladders waren mensen, nog tijdens de bouw van de Muur, vanuit de bovenste verdiepingen naar de vrijheid gevlucht. Families die al generaties hetzelfde huis bewoonden, zagen zich nu gedwongen om een etage te accepteren in een grauwe huurkazerne in een buitenwijk.

De planken voor de ramen waren weggebroken. Er hingen mensen uit de ramen. Tot zijn schrik zag Novak hier en daar verrekijkers en statieven met camera's met telelenzen. Hij deed de koffer snel weer op de andere schouder. Zijn arm begon toch al te verkrampen. Had tante haar tinnen sierborden ingepakt, haar prullariaverzameling of al haar fotoboeken? Novak verschoot van kleur. Het viel niet op. Iedereen had opgetogen wangen. En bovendien was het november. Zou hij de koffer langzaam via zijn borst en buik tussen zijn benen laten verdwijnen? Binnen een paar minuten zou het bordkartonnen ding vertrapt zijn.

Er ging gejuich op. Novak kon niet zien wat de aanleiding was. Hij botste tegen een grote vrouw aan. De stoet was tot stilstand gekomen. Alleen een dof gedreun weerkaatste door de nacht. Iedereen hield de adem in, als een reusachtig orkest van blazers en trommelaars dat wacht tot de grote trom de tussenmaten heeft geslagen.

'De arbeidersstaat mijn aars,' doorbrak een van de chauffeurs de stilte. 'Weg met de sikkels en de passers. We hebben alleen de hamers nodig.'

Geschreeuw, getoeter, een enorme kakofonie. De stoet zette zich weer in beweging. Novak zag kans om voorbij de grote vrouw te glippen. Nu zag hij hoe een paar mannen uit alle macht op het beton aan het hameren waren. Er stonden zelfs mensen op de rand. Een Trabant maakte veel toeren. Piepende banden, een strakgespannen staalkabel. Mannen zetten hun rug tegen de achterzijde van het wagentje. Toch sterker dan gedacht, dat kunststof chassis. Langzaam kantelde een van de betonnen elementen. Meteen sprong er een man boven op de plaat. Je zou niet zeggen dat hij hoogbejaard was. Hij stampte er driftig met zijn laarzen op los. Opgekropte woede. Hoe simpel was het eigenlijk? Met vereende krachten. Waarom durfden ze dat eigenlijk nooit eerder aan?

Een metaalwerker zei in het trappenhuis tegen zijn buurman de buschauffeur: 'Vanavond trekken we met een hele groep naar de grens. We laten ons door niets tegenhouden. Om acht uur precies. Doorgeven.'

De buschauffeur zou denken aan een opzetje van een informant. Kanonnenvoer. Voor de zekerheid zou hij de staalarbeider aangeven. De deur op de grendel. Ieder voor zich. En de staat voor hen allen?

Novak meende zijn tante te zien. Of was het een gezette vrouw die iets groots met zich meesleepte? Hij slaagde er met wat ellebogenwerk eindelijk in om zich uit de menigte te bevrijden. In deze zijstraat was hij nog nooit geweest. Het plaveisel lag in een ander patroon en bomen en lantaarnpalen wisselden elkaar om de tien meter af. Dat maakte het voor hem moeilijk om uit het licht te blijven. Novak zette de koffer neer en deed de kraag van zijn jas nog eens extra omhoog. Met opgetrokken schouders liep hij verder, blij dat hij zich van het juk van het demonstrantenvolk had bevrijd. Naar zijn idee moest hij aan het einde van de straat rechts afslaan. Als pionier had hij geleerd hoe hij met behulp van de sterren zijn weg kon vinden, maar de lantaarns gaven veel licht en er hing een sluierbewolking.

'Gaat u zitten en vertelt u mij over het menu,' zei Altmann. Graag had hij een uitnodigend gebaar gemaakt, maar hij kon niet veel meer dan zijn wenkbrauwen optrekken en nadrukkelijk naar de plaats tegenover hem kijken. De chef-kok bleef sputteren, maar haakte wel de hakbijl aan zijn riem en trok een stoel naar zich toe. Voor de hotelier had de reus een zwak. Hij moest er nog aan wennen dat de baas nu met de neus omhoog in de achterkamer lag. En Altmann leek sterk op de hoteleigenaar.

'Vijf gangen, heb ik begrepen?'

Aan de stem van Altmann mankeerde niets. Die was nog net zo dwingend als in zijn hoogtijdagen. Gelukkig bewaarde iedere kok en ober bij de opsomming van de gerechten het dessert tot het laatst. Altmann was benieuwd welk slotakkoord hij zou krijgen voorgeschoteld. Al was het alleen in woorden.

De chef-kok knikte. De sommelier was van achter de toog tevoorschijn gekomen. Hij dimde de kroonluchters en doofde met een koperen maatlepel de kaarsen. Alleen het tafeltje bij de keukendeur en de toiletten sloeg hij over. Het eenzame vlammetje gaf het gezicht van Altmann een rouwrand.

Na de appetizer beschreef de chef-kok het voorgerecht. Met weidse gebaren. Altmann kreeg de smaak niet te pakken. Hij kon zijn blik niet afhouden van de linkerhand van de maestro.

'Hoe is dat zo gekomen,' vroeg Altmann, het hoofdschudden en het afwerende gezwaai van de sommelier negerend. 'Ongelukje in de keuken?'

De sommelier greep naar zijn voorhoofd en snelde terug achter de bar. De laatste die geïnformeerd had naar de ontbrekende vingerkoten was door de chef-kok door de straat gejaagd. Misschien zelfs wel de stad uit.

Het had even geduurd voordat de maestro weer puffend achter zijn haard stond.

De chef-kok bleef steken in de preischotel. Hij likte zijn lippen en smakte een paar keer, alsof hij proefde of zijn creatie genoeg was gekruid.

De sommelier ging op zijn hurken zitten, een lege wijnkoeler bij de hand. Als er van alles door de lucht zou vliegen kon hij die op zijn hoofd zetten. Hij hoorde de chef-kok snuiven. Het smeltwater liep de flessentrekker in de kraag. Er bleken wat ijsblokjes te zijn achtergebleven.

'Op een rollend schip hak je nog weleens mis,' zei de chef-kok. Hij wees met een van zijn stompjes naar de vingertoppen van

Altmann. 'Die vallen er straks anders ook vanzelf af.'

Vroeger had iedereen een dergelijke opmerking direct moeten bezuren. Nu kwamen er alleen wat rimpels op het voorhoofd van Altmann. 'U bent dus een scheepsbeschuit. Veel scheurbuik aan boord gehad?'

De sommelier trok de ijsemmer dieper over zijn oren. 'Nogal een ruw volkje op zee. Met losse handjes.'

In zijn kombuis lag bijna alles aan de ketting: maatbekers, gedeukt en wel, braadpannen oplopend in grootte, spatels, lepels en de vergieten, doorzeefd als legerhelmen van verliezers.

'De kookketels waren vastgeklonken aan het dek. Dat was maar goed ook want ze sputterden altijd tegen. En in een haven waren ze zo verpatst voor wat drankcenten.'

De kruiden zaten opgesloten in een rek met erboven een bordje: AL HET GOEDE KOMT IN DRIEËN. Meer gebruikte de cipier ook niet: nootmuskaat, peper en zout. Vooral veel zout. Alsof ze er onderweg nog niet genoeg door werden omringd. Achter dubbele sloten hield de drank zich sterk in de keukenkast. Zelfs de zakken met rijst, aardappelen, uien en bonen lagen achter tralies te simmen. Alleen de stalen kommen die de kok van zijn eerste baan had meegenomen leunden losjes tegen een richel. Collaborateurs zijn altijd extra opgepoetst.

'Als de rantsoenen krap werden dan verving ik mijn muts door een van mijn stalen kommen en stak onder mijn schort een revolver in mijn broeksband.'

'Vertelt u verder over uw rouwschotels,' verzocht Altmann. 'Wellicht kunt u mij een kleinigheid serveren.'

Een galgenmaal, dacht Altmann. Hij had alleen geen idee hoe hij ook maar één hap naar binnen zou moeten werken. Wat zou er met hem gebeuren als hij ook zijn stem kwijt zou raken? Had hij dan nog wel recht van bestaan? Nadat hij met zijn werk in de hotelkeuken was opgehouden, overviel hem steeds vaker het idee dat hij niet meer bij de wereld hoorde. Of was hij altijd al een passant geweest? Een buitenaards wezen.

'Een proeve van uw kunnen,' zei Altmann nog maar eens. Al was het maar om even de geur op te snuiven.

'Ja, natuurlijk,' zei de maestro na enige tijd. Hij kwam langzaam in beweging. Het leek alsof hij weggerukt werd van verre stranden. Misschien kon de man bij zijn gerechten nog een paar mooie verhalen vertellen. Over vreemde rituelen. Van eilandbewoners in de Oost of stammen in donker Afrika. Zolang Altmann andermans geschiedenissen kon verorberen, hoefde hij niet die van hemzelf steeds te herkauwen.

Novak sloeg de hoek om. Hij verplaatste de koffer weer naar zijn rechterschouder. Zo bleef zijn gezicht verborgen voor glurende blikken. Er bewogen daarnet toch een paar gordijntjes? Tot zijn verbazing zag hij dat er in de straat geen enkel vrij parkeerplekje was. Hij keek omhoog, op zoek naar de sterrenhemel. Geen hulp van boven. Was hij per ongeluk terechtgekomen in de buurt waar alle 'geprivilegieerden' woonden? Met zijn vrije hand voelde hij aan de bast van een paar bomen. En ook omvatte hij een paar lantaarnpalen. Die liet hij snel weer los. Straks werd hij nog voor een dronkenlap aangezien. Al was de mist inmiddels heel dik geworden. Als scheerschuim. Met een kwast zou hij er zo toefjes uit kunnen trekken. Een meringue, een omelet siberienne.

Aan welke kant groeide ook al weer de meeste mos op bomen, staken en palen? Op het noorden? Of juist aan de zuidzijde? Daar was het toch 't warmst? In deze stad kwam de wind voornamelijk uit het oosten. Te koud voor welke plant dan ook, meende Novak. Dat zou betekenen dat het groen zich voornamelijk op het westen nestelde.

Hij herinnerde zich ineens een voorval bij de pioniers. Een jongen werd zwaar gestraft. Tijdens een appèl moest de knaap voor de troepen aantreden. Zijn rode halsdoek werd in stukken geknipt. Daarna rukten ze al de insignes van zijn overhemd. Niet zachtzinnig. Een van de leiders gebruikte daarbij zelfs een zakmes. De jongen zag er naar afloop uit als een soldaat die meerdere keren was getroffen. Dodelijk. Die dag sprak niemand meer met hem. Ook Novak niet, moest hij tot zijn schande bekennen. Terwijl hij daarvoor nog tegen de jongen had opgekeken, de lieveling van de leiding, de langste van allemaal, het beste in alle oefeningen en met het handvest steeds paraat in zijn hoofd. Op de terugweg mocht de jongen niet mee marcheren. Hij liep ineengedoken een paar meter achter de eenheid. Uit sommige van de gaten in zijn overhemd sijpelde wat bloed. Bij de volgende bijeenkomsten ontbrak hij. Er werd ook niet meer over hem gesproken, behalve dat men fluisterde dat door zijn toedoen zelfs zijn vader zijn baan als schrijfklerk bij de partij had verloren.

Ook aan Novak had de jongen het verteld.

'De partij,' zei de jongen, 'gaat eens nog zo ver dat ze de takken gaan verbieden om naar het westen te groeien. Straks moeten we nog van die kant het mos van de bomen schrapen.'

Novak had het niet begrepen. Stond het ergens in het handvest? Op zijn kamertje spelde hij het boekje van voor naar achter. En weer terug. Ook bij de ongeschreven nieuwe regels (die hij toch maar in een schrift had gekrast) kon hij niets over bomen, takken en mos vinden. Anders was de jongen toch zeker niet publiekelijk uit de pioniers gegooid?

Novak zette de koffer tegen een lantaarnpaal en schuifelde met gestrekte armen naar waar hij de dichtstbijzijnde boom vermoedde. Hij glimlachte. 'Frappant, hoe ineens op latere leeftijd de ware betekenis van woorden tot je door kan dringen. Ik ben mijn hele leven een slaapwandelaar geweest.' De nevel dempte zijn gemompel nog meer.

Novak ging met zijn handen over de schors. Nu had hij zekerheid. Alleen omdat hij nieuwsgierig was naar de inhoud van de koffer, draaide hij zich om. En misschien had tante inderdaad haar fotoboeken ingepakt. Daar zaten ook kiekjes van hem bij. (Dat je dát met zo'n fabriekstaartje allemaal kon doen!) Het leek Novak geen goede zaak om die geschiedenis in deze buurt achter te laten. Als de mist weer was opgetrokken zou een der 'geprivilegieerden' het ongetwijfeld vinden en direct overdragen aan de veiligheidsdienst. En je kon er zeker van zijn dat die er iets achter zouden zoeken. Desnoods met de loep of met de schaar en de lijmpot.

Novak graaide naar het handvat van de koffer. Het voelde anders aan dan voorheen. Waarschijnlijk was het hengsel ook van bordkarton. Daar was natuurlijk de waterdamp in getrokken. Straks zeulde hij nog de hele nachtmist met zich mee. Ook daarover zou men hem eens duchtig kunnen ondervragen. Hulp aan vluchtige wolken. Uitvoer van staatseigendom. Of van bodemschatten. Bij onderzoek zouden er genoeg stofdeeltjes en zware metalen aan het licht komen.

Novak wreef zijn handpalmen tegen elkaar en rook eraan. Hout, iets metaalachtigs – hij had immers ook de lantaarnpalen omarmd – , aarde, een beetje schimmel, niet onaangenaam, bospaddenstoelen, een vleugje knoflook, wat uien, beide waarschijnlijk nog van zijn ochtendbrood, en inderdaad: mos, maar met een hint van benzine. De partijleden deden niets te voet. Die zaten altijd op de achterbank van hun limousines. Met de gordijntjes stijf dicht. Niet omdat ze voor het volk moesten worden afgeschermd – sterker nog: ze lieten zich graag bejubelen – maar omdat ze op die manier elkaar goed in de gaten konden houden. Zodra iemand een verkeerde stap maakte, kon de macht immers weer opnieuw worden verdeeld.

De sommelier stond op, zette de ijsemmer af en streek de haren uit zijn gezicht. Over zijn linkeroor hingen natte slierten, schouderlang. Zijn hersenpan was kaal en de rechterkant van zijn schedel was opgeschoren. Alsof de kurkentrekker een nazi en een Jezus in zich verenigde. Het goede en het kwade in ieder mens.

Altmann slaakte een zucht. Jammer dat hij zichzelf niet even een kaakslag kon verkopen. Om daarna de andere wang ook nog aan te bieden. Het was duidelijk: zijn hersenen vermoeiden hem meer dan zijn lichaam. Van de spieren, zenuwen en aderen had hij al een hele tijd geleden afscheid genomen.

'Bah,' zei Altmann. 'Bah, bah.' Hij kon de walging niet meer binnenhouden.

Juist op dat moment kwam de chef-kok binnen met schotels, afgedekt met halve bollen. Hij aarzelde een moment, kwakte toen de dingen op tafel en verdween terug in zijn domein. Luid gebrul en gekletter die tegen de keukentegels weerkaatsten. Pas toen de echo's van de echo's waren verstomd, kwam de sommelier naar de tafel die gevaarlijk dicht bij de klapdeur stond. Met een zwierig gebaar haalde hij de deksels weg. Daarbij vielen de haren die hij met een hand over zijn schedel had gekamd weer terug op zijn schouder.

'Maagdenburger halve bollen,' zei Altmann. Het bracht hem op een idee. De eenvoudigste oplossingen liggen vaak direct naast je bord. Daarom kijk je er zo gemakkelijk overheen. De sommelier legde een bestek op tafel, pakte een fles cognac en verdween. Hij nam twee glazen mee.

Novak greep in zijn zak. Opnieuw prikte hij zich aan zijn ordeteken. Hij speldde het blik op zijn borst. Voor het geval de nevel al
op zou trekken terwijl hij nog in deze buurt was. Hij wist nu
welke kant hij op moest. Zou hij nog een keer bij de bakkerij gaan
kijken? Hij hield zijn horloge vlak voor zijn gezicht. Ver na enen.
Over enkele uren begon de volgende dienst. Als er nog steeds
niemand was bij de staatsbakkerij dan kon hij daar zijn fiets pakken en naar huis gaan. Een paar uur slaap zou hem goed doen na
de ongewilde deelname aan de demonstratie. Novak trok de koffer omhoog op zijn schouder. Het kartonnen ding leek een stuk
zwaarder. En ook groter. Opgezet natuurlijk, door de mist die
erin was getrokken. In zijn hemd was een grote zweetplek ontstaan, daar waar de aktetas in zijn broekriem stak. De stof was
daardoor lekker soepel geworden. Hij spande zijn buikspieren
een paar maal aan. En ook de medaille op zijn borst liet hij eventjes heen en weer dansen. Er sprong een knoop van zijn hemd.
Zoveel kracht was voor het lichte gevalletje niet nodig geweest.
    Met een arm voor zich uitgestrekt sloeg hij de hoek om. Iets te
vroeg. Hij kwam terecht in een haag. Wat was dat nu? Hij wist dat
de partijleden bevoorrecht waren, maar ging het niet wat ver dat
de kale takken in hun tuinen voor de koude maanden handschoenen kregen aangemeten? Hij greep nogmaals in de takken.
Echt leer, zo te voelen. Novak zette de koffer op de grond en probeerde ze aan. Een damesmaat helaas.

Toen Altmann een jaar of twintig was, had hij een vriendin in het
oosten van de stad. Twee keer in de week ging hij bij haar op
bezoek. Ook omdat hij zich bezighield met zwarthandel. Hij
kocht spullen goedkoop in en smokkelde ze over de grens naar
het westen. Een hachelijke onderneming. De Oost-Duitse grenswachten joegen in de straten op smokkelaars en vluchtelingen.
Bij een illegale grensoverschrijding openden ze direct het vuur.
(Wat in die tijd bij vrijwel alle grenzen werd gedaan. En misschien ook nu nog wel.) Toen ze dat betonnen ding gingen bouwen was Altmann nog een paar keer gaan kijken. Ten slotte had
het niet veel gescheeld of hij was aan de andere kant terechtgekomen. Zijn lucratieve zaakjes had hij meteen moeten staken. Nog
eenmaal bezocht hij het meisje met het jongenskapsel en de helderblauwe ogen.

'Je begrijpt … ik weet niet …'
Ze had geen woorden nodig.
Een laatste zak met contrabande.
'Per brief? Met duivenpost? Elke woensdag een krabbel in een lege fles? Zo over die muur?'
Hij wist dat hij niet zou schrijven.

Een paar dagen later stond hij te kijken hoe ook haar stadsdeel afgesloten werd. Voorgoed, naar het leek. Als was ze een middeleeuwse schone die levend ingemetseld werd. Waarom had hij haar niet meegesmokkeld? Niet omdat hij bang was voor de grenswachten. Was het de tijdgeest dat de mensen zich zonder protest lieten opsluiten? De gehoorzame burger, lamgeslagen door oorlogsgeweld? Van hogerhand beslist, voldongen feiten?

In de decennia erna was hij nog een enkele keer in de buurt geweest van de versperringen. Hij had wel wat beters te doen dan zich bezig te houden met politiek. Al was de hotelkeuken een staat op zich. Onder Altmanns voorganger met een regime waarvan de oosterburen nog konden leren.

Altmann ergerde zich aan het geklieder op de betonnen platen. Misschien kon de gemeente een keer een echte kunstenaar aan het werk zetten. Om een mooi landschap, een stadsgezicht of desnoods een stilleven te schilderen. Bij een van zijn wandelingen langs die bizarre grens zag hij jongeren afval over het beton gooien. Blikjes en flessen. De bravoure begreep hij wel, maar het bleek niet zonder risico te zijn. Uit een poortje, niet veel meer dan een kier, kwam een grenswacht. Het groepje zette het op een lopen, maar de laatste jongen was niet snel genoeg. De Vopo kreeg hem te pakken bij de capuchon van zijn jack. Hij sleepte hem mee naar zijn hol, als een grijze wolf een prooi. Bij het poortje spartelde de jongen nog even tegen. Toen werd hij opgeslokt, als een omgekeerde geboorte. Van de aardbodem verdwenen. De kranten hadden er niets over geschreven. Wekenlang volgde Altmann het nieuws. Elke dag ging hij even kijken. Maar van het groepje met jeugdig bravoure geen spoor. Was er ooit nog iets van die knaap vernomen?

Altmanns plan was simpel. In de ochtend kon hij zich waarschijnlijk weer bewegen. Het zou een hele onderneming worden, maar het had alle kans van slagen. Aan tijd ontbrak het hem niet, althans voorlopig. Dat was nu juist zijn probleem. Een paar lege wijnflessen kon hij nog wel dragen. Maar zou hij ze eroverheen krijgen? Een kwestie van langdurig slingeren wellicht. Zou hij de sommelier vragen met hem mee te gaan?

Nu was het zaak om de uren tot de dageraad uit te zitten. Bij het gedempte licht van de kroonluchters. De kaars was zo goed als opgebrand. Met de weduwe op de vierde (of de zesde) etage. En zes (of vier) vloeren tussen hem en de sommelier. Als direct gezelschap alleen de hoteleigenaar, twee houten wandjes verder. Samen in rigor mortis. Waar was die kat eigenlijk gebleven?

Novak hing de dameshandschoenen terug in de haag. In elke vinger een kale tak. Als gaf hij een skelet een handdruk. Hij voelde even aan de stam. Schijndood.

Konden we zelf Magere Hein maar zo'n loer draaien, dacht Novak. Elke keer in winterslaap als hij met de zeis over de schouder in de buurt komt. Of zou die bandiet precies weten wie hij wel of niet heeft gehad?

Novak voelde aan zijn kaak. Een van zijn laatste kiezen speelde op. Net nu hij zijn doosje met kruidnagels thuis had laten liggen. Al maakte dat niet veel uit want het was leeg. En het was misschien ook niet zo slim om met een blikje met het logo van een Engels tabaksmerk in deze buurt rond te wandelen. Ook al waren het sigaretten met een filter en met een laag teer- en nicotinegehalte geweest. Een licht vergrijp? De nevel begon op te lossen. Novak nam grotere stappen. Hij passeerde een etalage. Met een schok bleef hij staan. Een kronkelende neonbuis ging aan en uit. Een waarschuwingslicht? Gebruikte de veiligheidsdienst nieuwe technieken? Werden vluchtelingen nu publiekelijk te kijk gezet? Daar waar ze vroeger in onopvallende bestelbusjes naar de verhoorkamers werden gebracht. Met logo's van vis- of groentehandelaren. Alsof voor de karpers, forellen, knollen en kolen die af en toe in de winkels lagen de achterbank van een Trabant niet zou hebben volstaan. Eén voordeel: er was nooit oude waar. Er stonden altijd meer mensen voor de deur dan er vis en groente voorradig was.

Novak spoedde zich voort. Was tante al opgepakt? Vanuit zijn ooghoek zag hij opnieuw haar naam vaalblauw oplichten. En iets verderop nog een keer. Ditmaal hoog in de lucht, roze, wat het iets minder bedreigend maakte. Al kun je met een zuurstok ook aardig meppen. Naarmate Novak naderde zag hij ook sterren.

Vijf precies even heldere nova's op een rij. Dat sterrenbeeld hadden ze hem bij de pioniers nooit geleerd. Misschien hing dat alleen in de buurt van de 'geprivilegieerden' aan het firmament. 'Als ze willen kan de partijtop hemel en aarde bewegen,' had zijn vader ooit gezegd. Hij knalde daarbij zijn bierkan op tafel, spuugde op de grond en vloekte een paar maal hartstochtelijk: 'Christus te paard!'

Novak stond onder aan een uitwaaierende trap. Precies tussen twee straatlantaarns in. Hij keek omhoog. Klassieke pilaren verdwenen hoog in de mist. Een gevel kon hij niet zien. Alleen de naam van tante in het roze en het hem onbekende sterrenbeeld. Had de partijtop een nieuw hoofdkwartier laten bouwen? Hij kon zijn nieuwsgierigheid niet bedwingen en liep naar boven. De koffer zette hij op het bordes. Er kwam alleen een zwak schijnsel door de ramen heen. Een vergadering? Bij kaarslicht vanwege het geheime karakter?

Altmann probeerde zijn rechterhand op te tillen. Alleen in de wijsvinger kreeg hij wat beweging. Nog een uurtje geduld. Misschien iets meer. Maar goed dat de stijfheid hem niet buiten had overvallen. Ergens midden in een park. De duiven zouden hem aanzien voor een standbeeld en bezit nemen van zijn kale schedel. Een dronken caféganger hield hem misschien voor een geelkoperen replica van een gehate politicus en zou tegen hem urineren of in het ergste geval op zijn schoenen kotsen. Opgeschoten jongens zouden hem bekogelen met lege bierblikken. Misschien zou het zelfs hol klinken wanneer ze hem raakten. Altmann kon zich nu niet op de borst slaan om het te controleren.

In elk geval zou hij ze allemaal met een kraakstem de stuipen op het lijf jagen. Om daarna de zoete bevriezingsdood te sterven. Maar daarvoor moest het eerst een stuk kouder worden.

Wat ging er gebeuren met de hoteleigenaar? Was het rouwdiner naar de volgende dag verschoven? Wanneer zou hij eigenlijk ter aarde worden besteld? Je kon zo'n corpus toch niet onbeperkt boven de grond houden? Al had hij weleens gelezen – toen hij nog kranten las, achteloos, zonder de berichten op waarde te schatten – over een vrouw die maandenlang elke avond naast haar overleden echtgenoot in bed kroop. Die mensen moesten wel afgelegen wonen, of vlak bij een vuilstort, of onder de rook van een vleesfabriek. Zou zelfs de postbode, toch bekend met brieven met rouw-randen, niets hebben gemerkt van de aanwezigheid van de dood? Pas toen haar geëmigreerde zoon voor een vakantie overkwam naar zijn geboorteland ontdekte hij dat zijn vader aan het ontbinden was, met het dekentje opgetrokken tot aan het half ontblote kaakbeen. Aan de telefoon had hij niets gemerkt.

'Slaapt vader nu alweer?'

'Het is de leeftijd, jongen.'

Altmann grinnikte. Onder die deken zal genoeg leven zijn geweest, al speelde het voorval zich af in de late herfst in een Midden-Europees land. Hij probeerde nog even zijn hand op te tillen. Zijn ringvinger en pink trilden mee met zijn indexvinger. De duim kwam omhoog en bleef zo staan. De optimist.

Er kwam een auto aangereden. Novak verschool zich achter een van de pilaren. Met zijn voet schoof hij ook de koffer uit het zicht. Hij hoorde hoe de auto stopte, draaide en nogmaals in zijn richting kwam, langzamer ditmaal. Op zoek. Naar hem? Deze buurt werd natuurlijk extra beveiligd. Waarschijnlijk was het verboden gebied. Misschien zelfs een doodlopende straat. Geen ontkomen aan. Had hij door de nevel een paar borden gemist? Novak ademde voorzichtig door zijn mond. Gedempte stemmen. Een portier werd dichtgeslagen. Een paar doffe klappen op de stoep. In de verte klonk gejuich. Was hij maar bij oom in het appartement gebleven. Hij drukte zijn handpalmen tegen de geribbelde steen. Zijn nek-, schouder-, rug- en armspieren spanden zich. De vermoeidheid was weg. Maar wat moest hij met zijn tweede adem doen? Hij had zin om met zijn handen deeg te kneden. Genoeg voor wel vijftig Abrahams. Hoe had hij vorig jaar eigenlijk zijn verjaardag gevierd?

Twee paar hakken tikten op de traptreden. Novak verplaatste zich ruggelings naar de buitenkant van de pilaar. Op het dak van de auto zat een verlicht bordje. Gelukkig geen politiewagen. Al kon het natuurlijk een vermomming zijn. Een dergelijk daklicht had hij nog nooit gezien. En het automodel herkende hij ook niet. Misschien iets Russisch? Speciale taxi's voor de 'geprivilegieerden'? Er stond een kofferset op straat. Oplopend van klein naar groot, als een kinderrijk gezin. De chauffeur opende de achterbak en haalde er nog een hoedendoos uit. Een langwerpig kistje stak hij onder zijn arm. De rest van de bagage pakte hij in één keer op en hij liep er al balancerend mee naar boven. Het koffertje dat hij als een holster onder zijn arm droeg was een vioolkist.

De man zag er niet uit als een strijker. Hij had geen nek. Zijn hoofd leek direct over te gaan in zijn schouderspieren. Zelfs als slagwerker was hij niet geschikt. Hij zou dwars door de grote trom heen slaan. Zat er misschien een machinegeweer in? Zoals Novak weleens had gezien in een zwart-witfilm over het Chicago van de roerige jaren twintig die tijdens een jubileum in de fabriek was gedraaid. 'De gevolgen van het verderfelijke kapitalisme,' zei de fabrieksdirecteur in zijn toespraak.

Novak had alleen oog gehad voor de blonde vrouwen die de charleston dansten.

Neen, de chauffeur was geen fijnbesnaard iemand. Waarschijnlijk kon hij een tegenstander met één greep vloeren. Hij was vast een geheim agent, een bewaker van een of andere partijfunctionaris. De vioolkoffer behoorde zeker aan die hoge pief. Die speelde natuurlijk na een zwaar verhoor de *Voorjaarssonate* van Beethoven. Niet onverdienstelijk, want zijn vingers hoefden nooit een vuist te maken. Voor de klappen had hij die diknek van een chauffeur. Een vioolkist vol met ploertendoders en bullenpezen. Misschien zaten er ook alleen maar documenten in. Geheime stukken over verraders en overlopers of productieplannen voor de komende tien jaar. Doelstellingen die altijd precies werden gehaald. Zou zich daar nog iemand over verbazen?

De chauffeur verdween in het gebouw. Met één trap had hij de deur geopend. Die man was duidelijk gewend om zonder kloppen ergens naar binnen te gaan.

Altmann knipperde met zijn ogen en keek op de klok. Hij was helaas maar een uurtje van de wereld geweest. Een schel geluid resoneerde in zijn oor. Het duurde een paar tellen voordat hij doorhad dat het de bel bij de receptie was. De manier waarop deze werd gebruikt, vertelde veel over de gasten. Sommigen kregen al een rood hoofd als ze eenmaal een voorzichtig klapje gaven. Anderen belden een paar keer met kracht. De lastigste klanten sloegen net zolang door tot iemand achter de balie verscheen. Met die gasten had je gedurende hun verblijf het meeste te stellen, ook als chef-kok.

Er stond een dame voor zijn tafeltje. Ze hield een hand voor haar opengevallen mond. Altmann staarde haar niet-begrijpend aan.

'Ik dacht toch echt even ...' zei ze zacht. Ze herstelde zich. 'Bent u misschien de nachtportier?'

Ze draaide zich om en riep iets in een taal die hij niet verstond. Gelijk hield het bellen bij de balie op en werd het licht sterker. Er moest dus nog een persoon aanwezig zijn. Maar wat graag had Altmann een hand voor zijn ogen gehouden, maar er zat nog steeds niet veel beweging in zijn ledematen.

'Voelt u zich wel goed?'

De vrouw keek naar zijn opgestoken duim en daarna naar de wandelstok.

Dat kon hij beter aan haar vragen. Haar hoofd was rood aangelopen en ze had staan trillen op haar benen.

'Ik vrees dat ik niet veel voor u kan doen,' zei Altmann. 'Ik ben slechts op bezoek.'

'En ze hebben u zomaar in het halfduister achtergelaten? Waar is iedereen?'

Altmann wist niet goed wat hij moest antwoorden.

'Er is een sterfgeval. De eigenaar.'

'Ja, daar komen we juist voor. Een beetje te laat door al dat tumult.'

Altmann bekeek de vrouw eens nader. Dat typerende hoge voorhoofd. Vrijwel dezelfde neus en mond. Alleen had zij grijsgroene ogen en rood haar. Een klassieke schoonheid. Zonder de scherpe trekken van de eigenaar. Misschien een van zijn nichtjes.

'Mijn man zou een paar sonates spelen bij het rouwdiner. Zijn de gasten soms gelijk na het dessert vertrokken?'

Er verscheen een grote kerel met een vioolkist onder zijn arm en vier, vijf koffers in zijn handen. Hij had een dikke nek en worstenvingers. Zijn pak zat te strak. Altmann zag hem al staan met de strijkstok als een wapen in de aanslag. De kat had natuurlijk de komst van de man voorvoeld en was door het keukenraam naar buiten verdwenen. Altmann had er hoe dan ook niet aan kunnen ontkomen. De rest van de rouwgasten, door verdriet of drank overmand, zou zich niet snel beklagen. Hij was blij dat het banket was afgezegd.

'Waar wilt u ze hebben, mevrouw?'

Een vreemde manier om je eigen vrouw zo aan te spreken. Zij had het thuis zeker voor het zeggen. Ze wuifde de speknek verstoord naar een plek in de hoek van het restaurant. Achter de rug van de grote kerel kwam een gebocheld heertje tevoorschijn. Zijn kale schedeldak werd omkranst door bijna lichtgevend grijs haar, een aureool. De glazen van zijn bril waren zo dik dat ze zijn ogen verkleinden tot speldenknoppen. Hij hoestte een paar maal in een grote zakdoek. Die kleurde langzaam roze. Waren niet veel grote artiesten longlijders? Het heertje had een ongezonde teint en ongewoon slanke handen. De vingers van een virtuoos.

De deur kwam met een knal tegen de stopper terecht. Het glas trilde na. Een waarschuwingsschot. Deuren hebben ook heel wat te verduren. De hele dag door wordt er tegen ze geduwd en geschopt. Novak verspilde zijn spierkracht liever niet. Hij drukte zich nog dichter tegen de pilaar. Niemand zou hem opmerken. Zijn kleding had dezelfde kleur als het pleisterwerk. De chauffeur kwam weer naar buiten. Zijn voet hing al boven de eerste traptrede toen hij in zijn ooghoek iets gewaarwerd. Had hij dat vergeten naar binnen te brengen? Er was toch niets gevallen toen hij met de bagage naar boven balanceerde? Hij draaide zich opvallend kwiek om, pakte de koffer beet en zette hem achter de deur. Met twee sprongen was hij bij zijn auto, alsof hij juist een springlading had afgeleverd en voor de grote klap weg wilde zijn.

Novak wist nog steeds niet wat voor explosieve lading het kartonnen valies van tante bevatte. Moest hij er nu vandoor gaan? En wellicht een berg compromitterende foto's achterlaten in een partijgebouw? Hij dacht aan de boekenkast van tante. Opvallend veel titels stonden achterstevoren op de plank. Bij een huiszoeking zou het de geheim agenten toch direct opvallen? Maar oom was natuurlijk een gewaardeerd lid van de partij. Daar keken ze niet zo nauw. Een paar keer had Novak tante al gevraagd waarom ze zo stonden. Schaamde ze zich voor haar lectuur?

'Ze doen me te veel aan vroeger denken.'

Haar verleden kon ze waarschijnlijk zelf niet de rug toekeren.

Stom dat hij nog steeds niet in de koffer had gekeken. Hij haalde de aktetas uit zijn broeksband. Op dat moment klonk er een harde knal. Hij voelde een steek in zijn dijbeen. Een voltreffer ditmaal?

De dame met het rode haar leek goed de weg te kennen in het hotel. Zonder aarzeling liep ze achter de bar, trok een kastje naar voren en opende een luikje. Ze blies de stof van de hals van een buikige fles en nam drie glazen uit de achterwand. Altmann zag dat ze zichzelf daarbij kort bestudeerde in de spiegel. Ze blies een weerbarstige lok weg en ging tegenover hem zitten. Nadat ze had ingeschonken, bijna tot aan de rand, boog ze zich naar voren en snoof aan de schalen.

'Helemaal koud. Ik ga wel even in de keuken kijken.'

Een moedige dame. Bij de klapdeur van de keuken draaide ze haar hoofd om en riep weer iets in die vreemde taal. Zangerige klanken. Was ze een mezzosopraan?

Er kwam geen antwoord. Het heertje slofte heen en weer. Hij leek zich met zijn lot te hebben verzoend, al twinkelden zijn ogen even toen hij de sloten van de vioolkoffer opendeed. Drie tikken van protest vooraf.

'Ik heb gezegd dat hij de verwarming weer hoog moet zetten,' zei ze tegen Altmann. 'En dat hij ons ondertussen maar even op moet zwepen met wat Boheemse klanken. Dan vieren we onze eigen rouwdienst.'

Een waar woord, dacht Altmann.

De taxichauffeur sloeg een paar keer op zijn stuur. In de ochtend zou hij naar de garage gaan. Een bijna nieuwe auto en dan al problemen met de uitlaat. Novak keek de rode achterlichten na en inspecteerde zijn been. Er was niets te zien. Waarschijnlijk wat kramp in zijn hamstrings. Of in de kleermakersspier, de langste in het menselijke lichaam. Wat had hij nu aan die wetenschap? Hij moest de koffer terug hebben en dan, met het risico om weer in de demonstrerende menigte terecht te komen, dezelfde weg teruggaan als hij was gekomen. Al was dat lastig te bepalen omdat hij in de mist een paar keer lukraak was afgeslagen. Eerst naar zijn fiets bij de bakkerij en dan naar huis, naar zijn slaapkamer, waar de gordijnen altijd dicht waren.

Novak sloop over de balustrade naar de deur. Bij elk raam bukte hij zich. Dat was eigenlijk niet nodig want na de komst van de bezoekers waren de ramen beslagen. Het glas van de deur was melkachtig. Hij zag alleen wat schimmen bewegen. Nu moest hij zich vermannen. Tenslotte was hij altijd een goede burger van de boeren- en arbeidersstaat geweest. Het regiohoofd van de partij had hem destijds zelf het ordeteken opgespeld. Hij pakte de deurknop vast en trok er voorzichtig aan. Gewoon naar binnen gaan, een heilwens over vaderland en de partij uitspreken, de koffer pakken en een goedenacht wensen. Voor ze bekomen waren van de verbazing zou hij alweer weg zijn. Hij ademde een paar keer flink in en uit. Alsof hij een duik onder water ging maken. Pas nu merkte hij dat hij het koud begon te krijgen. Te lang in dezelfde houding gestaan. Hij nam nog een laatste teug avondlucht en stapte naar binnen, de borst vooruit als een hardloper bij de finish. Hij werd verwelkomd door een golf warmte en het thema van de negende symfonie van Dvořák, *De Nieuwe Wereld*.

Kenden Altmann en Novak elkaar? Of waren ze toevallig allebei op deze dag jarig? Wat was de inhoud van de aktetas en van de kartonnen koker? Hoopt u ook op de eigendomsakte van hun deel van de wereld?

Ik kan er niet van getuigen. Ik ben niet meer van de partij.

Dankwoord

Voor de gepassioneerde gesprekken dank ik:

mijn geliefde, de honderden wereldschrijvers, vier van mijn buren, het halve handje vrienden, de middenstanders, in het bijzonder de tuinder, de kapper en het kassameisje van de buurtwinkel op de hoek, alle horecabazen, kelners, koks en sommeliers, mijn personages, de journalisten, fotografen en hoofdredacteuren, één drukker, de bus- en taxichauffeurs, machinisten, conducteurs, kapiteins en stuurlui, ook die aan wal, de medereizigers en toevallige passanten, de duizenden Facebookers op mijn profiel, de ambtenaren, advocaten, rechters en lokettisten, één agent, een leger insecten, de bomen, struiken, bloemen, paddenstoelen en kruiden en mijn kwartet viervoeters. Ik ben jullie mozaïek.

Bij de uitgeverij buig ik voor Nelleke Geel, Huguette Hornstra en Adriaan Krabbendam.